LIGAÇÕES PERIGOSAS:

CONECTIVIDADE, COORDENAÇÃO E APRENDIZAGEM EM REDES TERRORISTAS

ARMANDO MARQUES GUEDES

Professor Associado e Agregado da Faculdade de Direito
da Universidade Nova de Lisboa
Presidente do Instituto Diplomático, Ministério
dos Negócios Estrangeiros

LIGAÇÕES PERIGOSAS:

CONECTIVIDADE, COORDENAÇÃO E APRENDIZAGEM EM REDES TERRORISTAS

ALMEDINA

COLECÇÃO POLÍTICA INTERNACIONAL E DIPLOMACIA

COORDENAÇÃO, ORGANIZAÇÃO E PRESIDÊNCIA DO CONSELHO EDITORIAL
Professor Doutor Armando Marques Guedes

CONSELHO EDITORIAL
Professor Doutor Jorge Braga de Macedo
Professor Doutor António José Telo
Professor Doutor Nuno Piçarra
Embaixador Marcello Mathias
Major-General José Manuel Freire Nogueira

*****

LIGAÇÕES PERIGOSAS:
CONECTIVIDADE COORDENAÇÃO E APRENDIZAGEM EM REDES TERRORISTAS

AUTOR
ARMANDO MARQUES GUEDES

EDITOR
EDIÇÕES ALMEDINA, SA
Avenida Fernão Magalhães, n.º 584, 5.º Andar
3000-174 Coimbra
Tel: 239 851 904
Fax: 239 851 901
www.almedina.net
editora@almedina.net

PRÉ-IMPRESSÃO • IMPRESSÃO • ACABAMENTO
G.C. GRÁFICA DE COIMBRA, LDA.
Palheira – Assafarge
3001-453 Coimbra
producao@graficadecoimbra.pt

Outubro, 2007

DEPÓSITO LEGAL
264734/07

ÍNDICE

1.

FORMATOS E CONJUNTURAS: emergência

> *"The revolutionaries must try to bring about a situation where the barbarians are afraid for their lives every hour of the day and night. They must think that every drink of water, every mouthful of food, every bed, every bush, every paving stone, every path and footpath, every hole in the wall, every slate, every bundle of straw, every pipe bowl, every stick, every pin may be a killer. For them, as for us, may fear be the herald and murder the executor. Murder is their motto, so let murder be their answer, murder is their need, so let murder be their payment, murder is their argument, so let murder be their refutation."*
>
> KARL HEINZEN (1853), *Murder*, citado em (eds.) Walter Laqueur e Yonah Alexander (1987), *The Terrorism Reader*, A Meridian Book, New York: p. 64

Dividi este trabalho em seis partes, ou melhor, uma abertura, quatro secções, e um fecho: o estudo agrega uma introdução a quatro grandes segmentos substantivos, que se lhe seguem, e culmina num balanço-conclusão de índole geral[1].

Na introdução, como é natural e desejável, enquadro e equaciono o tema genérico da monografia. Apresento-o. Faço-o de maneira algo longa e pormenorizada, dada a novidade das questões que quero tratar.

---

[1] A meu pedido, este artigo foi lido e comentado por numerosos colegas e amigos a quem não posso deixar de agradecer encarecidamente: Abel Cabral Couto, Ana Luísa Riquito, António Agostinho, António Horta Fernandes, António Pinheiro, Aslak Orre,

1.

"The asymmetrical threats currently challenging U.S. national policies are not [those] *of large standing armies. They are individuals and groups of like-minded individuals. As a result, the mission of U.S. National forces has changed from find, fix, and destroy, to identify, locate and capture".*

JOHN R. DODSON (2006), "Man-hunting, Nexus Topography, Dark Networks and Small Worlds", *IO Sphere*, Winter

Na última trintena de anos assistimos a uma rápida subida na importância de modalidades cada vez mais amplas e intensas de "coordenação-regulação em rede". As novas formas de governação (governação *latu sensu*) a que tais inovações dão corpo têm, naturalmente, recebido a sua quota-parte da atenção académica recente, a elas tendo sido dedicados – foram-no sobretudo no mundo anglo--saxónico – numerosos estudos de maior ou menor fôlego[2]. Na verdade, no entanto, o tipo de esforços de rastreio e conceptualização levados a cabo nesses meios não têm abundado noutras paragens; e

---

Bjørn Enge Bertelsen, Duarte Pinto da Rocha, Filomena Teixeira, Francisco Dias Costa, Francisco Pereira Coutinho, Francisco Proença Garcia, Gonçalo Almeida Ribeiro, Gonçalo Sanchez da Motta, Heitor Romana, Helder Joana, José Eduardo Garcia Leandro, José Manuel Freire Nogueira, José Miguel Freire, Luís Elias, Luís Brites Pereira, Luís Tomé, Nuno G. Cabral, Nuno Canas Mendes e Pedro Velez. O texto melhorou imenso com muitos dos comentários que deles recebi. A responsabilidade pelo produto final é, no entanto, inteiramente minha.

[2] Entendo aqui "governação" em sentido muito lato, como fazendo alusão aos mecanismos presentes de regulação, mais ou menos normativizada, de acções e actividades de todo o tipo. Para o que é, porventura, a melhor discussão sobre estes pontos, é útil a consulta da monografia da justamente célebre jurista norte-americana Anne-Marie Slaughter (2004), *A New World Order*, Princeton University Press. Para a área específica da Gestão, por exemplo, ver o curto mas muito preciso Candace Jones, W.S. Hesterly e S.P. Borgatti, (1997), "A General Theory of Network Governance: exchange conditions and social mechanisms", *Academy of Managment Review*, vol. 22, no. 4: 911-945. Muitos outros exemplos poderiam ser dados. Um derradeiro exemplo, mais normativista e especulativo, é o fornecido pelo estudo de David R. Johnson, Susan P. Crawford e John G Palfrey (2004), "The Accountable Net: Peer Production of Internet Virginia". *Virginia Journal of Law and Technology*, vol. 9, no. 9: 2-33.

mesmo no que à investigação anglo-saxónica diz respeito, o certo é que até ao momento nem definições teoricamente consistentes foram avançadas, nem nenhuma teoria compreensiva foi de maneira efectiva enunciada. À parte asserções metodológicas avulsas e muitas vezes desconjuntadas e, aqui e ali, tentativas mais abrangentes de fornecer visões de conjunturais ponderadas e menos empíricas, deparamos por norma com um resultado final dos esforços intelectuais empreendidos que é pouco exaustivo, de fôlego técnico insuficiente e, por via de regra, muitíssimo mal fundamentado. Em consequência, os *acquis* em termos de conhecimento não são tão robustos, como seria de desejar: tem-se progredido como que por tacto.

Sem ambições excessivas, o meu objectivo mais geral, nesta monografia, é o de elaborar um esquisso de uma teorização que ajude a apurar quais as condições em que formas de governação em rede – formas essas mais claramente definidas do que aquilo que é habitual – apresentam vantagens comparativas e a sua emergência e vigor se tornam, por conseguinte, mais prováveis.

Para tanto escolhi um tema que encara e delineia este objectivo genérico sob a prisma de um outro, mais específico. O exemplo sobre o qual decidi assestar baterias foi o da "governação" que tem lugar no quadro das formas organizacionais assumidas pelas entidades contemporâneas que se dedicam ao terrorismo global (em particular as modalidades das suas articulações, as respectivas mecânicas de coordenação e os processos de aprendizagem a que recorrem). O meu ponto focal específico prende-se assim com os seus formatos e a progressão das suas estruturas organizativas. Embora ilustre as minhas análises com exemplos empíricos provindos de vários domínios, detenho-me no essencial, por razões óbvias, sobre o caso da al-Qaeda. Em redor de tudo isto, sempre ancorando o que assevero nas referências bibliográficas que considero importantes e apropriadas, tento, como já afirmei, encadear uma formulação narrativa, ou seja, uma formulação que em simultâneo seja coerente e analiticamente útil, naquilo que vou apresentando.

No que diz respeito ao método, o enquadramento que proponho inclui aplicações das teorias de redes sociais – redes essas equacionadas, em muitos pontos do que se segue, nos âmbitos disciplinares da topologia, da teoria de jogos, da teoria da complexidade, e da teorização física geral sobre sistemas – e articula-as com análises político-militares concretas ancoradas em modelizações oriundas de domínios mais políticos, ou mais táctico-estratégicos. Nalguns casos recorro de maneira explícita a conceptualizações de raíz matemática. Em termos mais específicos, as minhas preocupações estão antes formuladas em registos sociológicos. Como não podia deixar de ser tendo em vista tanto a natureza do objecto de estudo que escolhi quanto o carácter incipiente deste tipo de investigações, as minhas preferências metodológicas são consciente e assumidamente multidisciplinares. Ao fazê-lo mantenho os devidos cuidados. Sempre que possível, evito discussões técnicas em si mesmas; mas nunca prescindo do rigor que considero fundamental para um bom tratamento de questões essenciais. Por comodidade, tento, invariavelmente, manter um tom coloquial nas exposições que vou fazendo ao longo do texto que decidi redigir.

Dada a natureza do assunto e a maneira como tenciono tratá-lo, quero encetar esforços com algumas palavras de enquadramento e fundamentação que possam servir de pano de fundo estruturante para o estudo monográfico que se segue – mais do que propriamente elaborar uma introdução. Justificam-se aqui duas notas prévias.

Primeiro, quanto à *escolha* do objecto de análise. A razão de ser para as minhas preferências equaciona-se e enuncia-se com facilidade. As mais valias que tanto a produção de um trabalho académico quanto a sua publicitação podem ter, residem nos efeitos cumulativos que elas exibem; no seu papel é o de motores de arranque, para usar uma metáfora. Função, no caso presente, essencial, mas, sem dúvida ao mesmo tempo, apesar de tudo, algo pesada. A monografia que ora apresento ajuda-nos – pelo menos assim o espero – a um encaminhamento mais firme do olhar numa direcção que hoje se coloca à nossa frente como percurso incontornável. É precisamente nesse sentido que a presente introdução é estruturante: visa alinhar uma espécie de primeira demão de uma linha argumentativa que irá ser desenvolvida no corpo do que se segue. Não tenho grandes dúvidas de que o recrudescimento relativamente recente do terrorismo, e as novas formatações que os seus novos avatares têm vindo a assumir, configuram a emergência de uma mudança estrutural de *estilo político* (chame-se-lhe isso), que veio – ou que voltou – para ficar. Compete-nos equacionar as coordenadas dessa viragem-regresso.

Cabe também tornar explícitos os meus *motivos*, um segundo ponto que reputo de essencial. Com efeito, elaborar um estudo sobre estatégias de terror implica decisões prévias que não se tomam de ânimo muito leve. Significa mergulhar em águas pouco convidativas. Mas não há em boa verdade alternativa que valha. Esmiuçar este tipo de temas pode não ser demasiado agradável. Ignorá-los, nos tempos que correm, é decerto muitíssimo pior. Urge, de facto, tentar compreender aquilo com que deparamos num Mundo que se tornou cada vez mais perigoso e mais opaco, e por conseguinte menos previsível. O desencadear de análises teoricamente "abertas" sobre formas e estruturas organizacionais dos agrupamentos terroristas modernos parece-me constituir um passo imprescindível para o desenvolvimento dos estudos que são precisos para melhor os sabermos combater.

Neste como em muitos outros casos, a genealogia pode ser útil. Sem insistir excessivamente em continuidades, ainda que também não caindo no vício oposto de apenas constatar rupturas, é fácil verificar que o peso político e a sistematicidade daquilo a que hoje em dia chamamos "terrorismo" não é coisa inteiramente recente. Tem um passado. Por trás de diferenças aparentes escondem-se semelhanças de família e, por detrás destas, novas diferenças também áquelas aparentadas. Parece, assim, adequado tentar detectar regularidades no que será talvez melhor encarar como variações sobre um tema. Um pouco de recuo basta para tal constatar, ou para ter consciência das curiosas características de moda e ciclicidade do que só com dificuldade não reconheceríamos como exibindo enormes afinidades electivas enquanto modalidades do uso moderno da "violência política personalizada"[3] que tanto caracteriza o que reconhecemos como constituíndo actos terroristas. Um esclarecimento que é também uma salvaguarda: a minha finalidade não é a de teorizar ou interpretar; trata-se, tão-só, de fazer um rastreio de constantes e linhas de força, para utilizar uma imagem historiográfica conhecida. Uns poucos, curtos, exemplos (infelizmente de entre muitos possíveis) bastarão.

---

[3] Ver, para esta questão, a introdução, autoria de Ian Lesser, à obra de referência Ian Lesser *et al.* (1999), *Countering the New Terrorism*, RAND.

Recuemos quase um século e meio e, na volta dos anos de oitocentos para os dos novecentos, alinhemos a galeria de horrores que prenunciou a queda final dos grandes impérios centrais europeus e o fim geral de uma longa época no mundo político ocidental. Em 1881, foi morto em S. Petersburgo Alexandre II, o famoso Czar russo "liberal", por uma granada artesanal reputadamente lançada por militantes revolucionários polacos. Em 1894, um anarco-sindicalista italiano com um nome improvável, Sante Jeronimo Caserio, assassinou à facada o Presidente da República francesa, um homem com um nome também pouco comum, o de Marie François Sadi Carnot. Três escassos anos mais tarde, em 1897, um outro anarquista italiano, Luigi Lucheni, esfaqueou fatalmente a Imperatriz Elizabeth (a tão célebre Sissi) Imperatriz da Áustria e Rainha da Hungria. Pouco depois, ainda nesse mesmo ano, o Primeiro-Ministro espanhol, Antonio Canovas, foi brutalmente liquidado por um correligionário, mais uma vez um italiano, desta feita Michele Angiolillo. Não se tratou de casos isolados, bem longe disso. Em 1900, Umberto I, o Rei italiano, foi brutalmente assassinado num outro ataque anarquista, por Gaetano Bresci, e logo no ano seguinte, em 1901, outro activista, desta feita norte-americano, de seu nome Leon Frank Czolgosz, matou William McKinley, então o Presidente dos Estados Unidos em exercício. O Rei da Sérvia, Aleksandar I e a sua consorte, a Rainha Draga, foram assassinados e mutilados, em 1903, por activistas da Mão Negra (no vernáculo, *Crna Ruka*), um agrupamento insurgente local[4]. O nosso Rei D. Carlos e o Príncipe da Beira, o seu herdeiro D. Luís Filipe, foram ambos mortos a tiro, em 1908, por dois carbonários, Alfredo Costa e Manuel Buíça. Um segundo Primeiro-Ministro espanhol, José Canalejas, foi assassinado em Madrid em 1912, de novo por um anarquista, Manuel Pardiñas. Alexandros Schinas, mais um anarquista, desta vez um grego, liquidou, em 1913, em Tessalónica, o Rei da Grécia, Jorge I. Finalmente, em 1914, o futuro Imperador austro--húngaro Franz Ferdinand[5] e a Mulher, Sophie, Princesa de

---

[4] Quanto a este caso, ler a esplêndida publicação, verdadeiramente clássica, de Chatam House, o artigo de R.W. Seton-Watson.(1935), "King Alexander's Assassination. Its Background and Effects", *International Affairs*, vol. 14, no. 1, pp. 20-47.

[5] Ao contrário do que é habitual ouvir-se, Francisco Fernando foi apenas o príncipe herdeiro do império austro-húngaro. Em 1914 o Imperador era ainda seu tio, o velho

Hohenberg, foram abatidos a tiro em Sarajevo, a capital da Bósnia--Herzegovina, por Gavrilo Princip, um activista político nacionalista também membro da famigerada organização Mão Negra. Compreensivelmente, o terrorismo transformou-se numa das preocupações centrais de políticos, polícias, jornalistas, e romancistas, de Fiodor Dostoievsky a Henry James[6]. Em 1908, apesar desta grande onda de ataques anarquistas ter refluído um pouco, o Presidente norte-americano Theodore Roosevelt fez questão de declarar que *"when compared with the suppression of anarchy, every other question sinks into insignificance"*[7]. Novos ventos começavam a soprar.

O refluxo que foi verificando não soletrou, porém, em boa verdade, uma paragem, mas antes, sim, uma transformação. Os dois conflitos "mundiais" que Ernst Nolte famosamente entreviu como "uma guerra civil europeia" que a par e passo se generalizou e

---

Francisco José, viúvo da imperatriz Sissi, como vimos também ela assassinada por um anarquista em Genéve. Seria absurda qualquer tentativa de formular pronunciamentos definitivos quanto a um caso tão badalado e contestado como este. Para alguns dados de pormenor, é no entanto recomendável a consulta de Gale Stokes (1976), "The Serbian Documents from 1914. A Preview", *The Journal of Modern History*, vol. 48, no. 3, On Demand Supplement, pp. 69-84, Samuel R. Williamson, Jr. (1980), recensões críticas de *Dokumente zum Sarajevoprozess: Ein Quellenbericht* by Friedrich Wurthle e *Die Spur fuhrt nach Belgrad: Die Hintergrunde des Dramas von Sarajevo 1914* de Friedrich Wurthle, *The Journal of Modern History*, vol. 52, no. 2: 358-362, e Vaso Trivanovitch (1930), recensões críticas de *Sarajewo. Die Frage der Verantwortlichkeit der serbischen Regierung an dem Attentat von 1914* por Hans Bauer e *The murder of Sarayevo: an inquiry into the history of Austro-Serbian relations and the Balkan policy of Russia in the period 1903-1914* por N. P. Poletika, em *The Journal of Modern History*, vol. 2, no. 4: 706-710.

[6] Para uma boa perspectivação geral deste ponto, ver Bili Melman (1980), "The Terrorist in Fiction", *Journal of Contemporary History*, vol. 15, no. 3: 559-576.

[7] Citado na p. 117 do longo e rico artigo da autoria de Richard Bach Jensen /2004), "Daggers, Rifles and Dynamite: Anarchist Terrorism in Nineenth Century Europe", *Terrorism and Political Violence*, volume 16, number 1: 116-153. O discurso, na íntegra, está acessível *online* em T. Roosevelt, *First Annual Message to Congress*, 3 de Dezembro de 1901, disponível em http://www.geocities.com/presidentialspeeches/1901.htm, Para ir mais longe, ver também T. Roosevelt, *The Roosevelt Corollary to the Monroe Doctrine*, Maio de 1904, disponível em http://www.theodore-roosevelt.com/trmdcorollary.html., no qual Teddy Roosevelt fez da derrota do anarquismo a prioridade maior da sua Administração: "[w]*hen compared with the suppression of anarchy, every other question sinks into insignificance. The anarchist is the enemy of humanity, the enemy of all mankind; and his is a deeper degree of criminality than any other.*" Regressarei a estes pontos em pormenor na última secção do presente estudo.

agudizou, significaram um relativo hiato nestas formas de luta, como com certeza hoje lhes chamaríamos. No entanto, o intervalo foi sol de pouca dura.

Tudo iria mudar com a criação do Estado de Israel, em 1948 (e até antes disso, no quadro específico do Mandato Palestiniano, com a luta judaica anti-britânica), e com os movimentos independentistas anti-coloniais dos anos 50, 60 e 70 do passado século XX. A brisa voltava, agora como guerra subversiva e muitas vezes com laivos de *blizzard*: modalidades inovadoras de luta terrorista começaram a emergir, inovações firmemente ancoradas em teorizações cada vez mais pormenorizadas quanto à condução de conflitos armados assimétricos e ao efeito político-psicológico do terror como as de Mao Tse Tung na China, as de Vo Nguyen Giap no Vietname, ou aquelas outras, de tónica mais urbana, de Carlos Marighela no Brasil. Formas organizacionais novas associaram-se-lhes. Grupos como a *al-Fatah*, o Setembro Negro, as *Brigate Rosse*, a facção Baader-Meinhof do auto-denominado Exército Vermelho, a ETA, o IRA, ou as FP-25, para mais uma vez só citar alguns dos exemplos óbvios, apareceram a levar a cabo acções quantas vezes brutais, e com carizes e objectivos por via de regra muitíssimo marcados por tónicas explicitamente nacionalistas ou político-ideológicas. Os ventos, alterados, não eram já os mesmos[8]. Seria, no entanto, excessivo distingui-los de maneira radical dos que antes tinham soprado.

---

[8] Para uma seriação temporal algo semelhante, de um ponto de vista formal, à que aqui delineio, ver a "teoria das quatro ondas terroristas" (as *"four terrorist waves"*: o anarquismo de finais do século XIX e início do XX, o anti-colonialismo do pós-guerra, o esquerdismo dos anos 60 em diante, e o terrorismo de cariz religioso, ou fundamentalista, contemporâneo) de David Rapoport. O estudo mais famoso editado por este autor é seguramente o seu *Inside Terrorist Organizations*, Columbia University Press, 1978. Em www.international.ucla.edu/article.asp?parentid=5118 pode ser encontrado um artigo de 2003, de Rapoport, intitulado "Generations and Waves: The Keys to Understanding Rebel Terror Movements", que actualiza a periodização proposta. Para uma ponderação diferente da minha quanto às mudanças na formatação das acções terroristas – menos "semiológica" do que a que enuncio, mas de novo com semelhanças com ela, ver Audrey Kurth Cronin (2002), "The Historical and Political Conceptualization of the Concept of Terrorism", www.ssrc.org/programs/gsc/publications/kurthcronin.doc. Uma discussão seminal desta tão curiosa progressão-ressonância de fases, publicitação, e assimetrias, de âmbito mais amplo, pode ser lida em Walter Laqueur (1975), "The Origins of Guerrilla Doctrine", *Journal of Contemporary History*, vol. 10, no. 3. pp. 341-382.

Efectivamente, as continuidades eram muitas. Esmiucemo-las em pormenor, pondo os contrastes em realce a par e passo. O raio de acção das formas de luta utilizadas – sublinhe-se – era por norma concreto e limitado, restringindo-se a atentados sistemáticos mas de algum modo como que contidos; e se procuravam atingir locais públicos, faziam-no no intuito de melhor produzir os efeitos de impacto local, e nalguns raros casos consequências regionais ou até globais. No processo, os alvos escolhidos passaram a ser menos personalizados e mais indiscriminados, fossem eles individuais ou colectivos – porventura tendo em vista as novas características do Mundo do pós--guerra e a natureza dos objectivos prosseguidos: mais do que atingir Chefes de Estado, Primeiros-Ministros, ou outros líderes políticos, apontava-se nessas actuações para "audiências" mais amplas. As acções empreendidas visavam populações inteiras, ou pelo menos amplos sectores delas. Com os benefícios da retrospecção, as ressonâncias invocadas eram óbvias. Em sintonia com mudanças ocorridas no chão, por assim dizer, o terror comunitarizara-se; e, em consonância com o facto de que a partir de então se contava com alvos colectivos e um público também plural, uma gestão cuidada desse terror entrara em cena.

Detenhamo-nos de novo. Os esboços iniciais de tal gestão foram tímidos, se e quando comparados com aquilo que quase logo de seguida iria vir. Para o confirmar basta contrastá-los uns com os outros. Comecemos pelo plano da comunicação.

Tomemos como primeiro exemplo o dimensionamento semiológico dos meios materiais utilizados. As facas, pistolas, e espingardas, usadas em finais de oitocentos e as duas décadas iniciais de novecentos, na rua ou em salões, por assassinos individuais ou por pequenas células com poucos membros, perderam protagonismo. Tipicamente, as acções levadas a cabo na segunda metade do século XX envolveram bombas em automóveis, autocarros, bares, restaurantes, supermercados, hotéis, barcos e aviões, colocadas e feitas explodir não por assassinos individuais – ou pequenos grupos "personalizados" – mas antes por agrupamentos maiores e mais anónimos. As bombas, como é óbvio armas relativamente menos selectivas do que as facas, as pistolas ou as espingardas (ou mais "democráticas" do que elas, no carácter indiscriminado da letalidade que exibem[9]), foram os seus instrumentos "políticos" de eleição.

Acrescentou-se-lhes uma maior (mais extensa e mais intensa) preocupação comunicacional, num novo Mundo tecnológico em que as televisões tinham vindo substituir os pombos-correio, a telegrafia sem fios e os jornais diários[10]. As implicações convergentes desta despersonalização e deste autêntico alargamento de banda não foram de menosprezar: quando os destinatários a atemorizar se transformaram em "constituências" mais latas, muitas das acções terroristas começaram a ter lugar em *prime-time* e, em consonância com isso mesmo, passaram a incluir por *design* contornos simbólicos que as metamorfoseavam em gestos políticos públicos tão comercializáveis quão inesquecíveis.

Também ao nível da recepção, como depressa se tornou para todos evidente, muito se tinha alterado: de uma preocupação de fundo de polícias, políticos, romancistas, e repórteres, o terrorismo apareceu em posição central nos radares de crise de serviços de informações, de militares, e de diplomatas. A uma espécie de escalada armamentista em termos de instrumentos, acções, reacções, respostas e ripostas, veio juntar-se um crescendo tanto na difusão almejada quanto na despersonalização dos ataques quanto, ainda, no que respeita ao grau de internacionalização pretendido. Em paralelo, face às novas tecnologias de contenção, por um lado, e, por outro, às formas emergentes de comando e controlo, as formas e estruturas organiza-

---

[9] Ver Benjamin Grob-Fitzgibbon (2004), "From the Dagger to the Bomb: Karl Heinzen and the Evolution of Political Terror", *Terrorism and Political Violence*, vol. 16, no. 1: 97-115, para uma boa discussão-enquadramento genérico desta diferença de armas, embora estes sejam aí equacionados no quadro restrito das teorizações revolucionárias de Karl Heinzen. Para uma fascinante interpretação semiótico-performativa, é bom consultar o analiticamente excelente (embora a meu ver desnecessariamente *partisan*) artigo de Jeffrey C. Alexander (2004), "From the Depths of Despair: Performance, Counterperformance, and September 11", *Sociological Theory*, vol. 22, no. 1, 88-105. O mesmo pode ser dito quanto ao notável estudo teórico de Donald Black (2004), "The Geometry of Terrorism", *Sociological Theory*, vol. 22, no. 1, 14-25.

[10] Para um exemplo delicioso do impacto de novas tecnologias comunicacionais no mundo da contestação política – muito mais ambicioso na sua alçada do que a mera alusão que aqui faço, já que encara a reduzida generalização de redes telefónicas como uma forma de controlo social – ver Steven L. Solnick (1991), "Revolution, Reform and the Soviet Telephone System, 1917-1927", *Soviet Studies*, vol. 43, no. 1: 157-175.

cionais típicas dos vários agrupamentos terroristas complexificaram-se. Uma nova era fora encetada. Modalidades directas e crescentemente despersonalizadas de acção e participação política violenta tinham-se não só instalado, mas entrado em velocidade de cruzeiro.

Os novos formatos de implantação de terrorismo que hoje em dia enfrentamos são a face mais recente desta sequência-evolução complexa[11]. Mudou o que seria de esperar que mudasse. Na *global village*, como que paradoxalmente, instalou-se uma deslocalização do terror, e com ela acentuou-se mais ainda o anonimato e a impessoalidade. Uma modificação em duas dimensões. Por um lado, o que antes era privado – ou, em todo o caso, o que fora local – como que passou a público. Numa fase mais aguda da multi-polarização acelerada daquilo que V.I. Lenine apelidou da "correlação de forças" – em que a oposição de fundo ao sistema internacional deixou de estar monopolizada por um bloco político-ideológico – as propensões do pós-guerra viram-se pulverizadas, aceleraram o passo, e extremaram-se. Por outro lado, este descentramento "temático" associou-se a uma disseminação geográfica. Com o estertor da ordem internacional bipolar e a emergência progressiva de espaços públicos globais, os lugares de actuação escolhidos viram-se multiplicados.

Tanto não significou, todavia, que tivessem desaparecido as tónicas até então dominantes. Mas, nas novas conjunturas de um Mundo em rápida mudança, a ênfase tinha subtilmente deslizado e alterara-se o seu ponto tópico de aplicação. Mais: novas personagens emergiram. Decerto em parte por um efeito de escala, passou-se a um mundo eivado de actividades de contestação activa de um "islamismo" dia a dia mais radical e cada vez mais multifacetado, um placo alterado pela via de uma presença actuante e pró-activa de novos actores plurais – actores cuja auto-organização se viu exponenciada nas novas conjunturas e que foram em resultado disso assumindo um protagonismo crescente[12]. A mecânica dessa emergência também foi inova-

---

[11] Para uma leitura mais ampla e mais "prática" (no sentido de menos teórica) do que a minha sobre a evolução do terrorismo – e não apenas dos poucos aspectos dele que foco – é indispensável conhecer a monografia de David Kilcullen (2006), "Counterinsurgency Redux", *Survival* 48 (4): 11-130.

[12] Para uma leitura saudavelmente "pessimista" quanto ao futuro do "islamismo jihadista", contemporâneo ver o muito bom estudo de Gilles Kepel (2003), *Jihad . Expansion et Déclin de l'Islamisme*, Gallimard, uma segunda edição, re-escrita após o 11 de Setembro de 2001, que vê, em entidades como a al-Qaeda, uma espécie de canto de cisne.

dora. A ritualização – e com ela o potencial de expansão por contágio de acções violentas com intuitos políticos públicos cada vez mais difusos – subiu de patamar[13].

Com efeito, um novo *plateau* foi atingido. As consequências – tanto no que toca à dimensão comunicacional, ao planteamento, ou mesmo aos aspectos organizacionais das modalidades de actuação dos terroristas – não tardaram. Na comunidade política de extensão planetária emergente, as vozes recém-adquiridas tornaram-se explicitamente dissonantes. A estridência passou a dar-lhes o mote, num Mundo cada vez mais denso e multivocal. De par com isso, na "aldeia global" subiram de tom e aumentaram em complexidade as "contestações de bairro", sobretudo as que começaram a eclodir nas periferias "suburbanas"[14]. O local, como era decerto inevitável, foi cristalizando como subproduto do global, e ele próprio, curiosamente, se deslocalizou. A exigir reconhecimento, as identidades explodiram e multiplicaram-se. Talvez se possa ler nisto um "neo-medievalismo" anunciado por Hedley Bull[15], ou, em vez disso, uma "neo-tribalização" por subsidiariedade democrática, vislumbrada por Benjamin Barber[16], que fervilha como efeito secundário. Ou porventura vislumbrar, até, uma forma pós-moderna de "tradicionalismo". Sendo-o, poder-se-ia

---

[13] A importância da ritualização em acções políticas religiosas tem pergaminhos antigos: ver, por exemplo, o estudo clássico de Natalie Zemon Davis (1973), "The Rites of Violence: Religious Violence in Sixteenth Century France", *Past and Present* 59: 51-91, sobre os contornos simbólicos da violência recíproca de católicos e protestantes na Guerra dos Trinta Anos que levou à Paz de Westphalia. Mais recentemente, e a respeito da "rotinização da violência" entre os Tamil Tigers e os Sinhaleses no Sri Lanka, vale a pena ler o trabalho de Stanley J. Tambiah (1996), *Leveling Crowds: ethnonationalist conflicts and collective violence in south Asia*, The University of California Press, Berkeley e Los Angeles. Para uma interpretação mais ampla do papel da violência enquanto símbolo, ver os dois estudos de Mark Juergensmeyer (1993) e (2000).

[14] Para discussões detalhadas disto mesmo, ver os dois primeiros artigos de Armando Marques Guedes (2005), *Estudos sobre Relações Internacionais*, Instituto Diplomático, Ministério dos Negócios Estrangeiros.

[15] Uma imagem desenvolvida no clássico Hedley Bull, (1977), *The Anarchical Society. A study of order in world politics*, MacMillan, London.

[16] Benjamin Barber (1996), *Jihad vs. McWorld. How globalism and tribalism are reshaping the world*, Ballantine Books, New York, em muitos sentidos uma obra já clássica da Ciência Política contemporânea.

argumentar, é-o ecoando o "anjo da História" de Walter Benjamin[17], por avançar para o futuro às arrecuas, de olhos postos no passado.

A verdade, em todo o caso, tem sido uma curiosa mistura de modernidade e tradição, uma amálgama de continuidade e mudança, um curioso *mélange* de afirmação simultânea de formas organizacionais e vocábulos antigos a elas alusivos, associados a termos inovadores e dinâmicas de participação política *à la page*, ligados com modalidades de acção e expressão tão híbridas quão apelativas. Nem que fosse como ilustração, valeria a pena dar disso alguns exemplos rápidos.

As denominações, designações e títulos que têm vindo a arvorar soam a litanias sócio-religiosas em que a nomeação de laços tribais se acrescenta às alusões cosmológicas e litúrgicas como que em *graffitti*, logrando-o por intermédio de imagens vívidas e exóticas, que ainda relevam de um Mundo inesperado: os agrupamentos nomeiam-se *al-Qaeda* (literalmente, "a base"), *a Brigada dos Mártires de al-Aqsa* (do nome da célebre Mesquita), o Grupo *Abu Nidal* ("o pai" de Nidal, num patronímico comum), o *Abu Sayyaf* (o pai de Sayyaf, na mesma lógica), o *Takfir wal-Hijra* ("excomunhão e êxodo"), o *Hezbollah* ("o partido de Deus"), a *Jihad Islâmica*, o *Al-Jund al-Iman* (o "exército da fé"), o *Lashkar-e-Tayyiba* (o "exército dos íntegros), o *Jaish-e-Maomé* (o "exército de Maomé"), o *Asbat al-Ansar* ("a liga dos seguidores" ou "a liga dos *partisans*"), ou a hoje clássica *Irmandade Muçulmana*, encetada há meio século no Egipto[18].

Podemos, todavia, ir mais longe do que aquilo a que meras ilustrações nos levariam. Note-se que todas estas designações são emblemas – denominações mais do que nomes – impregnados de uma imagética de cariz descritivo que parece correr ao mesmo tempo

---

[17] Walter Benjamin (1968), *Illuminations*, Schoken Books, New York, porventura a colectânea com maior e mais durável impacto da chamada Escola de Frankfurt.

[18] Há um outro conjunto de nomes de organizações que radicam com nitidez na tradição de luta política da Esquerda clássica – ou, se se quiser, na "terceira onda" rapoportiana do terrorismo – retomando o mote desta última num enquadramento particular. Ponderem-se assim, por exemplo, denominações como as de movimento Islâmico do Uzbequistão, Jihad Islâmico Palestiniano, Jihad Islâmico Egípcio, Grupo Islâmico Armado, Exército Islâmico de Aden-Abyan, ou Frente Democrática para a Libertação da Palestina.

num curioso sentido representacional. Trata-se de títulos emblemáticos cuja dissonância com as acções que empreendem se faz sentir de maneiras cruas e veementes, tanto na frieza dos métodos quanto no grafismo quasi-mecânico da sua eficácia. Como se na situação partilhada de uma assimetria que em tantos planos se tem vindo a agudizar, se tivesse tornado natural o recurso a *sinaléticas básicas* para uma compreensão exterior, e transparente no que toca à ênfase externa de afirmação de especificidades próprias e muito distintivas. E, ainda, como se na situação conjuntural fosse, a um tempo, imprescindível e indiferente o facto de se querer exprimir localismos numa linguagem universalista associada à circunstância de se significar características públicas agressivas num léxico que amplia os traços identitários privados.

A solução para tal *conundrum* é simples de compreender: trata-se de tentativas performativas de afirmar enfaticamente a hegemonia de uma superioridade indiscutível no quadro da asserção "coerciva" de uma alteridade radical que visa negar – e negar premptoriamente – a possibilidade de quaisquer diálogos. Em palcos como estes, as linguagens da violência tendem a emergir como soluções estilizadas para uma comunicação enfática de recusas, respostas enunciadas em termos ricos porque pouco ambíguos, termos que em simultâneo juntam a tradutibilidade fácil a uma panóplia clara de *recados eficazes* no efeito de separação que produzem. Impõe-se com isso uma subalternização, ou tenta-se fazê-lo. Com tais ecos culturais profundos, cria-se uma estranha imagem de marca.

O que podemos aventar como motivos para tanto? Num Mundo cada vez mais desigual, interdependente, e dialógico, modalidades de conflito como aquelas que temos vindo a experienciar eram seguramente inevitáveis. O que não sabíamos – e em boa verdade ainda hoje não sabemos – é a escala que podem ter, a sua alçada potencial, ou os níveis de terror e destruição que podem vir a atingir. O que sabemos, isso sim, é que os sinais não são nada animadores. Não conseguimos sequer adivinhar as formas – quaisquer que elas venham a ser – que assumirão. Intuímos o risco de poderem vir a ser utilizadas armas de destruição em massa, agora que as há e que a sua acessibilidade, como temos vindo a verificar, é cada vez menos fácil de controlar; e posto que a sua eventual utilização parece ir no sentido em que o crescendo de privatização, publicitação, e devastação moral almejada têm vindo a progredir de modo imperturbável[19]. Oxalá estejamos enganados. O certo é que para isso nos temos de preparar. E decerto o urgente é – tanto programática quanto normativamente – que o façamos sem perder de vista as liberdades que tanto nos custaram a conquistar - um considerando que nem sempre, infelizmente, temos tido na devida consideração.

Seja qual for a nossa postura normativa pragmática, para a sua consecussão, primeiro, todavia, temos de tentar *compreender*. Daí a minha escolha desta grande área e a minha preferência pelas tónicas em que me quero deter.

Encaminhar o olhar com firmeza para a compreensão de questões que nos afectam a todos não se reduz, porém, nem ao estabelecimento de um quadro – por mais complexo que ele seja – de semelhanças e diferenças, nem a um que registe tradições e mudanças. Para ser útil, o encaminhamento dos olhos exige também que consigamos decifrar os porquês das dinâmicas das transformações que se verificam.

Quero com isto argumentar que, no fundo, não custa compreender as razões das progressivas e tão complexas alterações de estilo a que as formas de actuação e as modalidades de organização dos agrupamentos terroristas se têm visto sujeitas. As razões radicam em dois planos. Trata-se, decerto, por um lado, de uma questão *estrutural*: outro tanto era inevitável, dir-se-á, com o crescimento de uma cada vez mais complexa interdependência ao nível planetário, com as novas tecnologias de comunicação a tanto associadas, e talvez também com o colectivismo próprio de uma "aldeia global" em que os actores que efectivamente contracenam são grupos sociais muitas vezes de escala demográfica gigantesca. Mas trata-se, por outro lado, seguramente também de uma questão *conjuntural*.

A verdade é que as organizações terroristas deparam hoje em dia com tarefas difíceis em enquadramentos operacionais hostis. Tarefas que decorrem, em larga escala, de problemas organizacionais

---

[19] O que pode tornar os conflitos assimétricos modernos em acontecimentos cada vez mais *fluidos*, tanto no plano político-militar como no das consequências. Para uma série de propostas quanto a como conceptualizar essa fluidez em casos coomo o do combate contra a al-Qaeda ver, por exemplo, Aline Leboeuf (2005), "Fluid Conflicts. Concepts and Scenarios", *Politique étrangère*, 3. Uma leitura sucinta da evolução plausível do terrorismo pode ser encontrada em B. Jenkins (2006), "The New Age of Terrorism", RAND.

internos e do tipo de inserção externa que é a sua. E isto pelo menos
em dois sub-planos distintos. Indiquê-mo-los um a um. Em primeiro
lugar, as organizações terroristas vêm-se (ou pensam ver-se, por via
de regra) perante o facto de ter de usar meios violentos como forma
de lograr os seus objectivos políticos, sejam eles quais forem. O que
não é linear. Como foi recentemente notado por Jacob N. Shapiro[20],
isto suscita uma dificuldade maior: *"doing too much can be just as
damaging as doing too little"*. O ataque da *Real* IRA (ou RIRA,
como se tornou conhecido) em Omagh, na Irlanda do Norte, em
1998, foi altamente problemático tanto para o RIRA como para o
movimento Republicano irlandês em geral: os 29 mortos civis causaram uma reacção generalizada de indignação pública e o movimento,
desde 2003, não levou a cabo nenhuma outra acção significativa.
Como é óbvio, o perigo oposto também espreita: não desencadear
nenhuma acção, é fazer *de menos,* e condena as organizações a um
rápido esquecimento. Mas, convenhamos, sintonizar a intensidade da
acção não é tarefa fácil, em particular se fazê-lo significa uma constante re-adequação relativamente a circunstâncias em fluxo permanente como o são as modeladas pelo uso da força. O primeiro problema com que deparam é assim, argumentavelmente, o de uma
sintonização constante de proporcionalidade. Lográ-la exige (ou,
pelo menos, a experiência aparentemente assim o demonstra) uma
enorme coordenação e um nível de comando e controlo *internos.*
Mas não é este o único défice geral com que têm de conviver.

    Já em segundo lugar – e este é o segundo sub-plano dos dois a
que aludi – as organizações terroristas estão muito fortemente condi-
cionadas pelo facto de que têm de manter um uso calibrado de força
num meio ambiente em que a detecção por outras entidades,
designadamente entidades governamentais, significa com toda a probabilidade, um fracasso operacional. Cabe aqui um segundo exemplo,
repescado também do notável estudo recente intitulado *Harmony
and Disharmony*[21], que diz respeito a uma tentativa de ataque a

---

[20] US Military Academy, West Point (2006), *Harmony and Disharmony. Exploiting
Al-Qa'ida's Organizational Vulnerabilities*: 11. Jacob N. Shapiro, um *Fellow* do *Center for
International Security and Cooperation (*CISAC) na Stanford University e Associado do
Combating Terrorism Center em West Point, foi o autor primário da secção que cito. O
autor fornece este exemplo do que aqui apelido um dilema.
    [21] Idem, *ibid.*: 11 e 12.

hotéis turísticos, em Marrocos, em Novembro de 2005: o atentado falhou, visto que as células operacionais que o iam desencadear incluíam antigos presos que tinham estado encarcerados em Guantanamo, sendo por isso gente bem conhecida das autoridades marroquinas.

Estes dois sub-planos coexistem e interagem entre si, o que suscita um outro dilema: lograr o que se pretende requer (ou, pelo menos, a observação acumulada assim no-lo diz) um nível firme de *isolamento*, acoplado a uma enorme e fina coordenação *em relação ao exterior*. Não são de novo difíceis de perceber muitos dos embaraços concretamente levantados por tal dilema. Darei três rápidos exemplos. Um, os agrupamentos têm de se debater com o problema de conservar uma *situation awareness* externa aguda enquanto se mantêm encobertos e por isso insulados em relação ao exterior. Dois, precisam de conseguir refrear e activar os seus membros – numa palavra, comandá-los – ao mesmo tempo que se vêem-se na contingência de ter de fugir à atenção dos governos e outras forças hostis, enquanto em simultâneo têm, para tanto, de saber limitar as consequências de quaisquer compromissos que para esse efeito tenham de assumir. Por último, três, independentemente da disponibilidade e apetência que possam ter quanto a actuações e acções concretas, os grupos de activistas vêem-se forçados a ser contidos e limitados, já que levar a cabo muitas acções faz crescer, em proporção geométrica, a probabilidade de virem a ser detectados e degradados ou até destruídos.

Na maioria dos casos, as organizações terroristas têm uma consciência aguda dos dilemas com que se vêem-se forçadas a conviver. A este propósito – o lidar com dilemas simultâneos relativos ao comando e controlo e às vulnerabilidades em termos de segurança – vale decerto a pena citar longamente o estudo norte-americano que atrás citei: "[t]*hese challenges lead to several recurring themes in terrorists' organizational writings. Problems of control in terrorist organizations first enter into the organizational writings of early Russian Marxist groups which had regular problems with local cells. [...] In like fashion, a 1977 "Staff Report" for the Provisional Irish Republican Army (PIRA) General Headquarters (GHQ) details reorganization plans intended to minimize security vulnerabilities while maintaining sufficient operational control. Islamist groups are not immune from these concerns, though maintaining situational awareness seems more problematic for them. A lessons learned document [...] describing the failed jihad waged against the Assad regime in Syria from 1976-1982, includes a discussion of the problem of becoming detached from the masses because of the exigencies of maintaining security. This same document contains a discussion of how to emulate the Italian Red Brigades' to better compartmentalize information while maintaining operational effectiveness. Finally, captured letters between al-Qa'ida members [...] discuss how planning and conducting too many attacks can become counterproductive, bringing unwanted government attention toward the group"*[22].

Quais são então as consequências genéricas, a um nível mais alargado, ou seja as consequências patentes no quadro das limitações organizacionais resultantes dos constrangimentos impostos pela operação simultânea destes dilemas? Parece-me óbvio que, em termos empíricos, a solução tem sido por norma a de priorizar a segurança em detrimento de uma coesão e controlo directos. O que não é surpreendente, uma vez que a pressão externa hostil tem vindo a ser intensificada de maneira aguda. No seguimento daquilo que atrás equacionei, não será difícil entrever quais as escolhas a que a pressão externa impeliu as organizações terroristas mais acossadas: rápidas mudanças adaptativas, na direcção de redes cada vez mais descentradas, mais difusas, e por isso muitíssimo mais "resilientes". As organizações

---

[22] *Op cit.*: 12. As obras citadas são Anna Geifman (1992):, "Aspect of Early Twentieth-Century Russian Terrorism: The Socialist-Revolutionary Combat Organization," *Terrorism and Political Violence* 4, no. 2: 23-46 e John Horgan e Max Taylor (1997), "The Provisional Irish Republican Army: Command and Functional Structure," *Terrorism and Political Violence* 9, no. 3: 1-32. Os autores (e presumivelmente J. Shapiro, que destila as posições deles sem grande distorção) concluem, de seguida, o seguinte: "[t]*he key insight is that terrorist groups, and other covert organizations, face two fundamental trade-offs. The first is between operational security and financial efficiency. Here problems of trust and control—agency problems—create inefficiencies in resource allocation. Strategies to mitigate these problems all entail security costs. The second tradeoff is between operational security and tactical control. Here agency problems and other group dynamics lead to counterproductive violence. Strategies to mitigate these problems through greater control entail security costs for groups as a whole*": um *insight* interessante, mas com cujo economicismo não concordo inteiramente. A questão suscitada de uma eventual *financial efficiency* parece-me desadequada do resto da argumentação – uma argumentação com a qual, ao invés, *grosso modo* concordo.

terroristas – as islamistas como quaisquer outras – preocupam-se, de facto, com os seus dilemas organizacionais e tentam suprir as carências e vulnerabilidades por eles induzidas[23]. Tendem a fazê-lo caso a caso, mas tentam também aprender uma com as outras, criando "doutrina".

O facto é que muitas das organizações terroristas modernas (e a al-Qaeda é disso um excelente exemplo) são cada vez menos formais e mais lassas no que toca tanto ao recrutamento que empreendem para seu provimento institucional, quanto ao estatuto de membro que reconhecem aos "recrutados". Como escreveu em 2003 A.K. Cronin[24], suscitando alto e bom som precisamente esta questão, "[b]*ut do* [al-Qaeda] *operatives even necessarily need to be members? It is apparent from some of those apprehended in failed plots that it is not essential to be formally 'in' Al-Qaeda in order to carry out attacks. Operatives seem to vary, from the best-trained, controlled and financed professional cadres, such as Mohammed Atta (who led the September 11th attacks), to less-trained and relatively uncontrolled volunteers, such as Ahmed Ressam (who intended to blow up Los Angeles International Airport) and Richard Reid (who tried to detonate plastic explosives in his shoes aboard an American Airlines transatlantic flight). Al-Qaeda even acts like a foundation at times, reportedly giving grants to existing local terrorist groups who present "promising" plans for attacks that serve the organization's general goals. Unlike many traditional terrorist groups, Al-Qaeda has no single standard operating procedure, although it does have a well-developed manual for its operations. Benefiting from Osama bin Laden's considerable experience in business, the organization is said to be structured like a modern corporation, reflective of management concepts of the early 1990s, including bottom-up and*

---

[23] O que torna os trabalhos que eles próprios produzem num material precioso para estudo. Parece-me óbvio que os analistas externos (sejam eles ocidentais ou não) dependem de informações incompletas e insuficientes, e muitas vezes de especulações mais ou menos mal fundamentadas, para formular hipóteses quanto às vulnerabilidades e fraquezas de entidades como a al-Qaeda. Não é tanto assim no que toca às perspectivas dos "estrategas" jihadistas, que muitas vezes têm uma experiência *directa* do funcionamento quotidiano das suas organizações e uma perspectivação privilegiada a partir da qual as encaram e esmiuçam em busca de *"lessons learned"*.

[24] A.K. Cronin (2003), *Al-Qaeda after the Iraqi Conflict*, CRS Report to Congress: 3-4.

top-down networks, a common 'mission statement', and entrepreneurial thinking even at the lowest levels. This makes it extraordinarily flexible and, many believe, able to survive serious blows"[25].

Em consonância com isso, continua, *"Al-Qaeda has also developed strong ties to other terrorist organizations, some new and some long-standing. Osama bin Laden formed an umbrella group in late 1998, 'The International Islamic Front for Jihad Against Jews and Crusaders', which included not only Al-Qaeda, but also groups from Egypt, Algeria, Pakistan, and Bangladesh. Some argue that Al-Qaeda has been something of a hybrid terrorist organization for some time. A sampling of groups currently thought to be connected includes the Moro Islamic Liberation Front (Philippines), Jemaah Islamiah (Southeast Asia), Egyptian Islamic Jihad (merged with Al-Qaeda in 2001), Al-ansar Mujahidin (Chechnya), al-Gamaa al-Islamiya (Egypt, and has a worldwide presence), Abu Sayyaf (Philippines), the Islamic Movement of Uzbekistan, and Harakat ul-Mujahidin (Pakistan/Kashmir). The list is illustrative, not comprehensive"*. A norte-americana A.K. Cronin conclui com algumas considerações organizacionais, formuladas precisamente no plano mais alargado a que aludi, meditando que *"[s]ome experts see increased reliance on connections to other groups as a sign of Al-Qaeda's weakness; others point to enhanced cooperation with other groups as a worrisome indicator of strength, especially with groups that formerly focused on local issues and now display evidence of convergence on Al-Qaeda's international anti-U.S., anti-West agenda. An important question is whether Al-Qaeda might be evolving further into a new form, more like a movement than a formal organization, increasingly diffuse internationally and less reliant upon its own membership"*.

Que a al-Qaeda tem sido empurrada para um descentramento e uma "des-hierarquização" desse tipo por pressão político-militar externa parece-me indiscutível. Os próprios "líderes" dela o asseveram. Para tornar a citar o muito interessante estudo recente publicado pela *Military Academy* de *West Point*, *"[t]he United States and its allies have found great success fighting al-Qa'ida as an organization. We*

---

[25] *Ibid.*.

have significantly degraded its formal command structure, debilitated its capabilities to readily move money and closed most of its training facilities. Despite the success against the organization, however, terrorist attacks in the name of al-Qa'ida, such as those witnessed in London or Madrid, continue. While not *coordinated by the al-Qa'ida organization, they are* informed *by the model that al-Qa'ida popularized.* [...] *One senior al-Qa'ida strategist, Abu Musab al-Suri, advances* [...] *a comprehensive call to violent revolution among Muslims. His writings need to be understood for what they are: a template for* morphing *the loose coalition of organizations, personalities and ideas that has come to be known as al-Qa'ida into a global revolutionary* movement. *His movement is well-conceived and designed it to be* organic, clandestine, adaptable to changes in political reality and self-sustaining"[26]. A transformação numa "rede de redes" reflete a adopção de uma estratégia imperativa de sobrevivência. Em resultado, o que era uma crise tornou-se numa oportunidade.

Quero agora dar mais um passo introdutório neste estudo, no sentido de mostrar vários dos âmbitos em que têm vindo a emergir redes nos palcos contemporâneos, ao mesmo tempo que tento sublinhar a extraordinária eficácia que é seu apanágio.

---

[26] Ênfases finais minhas. *In* US Military Academy, West Point (2006), *op. cit.*: 45. Segundo os autores desse estudo, al-Suri explicita depois melhor esta leitura tão "gramsciana" quão triunfalista: "[s]*ince the Afghan training camp system had been shut down, Suri argues for the need to transfer the training to each house of each district in the village of every Muslim. By making appropriate training materials available to more than a billion Muslims in the world, Suri believes that he can catalyze a revitalized culture of preparation among them. Taking advantage of information technology like the Internet, Suri contends that anyone interested can access military and ideological training in any language, at any time, anywhere. Muslim homes, as envisioned by Suri', not only become the new training camps, where families can recruit, educate and train, but also serve as staging grounds from which ideological adherents are able to consolidate their strength and wage terrorism. Further complicating matters, Suri articulates expanded opportunities to participation in jihad for the large numbers of Muslims who may agree with the ideology he advances but are reluctant to engage in acts of violence".*

2.

"The rapidly unfolding science of networks is uncovering phenomena that are far more exciting and revealing than the casual use of the word network could ever be. They open up a novel perspective on the interconnected world around us, indicating that networks will dominate the new century to a much greater degree than people are yet ready to acknowledge. They will drive the fundamental questions that form our view of the world in the coming era".

ALBERT-LASZLO BARABÁSI (2002), *Linked: The New Science of Networks*. Cambridge, MA., Perseus Publishing: 7

O dia 18 de Agosto de 2005, pelo menos em Bagdade, foi terrível. Vou mostrar em que sentido, com uma série de curtas descrições[27]. Num bairro shiita do leste da capital iraquiana, um carro--bomba conduzido por um suicida explodiu perto de uma estação da Polícia, mesmo em frente a uma paragem de autocarro. A hora era de ponta. Dez minutos mais tarde, quando uma multidão se juntou junto ao posto policial para observar a devastação e comentar os esforços frenéticos e desesperados da ajuda civil e militar de emergência que acorreu ao local, um segundo carro pilotado por um bombista suicida entrou pela estação adentro e explodiu por sua vez. A carnificina foi o que se pode imaginar. Não tinha, porém, acabado. Uma vintena de minutos mais tarde, quando as vítimas dos dois primeiros rebentamentos foram transportadas para o tristemente célebre Hospital de Kindi e familiares e amigos aflitos convergiam para a porta, um terceiro carro-bomba, ao que parece já lá estacionado há algum tempo, estoirou junto à entrada. Escuso-me de entrar em pormenores. Apro-

---

[27] No presente ponto 2. da Introdução desta monografia reproduzo, praticamente *ipsis verbis*, alguns dos exemplos que dei num artigo publicado em 2006, acrescentando-lhes outros. Aliás, a presente monografia foi redigida no seguimento dessa comunicação, inicialmente apresentada no Instituto de Defesa Nacional, e poucos meses depois publicada como Armando Marques Guedes (2006), "O Pensamento Estratégico Nacional. Que futuro?", em (eds.) José Manuel Freire Nogueira e João Vieira Borges, *O Pensamento Estratégico Nacional*: 143-199, Cosmos e Instituto da Defesa Nacional, Lisboa.

veitando a confusão e o afluxo de forças de segurança ao local, vários outros ataques foram perpetrados, nesse mesmo dia, noutros lugares da cidade.

Gostaria de parar um pouco por aqui e reflectir. De um ponto de vista táctico-organizacional, há dois traços distintivos particularmente edificantes nesta história. Em primeiro lugar, note-se, um enorme passo dado, em relação ao que até então tinham sido, em Bagdade e no resto do Iraque, resultados avulsos e largamente independentes uns dos outros: os atacantes obviamente dedicaram um esforço substancial ao planeamento da operação, e designadamente no que diz respeito à antecipação dos lugares onde multidões se iriam formar. Os *feddayyin* que gizaram a operação, claramente não pensaram apenas num acontecimento discreto, mas congeminaram antes o encadeamento de uma série de eventos ligados uns aos outros e entrosados de tal modo que os *warriors* pudessem, logo à partida, ter um controlo previsível sobre os resultados finais. O efeito destrutivo, por isso mesmo, foi exponencial, e muitíssimo maior do que teria sido se tivesse havido um só acontecimento, ou se tivessem ocorrido uma série de acções avulsas, seguidas mas desligadas umas das outras. Criaram-se sinergias. A eficácia do ataque não pode, por conseguinte, senão ser medida a partir da mecânica "causal" de como a primeira explosão gerou uma segunda e depois ambas, por seu turno, desembocaram numa terceira, culminando num quase total controlo, de certa forma garantido *ab initio*, de definição do "campo de batalha". Há mais ainda. Uma vez executada esta acção, a lição foi aprendida e, com variantes, nos últimos meses, a receita tem vindo a ser aplicada noutros lugares, designadamente no Afeganistão[28] e até na Chechénia[29].

---

[28] Para o caso do Afeganistão pós-*taliban* e a guerra aí em curso, é com dificuldade dispensável a leitura de Greg Wilcox e Gary I. Wilson (2002), intitulado "Military Response to Fourth Generation Warfare in Afghanistan".

[29] No que toca a este último caso, é útil a consulta do excelente artigo de Ib Farby e Marta-Lisa Magnusson (1999), "The Battle(s) for Grozny", *Baltic Defence Review*, 2, pp. 75-88. Grozny foi, em pleno, um gigantesco campo de treino para o que temos vindo a assistir, e em que muitas vezes participam "combatentes tchechenos". Em termos mais genéricos, ver, por exemplo, C.L. Staten (2003), "Urban Warfare considerations; Understanding and Combating Irregular and Guerilla Forces during a Conventional War", sobre as "*stay-behind forces*" que aprendem as lições dos conflitos em curso no Afeganistão e no Iraque, que os *feddayyin* têm vindo a seguir seguindo a matriz de base das

Para já gostaria de me debruçar rapidamente sobre um outro traço distintivo *e edificante* desta história. Até ao momento olhei para a lógica da planificação dos ataques (ou melhor do ataque em várias fases) em si mesma, enquanto acção objectiva. Vale a pena agora perder alguns momentos sobre a dimensão *subjectiva* da sequência que narrei. Deste outro ponto de vista, complementar, notem, a enorme preocupação táctica dos atacantes com aquilo que estou tentado a apelidar de previsões psicológicas e sociológicas gerais por parte das vítimas, e nomeadamente com o que só podemos denominar uma "gestão do terror" instilado. Aquilo que salta logo à vista é *a devastação moral* de maneira patente desejada e certamente bem conseguida.

Por aí, imaginar-se-á, nada de novo: com efeito, apesar de tudo é por isso mesmo que consideramos e nomeamos como "terroristas" os grupos que levam a cabo este tipo de actividades. Mas serás bom dar realce a um aspecto muito específico desta acção concreta em Bagdade de que acabei de falar: a sua dimensão *recursiva*, se se quiser.

Façamos um *fast forward* de treze dias para uma ponte sobre o Rio Tigre, a famosa e ampla ponte Aimmah, que liga Al-Aimmah a Kadhimia, apinhada de shiitas devotos a dirigir-se para uma celebração religiosa que iria ter lugar na outra margem do enorme curso de água. Cerca de um milhão de crentes convegiam para o santuário. Num primeiro momento foram lançadas granadas de morteiro sobre a massa de gente; houve 4 mortos. A mesquita de Kadhimia foi alvejada com *rockets*: resultado, 36 feridos. A tensão, compreensivelmente, subiu de tom.

O que se seguiu foi muito pior. Ao que foi apurado em entrevistas aos sobreviventes, correu célere o boato entre a multidão aglomerada na ponte e deslocando-se nela a passo de caracol: o de que haveria um homem-bomba no meio dos peregrinos (e na parte central da ponte) que se iria autodetonar. A boiada estoirou. Num espaço para todos os efeitos fechado, gerou-se um pânico desenfreado, no qual as pessoas tentaram fugir para os rebordos da plataforma, para

---

tácticas da al-Qaeda. O ponto, aqui, são os muitíssimo rápidos "processos de aprendizagem" e a extraordinária agilidade organizacional destes movimentos, a capacidade, (quase que como estruturas virais, se se preferir), de "mutação" e de adaptação, que patenteiam.

tentar escapar à hipotética explosão do seu tabuleiro. Face à impossibilidade de ir mais longe num sentido lateral, a multidão fluiu nas três únicas direcções disponíveis: ou saltando da ponte alta para um Tigre profundo, ou tentando correr para trás e para a frente, afunilando, em guisa de resultantes, dois movimentos em muitos casos sobrepostos e em muitas vezes em sentidos diferentes, com os consequentes e inevitáveis atropelos sistemáticos.

O resultado foi dramático. Houve 965 mortos no total, uns deles esmagados pela massa humana em movimento, outros afogados ao cairem ao rio, em cima dos primeiros que tinham saltado. Um grupo sunita, o *Jaysh al-Taifa al-Mansoura*, reinvindicou de imediato a acção, congratulando-se com euforia pelo seu sucesso, num *site* da Internet tido como afecto à al-Qaeda.

Quais as traves-mestras das lições embutidas neste caso a quatro tempos? Do meu ponto de vista, gostaria, para já, de sublinhar uma única: o tipo de "gestão do pânico" patente neste exemplo (e muitos outros haveria, como é óbvio) pode facilmente ser escalado de modo a ampliar, exacerbando-os de forma radical, os efeitos gerados por vulgares ataques bombistas, vulgares no sentido de serem simples, discretos, e casuais. Um domínio propício à aplicação deste princípio pode vir a ser a planificação cuidada do desmembramento de multidões em fuga de uma cidade.

Vale a pena dar uns poucos exemplos. Tal como tivemos ocasião de verificar nas evacuações em Nova Orleães em volta do furacão Katrina, a capacidade de gerir um despejo maciço de pessoas é inadequadíssima, mesmo se feito em condições comparativamente benignas. Numa evacuação desencadeada por um ataque com armas nucleares sujas, ou em resposta, por exemplo, à libertação de biotoxinas, as consequências podem ser inimagináveis: se se estiver perante um inimigo com um conhecimento, ainda que rudimentar, da dinâmica de multidões – o que vimos ser o caso nos dois exemplos dados – o resultado pode ser catastrófico. Por causa de *uma falha em cascata do sistema*, uma multidão pode com facilidade e a bastante baixo custo, se se quiser, ser manipulada para fazer muito mal a si própria. Basta, por exemplo, restringir o número de saídas, ou levar a cabo pequenos ataques cirúrgicos no arco da multidão que tenta escapar de uma cidade face a uma ameaça química, biológica ou nuclear, para amplificar em flecha a propagação de impedimentos à fluidez do movimento e, por aí, causar uma subida abrupta no potencial para o caos[30].

Tudo isto redunda em histórias edificantes, sem sombra de dúvida. Também aqui há, é bom de ver, processos cumulativos de aprendizagem, senão em curso, em todo o caso em potência. Há, em acontecimentos destes, sérios avisos à navegação, pois trata-se de exemplos empíricos recentes muito concretos e cada vez mais generalizados. Como o mostra um número crescente de casos, de Bagdade a Karachi e de Seattle a Gotemburgo, Belgrado ou Tblisi, a questão não é *se*, mas *como, quando, e quanto*. Nova Iorque, Madrid, Londres, e Paris, aí estão para no-lo demonstrar. O que talvez não seja ainda óbvio é *como* o demonstram: nem como para eles nos podemos e devemos preparar, nem muito menos, o que isso significa.

Mas cada coisa a seu tempo. Regressemos, por ora, ao que podemos generalizar a partir dos casos que conhecemos. No que precede, foi feita sempre questão de pôr em evidência mecanismos e dispositivos tácticos de desmembramento acelerado, e largamente auto-induzido, de sistemas complexos. Recuando quanto baste, queria agora explicar porquê. No processo, gostaria de mudar de patamar e de ponto de aplicação. De tácticas de acção político-militar, quero passar rápida e sucintamente à organização, aos arranjos organizacionais dos agrupamentos que as elaboram, às chamadas *networks* – as "estruturas em rede".

Começo por uma série de generalidades. A quasi-universalidade de "estruturas em rede" na Natureza testemunha as suas vantagens competitivas; e os consequentes sucessos evolucionários da estratégia de *networking* constituem uma espécie de "avaliação de desempenho" no quadro maior de uma "gestão por objectivos", para usar expressões caras aos administrativistas contemporâneos. Dos enxames de abelhas aos bandos de pássaros, passando por sistemas complexos de predação, a organização em rede deu desde sempre amplas

---

[30] Para uma excelente modelização matemática destes "*processes of disruption*", é útil a leitura do artigo de Dirk Helbing, Illés Farkas e Tamás Vicsek (2000), sugestivamente intitulado "Simulating dynamical features of escape panic", publicado na prestigiada revista *Nature*. O artigo arrola as condições formais por cuja via se pode intensificar a seriedade da quebra de fluidez em sistemas urbanos dinâmicos muitíssimo bem tipificados.

provas de eficácia. A generalização das "estruturas em rede" aos sistemas artificiais, construídos com intencionalidade pragmática e instrumental por seres humanos, é uma espécie de consagração dessa eficácia face aos sistemas hierarquizados a que estamos muito mais habituados, nas ordens política, jurídica, económica, tecnológica, ou militar.

Quero muito sucintamente mostrar, em linhas gerais, como e porquê as estruturas organizacionais em rede penetram, desmembram, e em última instância são capazes de fazer desmoronar, sistemas hierárquicos. Progredirei por abordagens sucessivas. Para além das questões militares de que falei, e que constituem uma óbvia história de sucesso, darei um outro exemplo que vale pelos muitos que poderia aduzir: a *Internet*.

Gostaria de começar por aqui. Quero falar somente sobre alguns dos numerosos impactos *políticos* da *Internet*. Criada pela famosa DARPA norte-americana para garantir comunicações fiáveis mesmo em casos de ataques nucleares maciços ou de precisão, a *net* tem tido uma capacidade extraordinária de penetração, "resiliência", e até de *subversão política*, ao garantir fluxos regulares e imparáveis de informação que contrariam os esforços de propaganda e clausura informativa levados a cabo pelas elites de tantos dos regimes políticos menos democráticos; ao mesmo tempo, que, através da *net* se estabelecem, caracteristicamente, laços cruzados e transversais de solidariedade e participação que são potenciais portadores e disseminadores de visões e opiniões alternativas às do poder instituído.

Face à ameaça sentida, ao seu controlo, aos líderes autoritários ou totalitários, restam tão-só duas hipóteses, que vemos da China ao Irão, ao Afeganistão dos *taliban*, ou à Coreia do Norte: por um lado, canalizar todos os fluxos de informação que chegam ao território para meia dúzia de servidores sob o estrito controlo directo, exercendo uma "censura prévia" apertada de *sites* e conteúdos; e, por outro, tentar garantir o monopólio desses servidores, ilegalizando, por norma com penalizações severas, quaisquer acessos à "rede" por telemóveis ou antenas parabólicas, trancando uns e proibindo liminarmente as outras. Sem grande sucesso, note-se, pois que depressa emergem *"anonymous ghost servers"* que "mascaram" os *Ips* dos utilizadores, escancarando a porta ao passar por entre os dedos dos supostos "controladores". Falando claramente com conhecimento de

causa, o Embaixador norte-americano David Gross, que em meados
de Novembro de 2005 logrou garantir que a re-atribuição de *domain
names* na Internet, a "governação da Internet", aos dezasseis "*root
servers around the world*" (as plataformas-redistribuidoras mundiais
de base de toda a *Internet*) continuava nas mãos da empresa americana ICANN, sublinhou sempre com clareza e frontalidade que "*the
United States has always looked at these things through the prism of
freedom of expression*". Ou seja, Gross, defendendo uma "não-ex-
cessiva regulamentação" da estrutura descentrada da *net*, ajudou a
garantir a sua não – transformação numa estrutura hierárquica[31].

Deixando a *net*, quero dar uma outra ilustração sobre a capacidade pró-activa das estruturas organizacionais em rede. A um nível
mais mundano, mais *grass-roots* se se preferir, uma bastante boa
medida da eficácia dos *networks* é, hoje em dia, a sua generalização
às mais variadas formas de acção e participação políticas, um pouco
por toda a parte e de maneira cada vez mais acelerada. Limitar-me-ei
a três exemplos, todos eles, penso, sobejamente conhecidos: as manifestações e formas de "acção directa anti-hegemónica" da "Esquerda
festiva" em Seattle, Gotemburgo, ou Milão, para só listar alguns dos
inúmeros exemplos possíveis; motins urbanos como aqueles que
ocorreram em Los Angeles e, mais recentemente, em Paris; e, por
último, os levantamentos populares pró-Democracia ocidental e liberal na Europa Central e de Leste. Todos constituem casos de "subversão" notoriamente eficaz; todos eles, como irei mostrar, foram desenhados com compasso e esquadria; e todos se mostram tão acéfalos
como localizados nas fronteiras difusas entre a ilegalidade e a "deso-
bidiência civil", entre a expressão democrática "legítima" e formas
nuas e cruas de exercícios voluntaristas do poder. São paradigmas,
quero sugerir, de uma espécie de *soft low-high tech* política. Na
economia desta introdução, desenho estes três conjuntos de exemplos apenas a traço muitíssimo grosso e faço-o só *en passant*.

---

[31] É infinda a bibliografia aqui. Para uma defesa acérrima deste tipo de postura
política, ver David R. Johnson, Susan P. Crawford e John G. Palfrey (2004), *op. cit.*, um
artigo inteiramente dedicado ao argumento de que mecanismos de auto-regulação (e, portanto, de *governance*) estão a emergir na *net* e são mais "democráticos" do que quaisquer
outros que possamos impor-lhe.

Começo, então pelas manifestações anti-globalização, ou por uma "globalização alternativa". Os movimentos "republicanos comunitaristas" empenhados, em Cimeiras paralelas como as de Porto Alegre, na criação de formas mais "directas" e mais "democrático- -participativas" de integração e governação global, formam um estudo de caso particularmente fascinante. Trata-se de uma movimentação global cautelosa e sistematicamente avessa a quaisquer formas doutrinárias ou de controlo e coordenação central. Se o fazem por cautela *externa*, para evitar uma eventual "decapitação", ou antes pelo temor *interno* de um desencadear de processos de "burocratização", é algo que podemos deixar em suspenso: em todo o caso, alguns dos activistas serão da primeira destas opiniões, outros da segunda, e a maioria de um doseamento compósito de ambas. De qualquer forma a questão tem sido estudadíssima e discutidíssima pelos activistas e participantes. Entre 2001 e 2003, por exemplo, a prestigiada *New Left Review* britânica publicou uma dúzia de artigos de alta qualidade sobre o que significativamente intitulou "*A Movement of Movements*". A sua leitura é instrutiva, já que versa por norma a multiplicação da eficácia político-participativa que resulta desse "descentramento", designadamente a sua capacidade nos planos de "recrutamento e mobilização"[32]. Uma outra tónica patente nos estudos produzidos é colocada nas *lessons learned* e no como progredir organizacionalmente em termos de eficácia, uma eficácia medida, estudiosamente, segundo uma mera lógica pragmática dos "efeitos conseguidos".

Como seria de esperar, os vários movimentos de activistas têm componentes mais e outras menos radicais. E exibem colorações diferentes, por assim dizer. Vimos em Seattle, em 1999, nas manifestações organizadas pela *Direct Action Network* contra a reunião da

---

[32] Tanto de um ponto de vista teórico-metodológico quanto de um ângulo mais programático, os dois mais inbteressantes dos artigos são os de Naomi Klein (2001), com o título sugestivo de "Reclaiming the Commons", texto generalista, e o artigo muito informativo de Bernard Cassen (2003) sobre a ATTAC, que lidera, uma organização de origem francesa (o nome foi-lhe dado por Ignacio Ramonet, e é um acrónimo para a frase *Association pour la Taxe Tobin pour l'Aide aux Citoyens*). São tantos os trabalhos, estudos e panfletos sobre estes movimentos que seria aqui despropositado tentar sequer o esboço de um seu levantamento.

Organização Mundial do Comércio (WTO), na altura para grande espanto de todos, um amálgama de gente variada, a coalescer em agrupamentos genéricos difusos. Em imagens que nos habituámos a contemplar depois, de Gotemburgo a Milão, a Quebec City, a Barcelona, a Florença, a Frankfurt, deparamos com ligas de ecologistas, misturados com bandos menos ordenados de anarco-sindicalistas, frentes de Esquerdas mais clássicas, mesclados com verdadeiras falanges de grupos nacionalistas de Direita, associações sindicais, grupúsculos constituídos por representantes de ONGs e seus *compagnons de route*, intelectuais, artistas, defensores dos direitos dos homossexuais, e grupos tacteantes de adolescentes e senhoras e senhores mais velhos, todos misturados a contracenar, nas nossas televisões, em autênticos palcos esotéricos, como que em *conglomerados de gente* na sua composição.

A primeira impressão é a de uma multiplicidade, a de um "caos criativo"[33]. Mas depressa reparamos que os grupos e agrupamentos aparecem e desaparecem, se ligam uns aos outros, se misturam e se reconfiguram as suas interligações de uma forma quase líquida. É aí, precisamente, que radica a sua força: na capacidade de conduzir uma "guerra" pacifista "em rede" (a *Direct Action Network* chamou-lhe, na *mouche*, uma *netwar*). Em Seattle, em 1999, as acções de rua multiplicaram-se e diversificaram-se. Marchas de protestos tradicionais, organizadas com disciplina linear e rigor pela confederação sindical histórica norte-americana, a AFL-CIO, alternaram com as tácticas violentas de *hit-and-run* do *Black Bloc* (sobretudo os ditos *Black Box*), dos grupúsculos dissidentes *Anarchists from Eugene*, e da famosa *Ruckus Society*, com os cânticos e os *graffitti* que diziam "*Remember, We Are Winning!*", dos membros da rede *Direct Action* – bem como com a rapina, em lojas e sobre os passantes de ocasião, levada a cabo por oportunistas com as mais variadas motivações, muitos deles sem quaisquer ligações ao protesto.

Face a esse tipo de *exuberância organizacional*, chame-se-lhe assim, as autoridades não souberam nunca como nem contra quem

---

[33] A expressão é do sociólogo alemão Ralph Dahrendorf, a respeito das sociedades civis que, nos anos 90 do século passado, se sublevaram na antiga "Europa de Leste"; e retoma uma célebre expressão, utilizada no entre-Guerrras pelo economista J.A. Schumpeter.

reagir, e quando o fizeram foi de tal maneira à toa e à bruta que o Procurador-Geral do Estado de Washington lhes intentou um processo, grupos de advogados preocupados com a defesa de direitos cívicos a esse juntaram outros, a acrescer a tudo isto a patente impotência funcional demonstrada conduziram a demissões em rápida catadupa nas complexas estruturas de comando e controlo das autoridades.

O sistema "derreteu". Num ápice, a projectada Cimeira da OMC falhou no arranque agendado, foi cancelada, e reposta para data e lugar incerto. A surpresa foi geral.

A vitória fôra claramente conseguida no plano organizacional e no a comunicação-coordenação comparativa[34]. Assistiu-se a uma manifestação nítida da supremacia, em quadros confrontacionais, de redes sobre pirâmides, e de sistemas amplos de comunicação "de banda larga" sobre sistemas mais formais e de curto espectro. Tudo pareceu confirmá-lo: muito mais do que de uma vitória de força, de um recurso a formas de coesão monolítica, motivação abstracta, ou ideologia, tratou-se de uma derrota de estruturas hierárquicas frente a redes policentradas, que lhes escaparam por entre os dedos e nelas induziram efeitos devastadores de ruptura em cascata.

Ruptura que se propagou a vários domínios. Como escreveu com lucidez Paul de Armond[35], num texto excelente, apesar de parcial por tão *engagé*: *"the World Trade Organization protests in Seattle marked a turning point in national and international trade policy. The biggest outcome of the protests is the resurgence of the American Left's influence on the international trade issue. All in all, it was a stunning surprise to many of the parties involved: the Direct Action Network (DAN)coordinating the protests, the AFL-CIO's new foray into grass-roots politics, the federal administration trying to steer a new course in national and multinational trade policies, the*

---

[34] E fê-lo sem violência por aí além, o que não é raro. Como com candura escreveu David Graeber, um analista teórico e ele próprio um activista destas movimentações, "aquilo que realmente incomoda os poderes instituídos não é a 'violência' dos movimentos, mas antes a ausência dela; os governos pura e simplesmente não sabem lidar com um movimento abertamente revolucionário que se recusa a cair em configurações familiares"(ver David Graeber, 2002: 66, tradução minha). Iremos ver que esta fluidez remete, precisamente, para o âmago da questão que aqui quero pôr em evidência.

[35] Paul de Armond (1999-2000) "Netwar in the Emerald City, WTO protest strategy and tactics", http://nwcitizen.com/publicgood/reports/wto.

Seattle Police who found themselves leaderless when the dust settled, and most shocking of all, Seattle Mayor Paul Schell, who was left standing alone amidst the political wreckage in the aftermath. The central fact of the protests is the utter surprise and confusion which occurred during the initial confrontation on Tuesday morning. 'It was a classic example of two armies coming into contact and immediately experiencing the total collapse of their battle plans', said Daniel Junas, a Seattle political researcher. [...] Netwars are fought by networks; collections of groups and organizations guided by non-hierarchical command structures which communicate through 'all-points' communications channels of considerable bandwidth and complexity. The DAN communications channels blanketed the Seattle area and had global reach via the internet. Institutions, such as corporate media, police and the AFL-CIO, tend to depend on narrow communications channels which are highly centralized and hierarchical".

Um segundo grupo de exemplos que quero aqui trazer é o constituído por motins, como os de Los Angeles em Abril e Maio de 1992 e por aqueles que tiveram lugar nas *banlieues* de Paris no início deste mês de Novembro de 2005. A uma dúzia de anos de distância um do outro, estes dois levantamentos, em dois Continentes diferentes, mostram uma progressão cumulativa interessante e exibem bem a amplificação de eficácia conseguida por um simultâneo adensamento das formas e dos meios de comunicação utilizados e o esbatimento, consequentemente tornado possível, das estruturas organizacionais formais em termos "lineares".

Começo, de novo, por um enquadramento contextual mínimo. No dia 29 de Abril de 1992, doze jurados no Tribunal de Sylmar, na área da grande Los Angeles, na California, deram os seus veredictos num caso altamente controverso: o espancamento nocturno, em 1991, acidentalmente filmado por um video-amador, de um jovem afro-anericano, Rodney King, por quatro agentes do LAPD, (o desde então desprestigiadíssimo *Los Angeles Police Departement*). Durante um ano, o caso tinha recebido intensa cobertura mediática. A leitura dos veredictos, frente às câmaras de televisão, da NBC à CBS ou à CNN, passando por numerosas cadeias locais de emissão, causou surpresa e indignação generalizadas. Um dos agentes, abertamente racista, foi considerado culpado de "uso excessivo de força"; os outros três foram ilibados.

Da boca ao ouvido, ou pelos telefones, a palavra correu rápida em Los Angeles. No princípio dessa mesma tarde, motins explodiram em múltiplos pontos da cidade, de forma descoordenada e espontânea, de maneira regular mas curiosamente imprevisível. A violência urbana durou três longos dias. Jornais e televisões, rádios, e a nesse tempo ainda incipiente *Internet*, mantiveram sempre toda a gente actualizada sobre o andar da carruagem. Tudo isto deu azo a mimetismos e imitações de todo o tipo, aquilo a que os anglo-saxónicos chamam *copycatting*. A que ponto é que tal resultou, no fundo, da existência de valores partilhados e fluiu de uma indignação comum sentida por muitos, é coisa que em boa verdade ninguém sabe.

Conhecemos, todavia, as reacções desencadeadas e as consequências. O então Mayor Tom Bradley impôs na cidade um recolher obrigatório, e escolas e lojas foram fechadas. O preço foi altíssimo: mais de 50 mortos, alguns deles de formas absurdas; contabilizaram-se mais de 4.000 feridos, muitos deles graves; largas secções da cidade foram incendiadas; passantes indiscriminadamente atacados nas ruas. Houve 12.000 presos e mais de um bilião de dólares em propriedade destruída. O Governador do Estado da Califórnia, Pete Wilson, enviou 4.000 militares da *National Guard* patrulhar as ruas. Um número incontável de lojas foi assaltado.

A violência não teve nem líderes nem instigadores óbvios no terreno[36]. Se os teve (e algumas indicações há de que, ainda que de maneira vaga e difusa, os pode ter de facto havido), certo parece ser

---

[36] Seria gratuito tentar oferecer referência apenas para um levantamento sobre o qual foram escritos, literalmente, milhares de estudos. Ver apenas por todos, as reportagens de Clark Staten, jornalista da *Emergencynet News Service* (ENN), que publicou uma notável colecção, que intitulou "*A Series of Reports prepared* [...] *in 'real-time' as the events were unfolding*". Em http://www.militarymuseum.org/HistoryKing.html (consultado em 15 de Novembro de 2006), está um estudo pormenorizadíssimo, intitulado "The 1992, Los Angeles Riots", coordenado pelo *The California State Military Museum*, que inclui inúmeras perspectivações sobre as acções militares durante os motins. Um estudo muito menos detalhado, mas fascinante, foi publicado em Março de 2005, por Max G. Manwaring, um investigador senior *do Strategic Studies Institute*, do *US Army War College*, na Pensilvânia, é o trabalho comparativo intitulado "Street Gangs, the New Urban Insurgency". Neste estudo recente, de fôlego, os acontecimentos de Los Angeles são apenas um dos exemplos de *network organization* e *swarming* analisados por Manwaring.

que não houve coordenação *hierárquica*. O controlo, se existiu, foi levado a cabo por, ou *em relação a*, um dispositivo, ou a dispositivos, *exteriores* e *não* internos nem superiores; diversamente, descentrou-os. Outro ponto a que irei voltar.

Aproximando-nos do presente, voltemo-nos agora para Paris, avançando treze anos. Estamos em Novembro de 2005. É com toda a probabilidade demasiado cedo para avaliar os acontecimentos ocorridos em Paris no início deste mês de 2005. Uma das causas aventadas foi a morte acidental, por electrocução, de dois jovens (um magrebino de origem, outro de cepa negro-africana, ambos cidadãos franceses), quando fugiam do que pensaram ser uma perseguição da Polícia.

Um dia depois, os ânimos irromperam. Sem embargo de hipóteses, que foram insinuadas, de que os jovens amotinados seriam teleguiados por *caïds* locais da droga ou por *ulemas* muçulmanos, os motins que se seguiram parecem ter tido um carácter espontâneo e policentrado. As numerosas entrevistas que ouvimos de jovens *enragés,* versão 2005, sugerem-no sem quaisquer ambiguidades. A incapacidade quasi-radical das autoridades em prever, conter, ou decapitar os movimentos insurgentes aponta na mesma direcção.

O recolher obrigatório foi rapidamente imposto, primeiro por doze dias e depois, por decisão do Conselho de Estado, enquanto fosse preciso. Milhares de jovens foram encarcerados, e muitíssimos milhares de carros, autocarros, camiões, e edifícios incendiados. Claramente sem compreender muito bem os contornos ou sequer os motivos do que se passava, Dominique de Villepin, o Primeiro-Ministro, reagiu mal, de forma pouco "politicamente correcta" e o Ministro do Interior, Nicolas Sarkosy, pior, insultando os manifestantes (a que chamou *la racaille*); porventura até propiciando com isso um agravamento das tensões. O Presidente J. Chirac manteve-se prudentemente na sombra. A demonstrar o nível de incompreensão com aquilo que estava a acontecer, um Ministro em exercício explicou na RTF que os distúrbios resultariam – é extraordinária a tese – das práticas poligâmicas dos pais dos manifestantes, que teriam como inevitável consequência a ausência de figuras masculinas no imaginário dos jovens.

De facto, a situação não parecia fácil de perceber. As analogias possíveis eram ténues. Em Maio de 1968, também em Paris, viaturas eram queimadas como símbolos do capitalismo; em Novembro de

2005, foram-no porque estavam à mão. Aquilo que sabemos é que as autoridades francesas depressa encerraram "centenas" de *blogs* na Internet, que serviam de mecanismos de mobilização e definição táctica; para tanto foram contratados, de escantilhão, "várias centenas" de técnicos especialistas em informática. Mecanismos difusos e frugais de comando e controlo bem mais eficaz, de um ponto de vista de "coordenação comunicacional", chamemos-lhe assim, do que transmissões televisivas ou por telefonia, *media* esses que, em todo o caso, também foram acompanhando o desenrolar dos acontecimentos. Porventura não independentemente de tanto, os distúrbios duraram três *semanas* e não três dias, como em Los Angeles: as autoridades francesas raramente descobriam, e muito menos apanhavam, fosse quem fosse. Sabe-se ainda que diversíssimos *chatrooms* da *web* foram utilizados através de servidores estrangeiros, e que telemóveis e SMSs constituíram armas de eleição. Tratou-se disso mesmo, de *armas*: pois, por estes meios, os insurgentes lograram a enorme vantagem, (da maior utilidade nos labirintos complexos de ambientes urbanos), de conseguir tirar e comunicar uns aos outros *retratos*, e retratos em *realtime*, em tempo real, dos "campos de batalha". Por outras palavras, por um lado ampliaram o seu efeito de surpresa, e, por outro, reduziram drasticamente, perante o adversário – as forças da ordem – que o não soube fazer, a opacidade induzida pela famosa "névoa da guerra" sobre a qual escreveu há tantos anos Carl von Clausewitz.

Um terceiro e último exemplo é o dos muito recentes movimentos pró-Democracia na Europa Central e na antiga Europa de Leste. Com um sinal político oposto, estes derradeiros exemplos têm uma curiosa semelhança de família com os dos "republicanos comunitaristas anti-globalização". Viram-se executados de modo a ser descentrados, espontâneos no sentido de imprevisíveis quanto baste, e estiveram ordenados tão-só segundo uma lógica pragmática de "efeitos conseguidos". Foram, curiosamente, assim *desenhados*; e desenhados com compasso e esquadria. Identificaram "pilares" nodais do poder instituído, e foram-nos erodindo com instrumentos vários, de vários lados, a ritmos sincopados mas inexoráveis.

Toco rapidamente em dois casos: os da "Revolução da Violeta", que na Sérvia depôs, em 2000, Slobodan Milosevic; e na "Revolução da Rosa" que, em Tblisi, na Geórgia, levou, em finais de 2003,

Edvard Schevardnadze a uma demissão precipitada. As histórias, mais uma vez, são altamente instrutivas. O *Otpor!* (em sérvio: Resistência!), foi um movimento pró-Democracia criado em meios universitários sérvios em Outubro de 1998, geralmente acreditado como de grande impacto instrumental na longa luta que, durante grande parte do ano 2000, levou à queda (e eventual prisão e envio para o Tribunal da Haia) de Slobodan Milosevic. Constituído como resposta às leis universitárias e de controlo de mass media altamente repressivas do ditador sérvio, o *Otpor!*, de início restrito à Universidade de Belgrado, logo depois dos bombradeamentos da NATO contra posições governamentais e estratégicas na ex-Ioguslávia, nomeadamente no Kossovo e nos principais centros industrais e linhas de comunicação estaduais, depressa encetou uma campanha política contra o Presidente do país. A repressão pelas forças da ordem foi tão violenta quanto o permitiam a presença de jornalistas estrageiros directamente ligados ao Mundo por canais de comunicação virtualmente impossíveis de controlar: cerca de 2.000 activistas foram rapidamente presos e muitos outros brutalmente espancados.

Mal Milosevic, em Setembro de 2000, deu início à sua campanha presidencial com vista a uma re-eleição, o *Otpor!* lançou com garbo e firmeza inexorável a célebre campanha *"Gotov je"* (Ele acabou), um nome tirado das centenas de milhares de *graffitti* que de um dia para o outro inundaram as cidades sérvias. O descontentamento sérvio com a conjuntura foi mobilizado, e Milosevic derrotado. Uma combinação complexa de greves, protestos, abaixo-assinados, acções-relâmpago nos *media*, e a publicitação e coordenação policentrada e acéfala causaram uma óbvia desorientação terminal nas hierarquias e sedes do poder político-militar sérvio.

Face ao estrondoso e altamente inesperado sucesso conseguido na ex-Iogusláva, autênticos clones do *Otpor!* começaram a surgir quase de imediato. Associações cívicas de juventude, em tudo semelhantes, emergiram na Geórgia, designadamente o *Kmara*; o *Pora* na Ucrânia quando das eleições presidenciais de 2004, em que o seu candidato, Viktor Yushchenko, apesar de uma tentativa de envenenamento que o desfigurou, acabou por ganhar; o *Zubr* na Bielorússia contra o Presidente Alexander Lukashenko; e o *Mjaft!*, na Albânia. Os passos seguidos, em todos estes casos, foram virtualmente idênticos, *mutatis mutandis*.

Et pour cause. Os processos de ensino-aprendizagem foram densíssimos. Alguns "líderes" activistas estudantis anónimos do *Otpor!* sérvio foram, em Março de 2000, para o Hotel Hilton de Budapeste, na Hungria, a convite *do International Republican Institute*, um *think-tank* norte-americano. A algumas centenas de metros, também nas margens do Danúbio, outros estudantes da Universidade de Belgrado ficaram alojados no Hotel Marriott, a expensas do *National Endowment for Democracy*, uma entidade semelhante.

Parte da organização de tudo isto coube à *Open Society Institute*, fundada e liderada por George Soros, o filósofo-milionário doutorado em Filosofia Analítica por Sir Karl Popper na *London School of Economics*. Nos hotéis que referi os estudantes-activistas assistiram a Seminários, coordenados por académicos e militares, em que pontificou o Coronel Robert Hervey, duplo veterano do Vietname, conhecido especialista e autor de formas de resistência não-violenta um pouco por todo o Mundo, da Birmânia a vários Estados latino-americanos. Um teórico-operacional de peso, um seguidor de Gene Sharp[37].

As receitas de Sharp e Hervey, e a destreza dos estudantes em aprendê-las e as rentabilizar no terreno, tiveram um efeito devastador

---

[37] O guru intelectual do Coronel Hervey é Gene Sharp, um Professor norte-americano de Ciência Política inicialmente em Harvard, no *Center for International Affairs* (onde permaneceu durante trinta anos), e agora *Senior Scholar* na *Albert Einstein Institution* em Boston, *Professor Emeritus* em Dartmouth, também no Massachusetts, e autor de diversos estudos teórico-prácticossobre o *empowerment* activo da sociedade civil, que foram rapidamente traduzidos para sérvio. Conhecido pelo epíteto de "o Clausewitz da acção não-violenta". O seu livro *Gandhi Wields the Weapon of Moral Power* (1960) incluíu uma introdução por Albert Einstein, *o The Politics of Nonviolent Action* (1973), como logo saiu escrito, foi *"immediately hailed as a classic and the definitive study of nonviolent struggle"*; o seu *Making Europe Unconquerable* (1985), teve um Prefácio de George F. Kennan; o *Civilian-Based Defense: A Post-Military Weapons System* (1990), foi utilizado pelos governos independents da Estónia, Letónia, e Lituânia, para lograr evitar uma retomada do controlo pela União Soviética. Um livro em preparação, na edição preliminar em tibetano, é prefaciado pelo Dalai Lama. Traduções para o castelhano de obras de Sharp circulam hoje em Cuba, na Venezuela, e na Birmânia. Para uma discussão sucinta dos quadros teóricos básicos e iniciais de Gene Sharp, é útil a leitura do artigo de Brian Martin (1989), "Gene Sharp's Theory of Power", *Journal of Peace Research,* vol. 26, no. 2, pp. 213-22. Para uma simples listagem dos 193 métodos de acção não violenta que Sharp arrolou em 1973, consultar http://pages.zdnet.com/trimb/id55.html (consultado a 18 de Novembro de 2005).

nas ditaduras contra as quais foram utilizados. As coberturas sistemáticas e contínuas da CNN e da BBCWorld, que transmitiram as imagens para todo o Mundo, também. A *Internet* e telemóveis, a *web* e os ubíquos SMSs, foram de novo instrumentos de eleição. Uma vez que as tácticas gizadas fizeram prêsa sobre as conjunturas político--organizacionais dos diversos regimes, erodindo-lhes as âncoras nodais em que fundavam e a partir das quais organizavam a sua capacidade de exercício do poder, os regimes ditatoriais desmoronaram-se quase instantaneamente, atacados com pontaria certeira por forças móveis e difusas, teimosas apesar de quasi-intangíveis, e, todavia, poderosíssimas.

Neste como nos outros casos, os processos de ensino-aprendizagem e de passagem de testemunho (quantas vezes realizados para lá de quaisquer hipotéticas fronteiras político-ideológicas) não foram, com efeito, de subestimar. Cada uma das movimentações a que fiz referência aprendeu, ostensiva e cuidadosamente, com as experiências das anteriores. Para o efeito escreveram-se livros e artigos. Mas, e sobretudo, criaram-se *chatrooms*, *blogs*, fomentaram-se encontros e sessões de *brainstorming* para trocas de experiências. Como propôs John Robb num activíssimo *site* que mantém na *net*[38], constituiram-se *open source communities* as quais, tal como a Linux e Linus Torvald o fazem há uma dezena de anos em contraponto à Microsoft de Bill Gates, vão interactivamente encontrando, quantas vezes *online*, soluções tácticas para temas e escolhos operacionais; e vão gizando, *pari passu*, quadros estratégicos como subproduto de somatórios de milhares de esforços individuais e colectivos que convergem sobre os problemas que vão sendo suscitados.

Com uma muito maior "largura de banda", para reter a minha metáfora, criou-se e mantém-se, vivo e bem vivo, o que John Robb chamou uma plataforma em *open source*, um *bazar* de ideias e projectos. Um mercado em que se participa "negociando" projectos e tácticas apontadas para o gizar de formas de intervenção política mais eficaz.

---

[38] Ver, por exemplo, John Robb (2004), "The Bazaar's Open Source Platform", September 24, consultado a 15 de Novembro de 2005 em http://www.g-cat.org/gcat3/.

Estes foram alguns dos muitos exemplos possíveis de um novo tipo de riscos e ameaças que se perfilam no nosso horizonte. Tocarei nestes pontos, de maneira abundante, no que se segue. Mas, primeiro, queria dar alguns passos suplementares na direcção de um enquadramento analítico que os torne mais inteligíveis. Alguns passos mais "téoricos" e menos "factuais" do que o retrato mais vívido que acabei de dar.

3.

> "*In the realm of terrorism, the single-cell organism is referred to as the 'Lone Wolf terrorist' or 'leaderless resistance'. The Lone Wolf terrorist does not receive direct instructions from a central organization. Rather, he or she receives inspiration from an idea or perhaps a remote subversive political figure*".
>
> RAYMOND E. FOSTER (2006), "Terrorist Organizational and Communication Strategies", em http://policeone.com/ pc_print.asp?vid=135924, consultado a 22 de Julho de 2006.

O que me traz, finalmente, mais perto do tema central da presente monografia: as estruturas organizacionais dos agrupamentos que se envolvem em conflitos assimétricos.

O Mundo globalizou, e com ele o terrorismo. As velhas ameaças "clássicas" mantêm-se, *mas já não são nem as únicas, nem porventura as principais*. É desde há muito sensível a evidência de que estamos cada vez mais a ter de confrontar uma mistura confusa de actores não-estaduais, grupos separatistas e "irredentistas", levantamentos de insurgentes, ataques terroristas, motins urbanos, guerra electrónica e informacional, e ameaças de uso de armas de destruição em massa. Numa palavra, parecem ter vindo para ficar numerosas ameaças não-convencionais. Decerto com algum exagero, às vezes temos a sensação desconfortável de viver *dentro* de um barril de pólvora.

Estas ameaças, que nos encaminham na direcção da chamada *4th generation warfare*, não tem por regra como seus objectivos nem ataques directos desferidos contra o próprio inimigo, nem em boa verdade a destruição deste. Visam, antes, uma "vitória moral", uma vitória que derrogue a legitimidade do adversários, ou dos adversários, e os torne em consequência ineficazes, ou em todo o caso menos eficazes. Actuam, tipicamente, por meio de processos de erosão do poder do adversário, do outro; exploram as fraquezas deste; e tendem a utilizar armas e métodos assimétricos[39]. Quem as trava?

Os *new warriors*, os novos "guerreiros", são muitas vezes personagens curiosas, personagens que importa conhecer. Um primeiro esquisso. Como escreveu com olhar clínico Ralph Peters, *"in Armenia, during a period of crisis for Nagorno-Karabakh, I encountered a local volunteer who had dyed his uniform black and who proudly wore a large homemade swastika on his breast pocket, even though his people had suffered this century's first genocide. The Russian mercenaries who rent out their resentment over failed lives almost invariably seek to pattern themselves after Hollywood heroes, and even Somalia's warlords adorn themselves with Anglo nicknames such as "Jess" or "Morgan". This transfer of misunderstood totems between cultures has vastly more powerful negative effect on our world than the accepted logic of human behavior allows. But, then, we have entered an age of passion and illogic, an era of the*

---

[39] Um rápido esclarecimento conjuntural e terminológico. Guerras de 4ª geração são típicas de uma conjuntura como a actual, em que o monopólio do uso da violência foi perdido pelos Estados, e em que a globalização potencia a emergência de conflitos assimétricos, sejam eles étnicos, nacionalistas, ou religiosos. Trata-se de uma forma bélica *sui generis*, em que, em vez de defrontar as forças armadas inimigas, se confonta e actua *a sua sociedade*. O terror e a acção psicológica têm lugar de eleição, na panóplia de medidas preferidas. Inovações *ad-hoc* também a caracteriza bem, tal como a utilização sistemática de métodos de uso das forças e traços distintivos do inimigo contra ele próprio. O termo *4ª Geração* alude a uma análise comum do desenvolvimento das guerras modernas, nos termos da qual, uma 1ª Geração diz respeito a guerras como as napoleónicas, baseadas na conscrição e nas armas de fogo; a 2ª à Guerra Civil norte-americana e à Grande Guerra, ancorada no alinhamento dos recursos dos Estados-nação e na acumulação de poder de fogo; exemplo paradigmático da 3ª Geração de guerras é, nesse quadro de análise assaz consensual, a 2ª Guerra Mundial, com a sua tónica em manobras e veículos blindados. As guerras de 4ª Geração envolvem tipicamente assimetrias, *global warriors* e conflitos retratados como "culturais".

rejection of "scientific order". That is exactly what the pandemic of nationalism and fundamentalism is about. We are in an instinctive, intuitive phase of history, and such times demand common symbols that lend identity and reduce the need for more intellectualized forms of communication. Once, warriors wore runic marks or crosses on their tunics – today they wear T-shirts with Madonna's image (it is almost too obvious to observe that one madonna seems to be as good as another for humanity). If there are two cultural artifacts in any given bunker in Bosnian hills, they are likely to be a blond nude tear-out and a Picture of Sylvester Stallone as Rambo. Many warriors, guilty of unspeakable crimes, develop such a histrionic self-image that they will drop just about any task to pose for a journalist's camera – the photograph is a totem of immortality in the warrior's belief system, which is why warriors will sometimes take the apparently illogical step of allowing snapshots of their atrocities. In Renaissance Europe (and Europe may soon find itself in need of another renaissance), the typical Landsknecht *wanted money, loot, women and drink. His modern counterpart also wants to be a star*"[40]. Uma caracterização notável, para dizer o mínimo.

Mas também uma caracterização excessiva, se a quisermos generalizar. Porque é certo que há *outros* tipos de novos guerreiros – designadamente os da al-Qaeda – que apenas com dificuldade podem, por norma, ser encarados de par com estes que Ralph Peters tão graficamente descreveu. Mas também eles, como iremos ver, são personagens curiosas e atípicas. Atípicas no cuidado lúcido com que empreendem os seus actos; curiosas pelo empenhamento com que o fazem. E tanto uma como a outra destas duas coisas devido ao abandono frio e distanciado que por via de regra arvoram como seu. Como se mobilizam uns aos outros e depois de articulam entre si? Como mudam? Como se coordenam? Como comunicam e aprendem?

As principais linhas de força da argumentação mais genérica que irei seguir no corpo central deste estudo, prendem-se com uma leitura da al-Qaeda enquanto uma rede *scale-free*, um conceito que abaixo defino. Mais: vou tentar fazê-lo em detalhe e irei tentar retirar

---

[40] Ralph Peters (1994:16-26)), "The New Warrior Class", *Parameters*, Carlisle U.S. Army War College Quarterly.

daí implicações muitíssimo precisas. A razão para tanto é simples de compreender. Como escreveu com uma precisão característica David Ronfeldt[41], "[i]*t is not enough to say something is a network. According to one model, a network may start out as a set of scattered, barely connected clusters, then grow interconnections to form a single hub–and–spoke design, then become more complex and disperse into a multi–hub 'small world' network, finally to grow so extensive, inclusive and sprawling as to become a complex core/ periphery network. For a while, the pressures put on the Al-Qaeda network evidently decreased it from a hub–and–spoke back to a scattered–cluster design. But now it is growing again, apparently into a multi–hub design. Which design is it? Do the pieces consist of chain, hub (i.e., star), or all–channel subnets? And where are the bridges and holes that may connect to outside actors?*"[42]. Num certo sentido, o presente trabalho propõe respostas a estas questões suscitadas pelo conhecido analista da RAND. Em todo o caso, aborda todos os temas por ele aflorados e equaciona-os em pormenor. Sobretudo, tenta explicar tanto o como quanto o porquê das mudanças que verificamos.

A minha escolha de temas e sub-temas aponta para diversas direcções. Direcções que não podem deixar de suscitar questões novas sobre problemáticas antigas, e as partes subsequentes do meu estudo refletem-no. Vale a pena enunciar algumas delas: como é que se formam agrupamentos amplos com base em consensos tácitos, ou pouco conduzidos? O que acontece a mecanismos como o de "comando e controlo" quando agrupamentos político-militares tais como aqueles a que fiz alusão adoptam formatos muitíssimo mais difusos de organização e tomada de decisão do que antes era o caso? Como

---

[41] David Ronfeldt (2005), "Al-Qaeda and its affiliates: A global tribe waging segmental warfare?", *First Monday,* volume 10, number 3.

[42] Como logo de seguida notou Ronsfeldt, "[t]*he answers matter, for each design has different strengths, weaknesses, and implications. Some designs may be vulnerable to leadership targeting, others not. As research proceeds on how best to disrupt, destabilize, and dismantle networks, analysts are finding that in some cases it may be best to focus on key nodes and in other cases on key links, in some cases on middling rather than central nodes or links, and in other cases on peripheral nodes or links. But this is tentative. And much less is known about how to analyze the capacity of networks to recover and reassemble after a disruption, possibly by morphing into a different design*".

se *comunica*, em ambientes tão hostis como os que as novas tecnologias permitem gerar? E o que significa e como se logra *ensinar* e *aprender*, em quadros comparativamente tão informais e descentralizados como os cada vez mais patentes nos conflitos assimétricos em que nos vemos dia a dia mais envolvidos? Num plano mais micro, os graus de conectividade (o cômputo geral de relacionamentos) dos agrupamentos, mudam com a aceleração dos processos de selecção adaptativa que têm ocorrido? Qual a posição relativa de mecanismos como a *coordenação* (seja esta conseguida por meio de "comando e controlo" directo, ou por estratégias alternativas), por um lado, e a *aprendizagem* por outro? Será aplicável um conceito provindo da área da Gestão como o de *aprendizagem organizacional*? Só depois de encontradas respostas para questões deste tipo – e muitas há – podemos esperar formular soluções para as novas ameaças com que deparamos, muitas delas (como as óbvias transposições, para o Afeganistão e outros lugares, de tácticas e estruturas organizacionais testadas e utilizadas pela al-Qaeda no Iraque) resultado da operação de processos pouco conhecidos e mal compreendidos de ensino-aprendizagem.

Saber dar respostas a ameaças como estas implica um trabalho analítico de carácter sistemático[43], já que equacionar soluções para perguntas como as que alinhavei é tudo menos intuitivo. Mas não é impossível, e creio que os ganhos compensam largamente o esforço intelectual a investir. Responder a questões com o calibre das que enunciei envolve um operar de distinções conceptuais prévias de

---

[43] Note-se que, numa primeira abordagem, é fácil esquissar o horizonte de problematização, chame-se-lhe assim, para que remetem tais questões. Para isso há apenas que saber decifrar mecânicas evolutivas próprias das entidades sob escrutínio analítico – mecânicas relativas, por exemplo, às tão eficazes reacções adaptativas que importa assegurar em cenários de guerra caracterizados por alterações estruturais e mudanças conjunturais manifestamente rapidíssimas. Só assim podemos esperar encontrar respostas a questões centrais como as quantas vezes hoje em dia colocadas: qual o tipo de conectividade existente em agrupamentos terroristas? como se tomam decisões em estruturas acéfalas? o que siginfica "comandar" em organização descentradas deste tipo? como se absorve a experiência (as "*lessons learned*") numa rede? e como se transmitem essas lições a agrupamentos afins, para efeitos de uma coordenação conjunta? o que é *aprender*, em enquadramentos desses, e como funciona? quais as semelhanças e diferenças entre aprendizagem e coordenação? mais ambiciosamente: qual a ligação umbilical existente entre comunicação, aprendizagem, e centralização hierárquica?

enquadramento, exige um esboçar de contrastes com base nos quais possamos depois construir modelizações convincentes que dêem boa conta das novas – e muitas vezes estranhas, no sentido de curiosas – realidades político-militares emergentes. Muito em particular, para conseguir delinear hipóteses, ou soluções, satisfatórias, há que empreender um labor de reconstrução racional da trama que subjaz aos formatos inovadores de conflitualidade que distinguem tantos dos palcos contemporâneos.

No que se segue, o meu esforço é sobretudo teórico-metodológico. Proponho-me re-equacionar questões. Ilumino a análise com ilustrações empíricas e considerações relativas, sobretudo, a agrupamentos terroristas, dada a importância das perplexidades que estes suscitam e tendo em vista o facto de estes grupos constituirem excelentes paradigmas das dificuldades conceituais que, embora o tenha feito a traço muito grosso, acabei de indicar. Mas não me eximo de abordar *en passant* outros tipos de agrupamentos, quando isso me parece útil.

Por razões que dispensam explicação a al-Qaeda[44] constituirá um exemplo privilegiado no que se segue; haverá no entanto outros, de igual modo escolhidos tendo em vista meros critérios de utilidade analítica.

---

[44] Devo confessar que não disponho de quaisquer informações especiais sobre a al-Qaeda ou a sua evolução, para além do que parece ser possível apurar por via de um acompanhamento cuidado dos dados factuais disponibilizados pelos *media*: os exemplos que dou são, por conseguinte, meros *thought experiments*, porventura plausíveis q.b., e o meu objectivo ao enunciá-los é o de tornar possível a apresentação de tipos ideais daquilo que aqui me ocupa – uma caracterização teórico-analítica genérica de estruturas organizacionais em rede e das especificidades destas. Embora o ponto focal da minha atenção esteja colocado com firmeza nos dois sub-temas aparentados de "aprendizagem" e "coordenação" (nalguns casos de maneira explícita, noutros menos, e sempre, como iremos ver, contra o pano de fundo da "conectividade"), não hesito em tocar problemas oriundos de outros âmbitos, à medida que, na exposição, eles vão assomando e se vão tornando sensíveis.

2.

SUPORTES, PEÇAS, E CONEXÕES: entidades

> *"Although there is evidence that in the past at least some of the clandestine organizations that tried to achieve political goals through violent actions were organized in network like structures (see for example the FALN liberation movement in Algeria, IRA, Basque separatists), due to the terrorist attacks of September 11 we will concentrate exclusively on Al Qaeda. This seems justified, because some initial evidence suggests that at least some aspects of Al Qaeda are 'particularly networky' and differ significantly from prior terrorist organizations"*.
>
> H. BRINTON MILWARD e J. RAAB (2002), "Dark Networks. The Structure, Operation and Performance of International Drug, Terror, and Arms Trafficking Networks"

Abro a exposição, na primeira parte de substância desta monografia, com algumas breves palavras de enquadramento quanto a características fundamentais de redes como as que aqui nos ocupam. Num primeiro passo, esboço uma tipologia genérica delas. Segue-se-lhe, num segundo momento, uma caracterização da al-Qaeda nos termos da grelha aventada. Num terceiro passo, esboço um primeiro esforço analítico com vista ao apuramento de algumas das mais importantes vantagens adaptativas de organizações em rede.

2.1. *Redes, um esboço de uma primeira tipologia geral*

> "*Although Al-Qaeda functions independently of other terrorist organizations, it also functions through some of the terrorist organizations that operate under its umbrella or with its support, including: the Al-Jihad, the Al-Gamma Al-Islamiyya (Islamic Group - led by Sheik Omar Abdel Rahman and later by Ahmed Refai Taha, a/k/a 'Abu Yasser al Masri',), Egyptian Islamic Jihad, and a number of jihad groups in other countries, including the Sudan, Egypt, Saudi Arabia, Yemen, Somalia, Eritrea, Djibouti, Afghanistan, Pakistan, Bosnia, Croatia, Albania, Algeria, Tunisia, Lebanon, the Philippines, Tajikistan, Azerbaijan, the Kashmiri region of India, and the Chechen region of Russia. Al-Qaeda also maintained cells and personnel in a number of countries to facilitate its activities, including in Kenya, Tanzania, the United Kingdom, Canada and the United States. By banding together, Al-Qaeda proposed to work together against the perceived common enemies in the West - particularly the United States which Al-Qaeda regards as an 'infidel' state which provides essential support for other 'infidel' governments*".

> Testemunho de J. T. CARUSO, Director Adjunto em exercício, *CounterTerrorism Division*, FBI, perante o *Subcommittee on International Operations and Terrorism, Committee on Foreign Relations*, United States Senate, logo depois do 11 de Setembro, a 18 de Dezembro 2001

Vale certamente a pena começar, não por uma definição de "rede" (traduzo *network*), uma empresa que seria neste contexto de muito pouca utilidade, mas antes por uma tipificação da gama de variação formal do que são redes *possíveis*. Em vez de uma definição abstrata de rede, por outras palavras, parece-me que há vantagens (e alguma economia, sem que isso signifique nenhuma perda séria) em preferir antes uma amostragem da gama de variações sobre o tema geral *rede*.

Um primeiro passo, uma boa rampa de partida, prende-se com o número e a direcção das conexões existentes nas configurações de pontos e das relações entre eles[1] que consensualmente apelidamos de *rede*. Podemos dar disso três exemplos-tipo, três modelizações idealizadas de tipos de conexões possíveis entre elementos de alguma forma interligados:

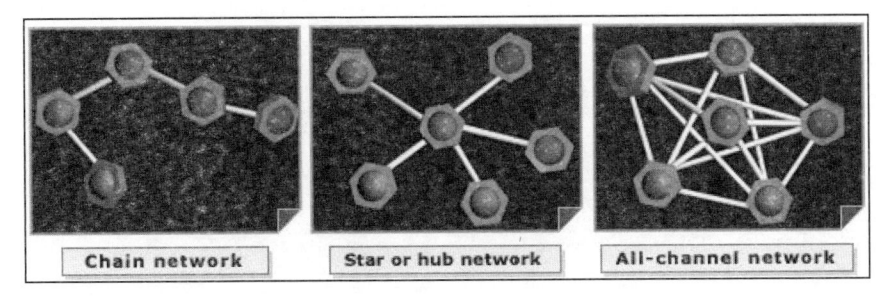

Figura. Tipos ideais de rede

Podemos começar por tentar distinguir formalmente estes tipos-ideais. Olhemo-los em pormenor.

No primeiro dos três casos, note-se, cada um dos elementos apenas se encontra ligado *a um outro* elemento do conjunto, formando-se, por isso, *uma cadeia*. O segundo exemplo é mais complexo, e envolve *um centro*, ou seja um elemento numa *posição nodal*: neste segundo exemplo, em vez de cada elemento estar ligado somente a um outro, cada um dos elementos presentes no conjunto está ligado *ao mesmo* elemento, elemento que é *central*. O terceiro e último dos nossos exemplos é, de algum modo, o mais simples dos três: todos e cada um dos elementos presentes estão ligados *a todos os outros* existentes no conjunto.

Embora os três exemplos-tipo sejam meras estilizações daquilo com que deparamos no dia a dia, as suas modelizações formais são, ao que creio, bastante claros. É certo que a realidade, por trás destes modelos ideais, mostra-se bem mais complexa do que eles. Mas torna-se efectivamente bastante fácil, julgo eu, imaginar múltiplas aplicações concretas do que acabei de delinear a traço muito grosso,

---

[1] Os matemáticos, cinjindo-se aos "grafos" que as representam, modelizando-as, chamam-lhes "vértices" e "arestas". Na minha monografia, prefiro utilizar tanto quanto possível uma terminologia menos "diagramática" para descrever as redes.

congeminar exemplos empíricos de cada um dos três exemplos-tipo de "enredamento" que antes mostrei.

Eis um trio de exemplos:

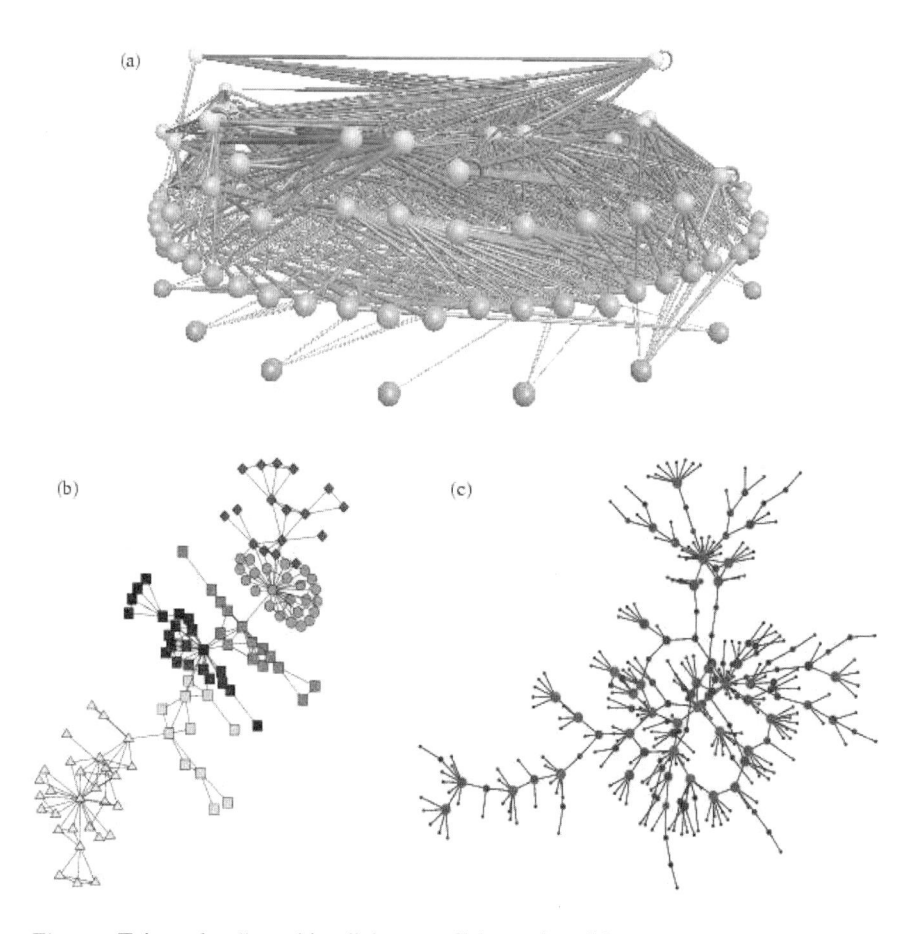

Figura. Três redes "empíricas" à superfície muito diferentes umas das outras, apresentadas em M.E.J. Newman (2003), "The structure and function of complex networks". O grafo (a), retrata uma cadeia alimentar de interacções predadores-presas num lago de água doce, o (b) a rede de colaborações entre cientistas num instituição privada de investigação (os *clusters* que se vislumbram, codificados por cores e formas geométricas, correspondem às diferentes áreas científicas existentes na insitutição, o *Santa Fe Institute*), enquanto que o grafo (c) representa uma rede de contactos sexuais entre os vários indivíduos que integram um grupo de amigos.

Aprofundemos um pouco. Vou restringir-me, por agora, a alguns casos paradigmáticos tirados daquilo a que uma boa parte das teorias da comunicação, das teorias das organizações, e da sociologia, chama "redes sociais" (traduzo a expressão consagrada de *social networks*): ou seja, *grosso modo*, redes que dizem respeito a *nexos de relacionamentos que se estabelecem entre pessoas e grupos*. A preferência é tão natural e compreensível quanto legítima, já que será sobretudo sobre estas redes que nos iremos debruçar.

Basta um pouco de atenção para constatar que a larga maioria das redes socias existentes estão configuradas como o que os analistas intitulam *"scale-free networks"*, literalmente *redes sem escala*[2]. Por regra, estas redes *scale-free* são variantes do tipo-ideal que atrás dei como exemplo, e que apelidei de *star* ou *hub networks*, o segundo diagrama dos três que apresentei.

E o que são estas *"scale-free networks"*, estas *redes sem-escala*? Com o intuito de facilitar a explicitação dos raciocínios que se irão seguir, deixem-me então logo à partida trazer rapidamente à baila alguns conceitos centrais fáceis de compreender[3]. Avanço passo por passo e faço-o com pequenos passos.

Uma *scale-free network* é um tipo específico de rede complexa em que alguns dos nodos se comportam como "altamente conectados" – e só *alguns* assim se comportam, já que, de outro modo, estaríamos perante uma *"all-channel network"*. Ou seja (e para usar outro termo, ou conceito, também ele técnico) trata-se de um tipo de rede em que apenas uns poucos de elementos são *hubs*, ou seja, apenas alguns deles estão dotados de um "grau" (*degree*) alto de conectividade.

---

[2] Um rápido ponto terminológico: as *scale-free networks* chamam-se *scale-free* por razões técnicas, uma vez que dependem de uma *power law* que não varia seja qual for a escala que exibam. Em termos muito concretos, uma rede diz-se *scale-free* quando o *ratio* entre os seus nodos altamente conectados e os outros nodos que contém se mantém constante à medida que a rede cresce: ou seja, quando esta razão entre nodos mais e menos interconectados é independente do tamanho da rede.

[3] Os matemáticos que empreendem estudos de pormenor sobre redes desenvolveram para tanto uma série de conceitos-chave. Para a investigação sobre *social networks,* eis alguns desses saborosos "índices" topológicos: *adhesion, betweenness, cascade, closeness, centrality, clustering coeffcient, cohesion, constraint, contagion, degree, density, diameter, integration, radiality, reach, structural equivalence, structural hole.* Utilizo nesta monografia algumas destas noções, embora o faça apenas ao de leve.

Uma outra ilustração, que disponibilizo com o intuito de firmar bem este conceito a que vou voltar constantemente, é a de rede *scale-free*. Por comodidade, recorro, de novo, a um par de representações gráficas, a mais dois diagramas:

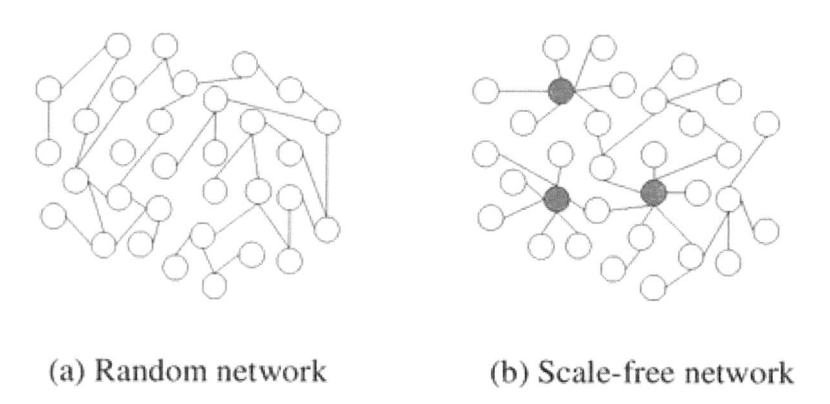

(a) Random network   (b) Scale-free network

Figura. O que caracteriza e distingue uma *scale-free network.*

Detenhamo-nos, mais uma vez com a devida atenção, nestes dois diagramas. Muito sucintamente, a segunda figura diagramática, a figura b), uma *scale-free network*, é contrastável de maneira óbvia, na ilustração que apresento, com uma primeira, a retratada em a), cuja legenda é *"random network"*.

Repare-se com cuidado nas distinções mais óbvias. Atente-se, designadamente, nas diferentes configurações que as duas figuras exibem. Para facilitar a leitura dos "graus de conectividade", os mais importantes *hubs* da segunda figura (aquela que mais nos interessa) foram postos a negrito. Note-se que nesta segunda figura outros "vértices" há, que se ligam com mais do que um nodo, mas que não estão a *bold*; e repare-se que estes não têm nunca senão ligações a pontos individuais que por norma não levam a mais do que a cadeias: são, por conseguinte, mais *elos* do que propriamente *hubs*, ou verdadeiros *nodos*. Por isso estão em branco, por assim dizer.

A primeira figura é bem diferente, e pode dizer-se que constitui uma espécie de contra-ponto da primeira: nela não existem verdadeiros *hubs*; há nela tão só *cadeias de elos*, e ainda que por vezes estes formem padrões em estrela tal não é uma característica mais do que acidental da rede.

Este último par de grafos oferece-nos a possibilidade de pôr em realce os traços estruturais distintivos do que apelidámos de *scale--free networks*, ou "redes sem-escala". Quis deliberadamente dar-lhes realce, e isto por uma razão simples: este tipo de redes é particularmente importante para efeitos do presente artigo. Basta que detenhamos por uns momentos os olhos na imagem-diagrama b) para verificar que, de facto, a grande maioria das chamadas "redes sociais" (as apelidadas de *social networks*), as redes de que falei e que dizem respeito a nexos de relacionamentos existentes entre pessoas e grupos, são redes deste segundo tipo.

Pensemos nisso um segundo: quase todas as redes sociais que possamos imaginar existentes no "mundo real" – e que vão, designadamente, de grupos de amigos a agrupamentos familiares, ou de nexos de relacionamentos lúdicos[4], ou cívicos, a organizações sócio-profissionais[5], passando por grupos (ou clubes) virtuais que vão emergindo na Internet[6], e por *gangs* urbanos[7], para dar exemplos menos "clássicos" mas com maiores afinidades com o nosso tema, ou pelas redes de colaboração entre cientistas nas várias áreas de investigação[8]:

---

[4] Ver, designadamente e por todos, o estudo de R.N. Onody e P.A. de Castro, datado de 2004, que tem o título sugestivo de "Complex Network Study of Brazilian Soccer Players", *Physical Review* E 70, 037103.

[5] De convicções radicais mas redigido num formato mais clássico e tradicional, ver o notável trabalho de Ross Mayfield (2004), com o título de "Social Network Dynamics and Participatory Politics", publicado *online* na curiosa *Extreme Democracy* (http://www.extremedemocracy.com/).

[6] Compreensivelmente, uma área de eleição para investigações deste tipo. Fugindo para o mais recente e atípico, julguei útil o esforço colectivo de Anja Ebersbach, Markus Glaser e Richard Heigl (2006), *Wiki Web Collaboration*, um trabalho monografo de fôlego. Como divertimento, ler o esplêndido e curto L. Guimerà et al. (2003), "Self-similar community structure in a network of human interactions", *Physical Review* E 68, 065103 (R), sobre a "rede social" emergente nos padrões de *emails* trocados entre os mil e setecentos funcionários de uma empresa média-grande.

[7] Para este ultimo exemplo, ver o magnífico estudo de Max G. Manwaring (2005), *Street Gangs, the New Urban Insurgency*, Strategic Studies Institute, US Army War College, Pennsylvania.

[8] Um bom exemplo, que valha por todos, é seguramente o do excelente "The structure of scientific collaboration networks", de M.E.J. Newman, que data de 2000, em que o autor, um eminente investigador do famoso *Santa Fe Institute*, examina as redes de contactos e apoios recíprocos entre investigadores em domínios tão díspares como a Bio-Medicina, a Física, e a Informática. Para uma visão de conjunto é útil a leitura de "Community structure in social and biological networks", de 2001, da autoria de M. Girvan e do mesmo M.E.J. Newman.

quase todas elas se organizam, efectivamente, com as características estruturais de redes *scale-free*[9]. Ou seja, em todas elas verificamos que, para além de pontos interligados uns com os outros, há alguns pontos que estão *mais interligados* do que outros.

Desde há muito que sabemos que redes deste tipo são também a configuração estrutural mais comum dos grupos conhecidos dedicados ao narcotráfico e a outras formas de crime organizado em larga escala, e a dos agrupamentos terroristas (sejam eles terroristas cuja tónica é islamista ou não) sobre os quais temos alguns dados fiáveis[10]. Criminosos e terroristas por via de regra formam agrupamentos (muitas vezes apelidados na literatura disponível de *dark networks*) que se organizam em autênticas *teias* que manifestam regularidades marcadas; e de tal maneira marcadas que, em boa verdade, constituem variações sobre um tema, quaisquer que sejam os seus conteúdos e objectivos.

Quero aproveitar para introduzir aqui um outro conceito, o de *small worlds*, literalmente "pequenos mundos". Na esmagadora maio-

---

[9] Muito há que parece indiciar uma explosão deste tipo tão eficaz de formatos organizacionais, agora que para tanto começam a surgir suportes tecnológicos adequados. Para um bom tratamento monografo do tema, é útil a consulta do monumental trabalho de fundo do alemão Jochen Fromm (2004), *The Emergence of Complexity*, publicado pela Kassel University Press.Uma boa *review* do *state of the art* até 2003, pode ser encontrada em M.E.J. Newman (2003), "The structure and function of complex networks". Para uma fascinante visão prospectiva, baseada em tendências actuais como as emergentes em *peer to peer networks* e em tecnologias como o polémico *bitTorrent*, ver Mark Pesce (2005), "The Human Use of Human Networks".

[10] O texto "clássico" quanto a este ponto, é decerto o de H. Brinton Milward e J. Raab (2002), "Dark Networks. The Structure, Operation and Performance of International Drug, Terror, and Arms Trafficking Networks". Um artigo quase inteiramente redigido no registo da sociologia das organizações. Uma quantidade apreciável de estudos seguiu-se-lhe, alguns deles, como o de A. Clauset e M. Young (2005), "Scale invariance in global terrorism" com pontos de aplicação inesperados e fascinantes: neste trabalho os dois autores demonstram que há uma "invariância de escala" (que denotam de uma "propriedade" do terrorismo global) tanto na "severidade" como na "frequência" dos numerosos ataques terroristas que tiveram globalmente lugar nos últimos trinta e sete anos. Ver também, focado no caso holandês, Peter Klerks (2001), "The Network Paradigm Applied to Criminal Organizations", na revista *Connections* 24 (3): 53-65, bem como Cynthia Stohl e Michael Stohl (2002), "The Nexus and the Organization. The Communicative Foundations of Terrorist Organizing". Um estudo premonitório, anterior ao 11 de Setembro, é o de Michele Zanini e Sean Edwards (2000), "The Networking of Terror in the Information Age".

ria dos casos, grupos de terroristas ou narcotraficantes (ou quaisquer dos outros agrupamentos a que fiz alusão nos dois últimos parágrafos) ordenam-se no que os analistas apelidam de *small worlds*: redes pequenas e densas, em que a maioria dos nodos são "vizinhos" uns dos outros, e nas quais as ligações entre quaisquer deles pode ser efectuada por uma curta série de "saltos", ou "passos"[11], seis ou sete por norma[12]. Um ponto a que iremos voltar mais tarde.

Antes de passar à frente, é certamente interessante dar mais uma rápida ilustração introdutória de algumas das mais importantes características de redes *scale-free*, desta feita a respeito de "vizinhanças" estruturais em redes e da sua representação gráfica.

A imagem que apresento é de Valdis Krebs, num artigo não publicado citado por M.E.J. Newman[13], um autor que já citei. Carto-

---

[11] R.I. Dunbar, um biólogo britânico, elaborou uma explicação para este quase-monopólio de *small worlds* na vida social, a que fiz alusão mais pormenorizada no meu artigo em Armando Marques Guedes (2006). Os principais artigos de Dunbar que aqui nos interessam são R.I.M. Dunbar (1993), "Co-evolution of neocortex size, group size and language in humans", e R.A. Hill e R.I.M. Dunbar (1997), "Social Network Size in Humans". O argumento de fundo de Dunbar é o de que há limites no tamanho máximo dos agrupamentos humanos "espontâneos" e *face to face* (expressos nos chamados *Dunbar numbers*) que resultam de características evolucionárias do córtex cerebral típico dos primatas. Tais limites são patentes em todos os domínios, dos acampamentos de caçadores e recolectores aos grupos virtuais na *Internet*, passando por grupos terroristas. Para um balanço geral da teorização dos *Dunbar numbers* baseada num estudo do envio de cartões de boas-festas, ler R. Hill e R. Dunbar (2002), "Social Network Size in Humans", na revista *Human Nature*, Vol. 14, No. 1, pp. 53-72. Ver também R.I.M. Dunbar (2002), "Are There Cognitive Constraints on an E-World?".

[12] Uma espécie de número mágico apurado em 1967 por um norte-americano, Stanley Milgram, que aventou, generalizando a partir de uma investigação restrita que conduziu "do Kansas ao Nebraska", que por meio de 6 ou 7 ligações no máximo (entre 5 e 10 foi o intervalo apurado) conseguia ligar qualquer pessoa da *East Coast* a qualquer outra da *West Coast* do seu país. Desta perspectiva, o Mundo, tal como aliás a *Internet*, constituem *small worlds*. Ver Stanley Milgram (1967), "The Small Worlds Problem", um artigo germinal publicado na famosa *Psychology Today*. Para uma visão mais pessimista, que trata a ideia de Milgram como *"the academic equivalent of an urban myth"*, insistindo, com alguma combatividade, que clivagens e separações anulam tais hipotéticos "vasos comunicantes", ler J. Kleinfeld (2002), "Could it be a Big World After All. The 'Six Degrees of Separation' Myth". Com truculência e não sem uma dose de fundamento, pelo menos aparente, Kleinfeld aponta, por exemplo, para linhas étnicas e económicas de divisão que tornam o Mundo "grande" e não "pequeno".

[13] M.E.J. Newman (2006), "Modularity and community structure in networks". O grafo está disponível na *net*, graças a Valdis Krebs, em www.orgnet.com.

grafa, de maneira fidedigna, as compras simultâneas, por uma clientela desse país, de livros de Ciência Política e História que têm por tema a política norte-americana, organizando-as em termos das opções político-ideológicas dos respectivos conteúdos. A legenda diz tudo.

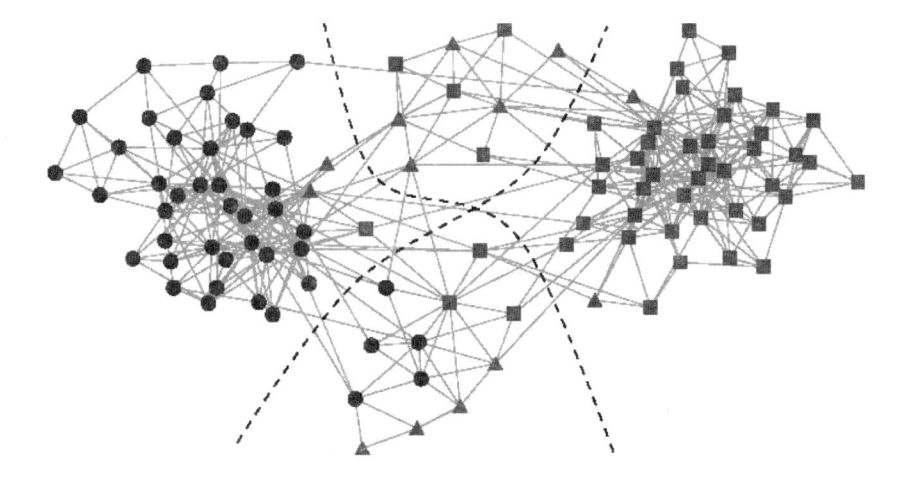

Figura. A rede relativa a compras de livros sobre política norte-americana, desenhada por Valdis Krebs. Os "vértices" representam livros e as "arestas" ligam os livros que com frequência são comprados pelos mesmos leitores. As linhas a ponteado separam, dividindo-as em *clusters*, quatro "comunidades" de compradores identificáveis e as formas geométricas apostas aos "vértices" (nos nodos) representam alinhamentos político-ideológicos: os círculos azuis são os liberais, os quadrados vermelhos os conservadores, e os triângulos roxos os centristas ou os não-alinhados.

Num primeiro resumo-abordagem: as redes *scale-free* exibem várias propriedades comuns interessantes, e muitas delas vão ocupar-nos ao longo da presente exposição. As redes *scale-free* têm sido objecto de numerosos estudos, a que irei ao longo do meu texto fazendo alusão, estudos esses que as têm abordado das mais diversas perspectivas, algumas das quais quererei exemplificar. E são discerníveis um pouco por todos os recantos da vida social humana[14].

---

[14] O que não deixa de ter implicações fascinantes para as Ciências Sociais. Os economistas, entre outros, desde há muito o notaram. Os antropólogos e sociólogos também. Um trabalho

Nesta monografia, no entanto, repito, quero manter a atenção concentrada na estrutura organizacional de redes terroristas modernas, padronizada nesses termos.

2.2. *A al-Qaeda como um caso da emergência contemporânea de* scale-free networks *político-militares e o 11 de Setembro de 2001*

> *"Following the success of the September 11 attacks, Osama bin Laden was able to establish his group as a hub for global terrorism, and al-Qaeda quickly became a focal point for a network of terrorist groups seeking to challenge the West. It would be a mistake, however, to assume that all the members of this network share a common understanding of goals and strategy. What we call 'the collective action problem of networks' suggests that the ability to reach a consensus on goals and ends will increase in difficulty with the number of nodes in the network and the number of issues they seek to address. Challenging the West means different things to different cells. Moreover, matters are further complicated because many are engaged in very local power struggles. [It is easy to] provide a long list of loosely connected motivations for joining the network. These include disparate grievances about US foreign policy in places such as Iraq, Pakistan, and Saudi Arabia; hatred of Israel; concerns about civil versus religious governance; anger about perceived injustices against the Muslim world; concerns about the intrusion of global markets and culture into traditional societies; and a variety of highly particular, local issues.".*

> RICHARD MATTHEW e GEORGE SHAMBAUGH (2005), "The Limits of Terrorism: A Network Perspective", *International Studies Review* (2005) 7, 617–627: 621

---

já com alguns anos mas digno de nota é o de Yochai Benkler (2002), "Coase's Penguin, or, Linux and The Nature of the Firm", um longo artigo publicado na prestigiada *Yale Law Journal*. No trabalho referido, Benkler evita normativizar, e restringe os seus esforços à dinâmica, eficácia e vantagens da *peer production* emergente em *wikis*, no "fenómeno Linux", etc..

> *Salafi-jihadism traces its origins to a broader movement calling for the regeneration of Islamic societies by a return to the form of Islam allegedly practiced by the initial companions (salaf) of the Prophet. […] Two innovations that are vociferously opposed are the distinction between the secular and the sacred – which contradicts Salafis' doctrinal emphasis on the 'Unity of God' – and the division of the Islamic world into separate nation-states, nationalism being seen by Salafis as a form of idolatry that artificially divides the Islamic community. Salafis compare the contemporary period with the jahiliyya, the time of ignorance in the Arab world before the coming of Islam, and call for the establishment of sharia law and the dissolution of nation-states in favour of an Islamic caliphate as remedies to the spiritual and moral malaise they see gripping the Islamic world. […] Salafi-jihadists distinguish between the 'near enemy', comprised of apostate rulers in the Greater Middle East, and the 'far enemy', consisting of non-Muslim powers (predominantly the United States) that provide apostate rulers with the military and financial wherewithal necessary to sustain themselves in power. In the absence of a recognized caliph to unite the Islamic world and command its armies, Salafi-jihadists argue that it is incumbent upon all individual Muslims to wage ceaseless struggle against Islam's enemies, asserting (contrary to Islamic orthodoxy) that this obligation constitutes nothing less than the sixth pillar of Islam, as binding on all Muslims as the five recognized pillars of profession of faith, prayer, fasting, alms-giving, and pilgrimage.*
>
> ANDREW PHILLIPS (2006), "Subverting the Anarchical Society – religious radicalism, transnational insurgency, and the transformation of international orders", *op. cit.*

Por razões óbvias, darei como exemplo central a curiosa ONG terrorista que tem sido chamada al-Qaeda. Como é evidente, não tenho intenção de produzir nas próximas páginas um estudo sobre a al-Qaeda, uma entidade que Thomas L. Friedman[15] famosamente apelidou de uma das *"mutant supply chains"* no seu *flat world* da *Globalization 3.0*; não pretendo, sequer, formular modelos quanto à sua organização *de facto*, da qual não tenho qualquer especial conhecimento privilegiado. Limito-me a hipóteses (que para o creio ser a expressão *educated guesswork* um bom epíteto) com a simples finalidade de ilustrar em pormenor aquilo a que quero fazer alusão: a existência de novas formas organizacionais nas ameaças emergentes.

Com o intuito de mostrar o carácter *emergente* e organizacionalmente *lasso* e até *difuso* de muitas destas entidades, entendo ser vantajoso começar pelo próprio nome da bem conhecida organização terrorista que nesta monografia tomo como paradigma. Faço-o criteriosamente. Por motivos que se irão tornando claros a par e passo – pelo menos assim o espero – abordarei a questão da nomenclatura de identificação desta notória "organização não-governamental" contra um fundo histórico-cronológico, levando desse modo a cabo um esboço de levantamento *genealógico* do uso da expressão.

A al-Qaeda nasceu a partir de uma entidade apelidada *Maktab al-Khadamat* (MAK, literalmente "o Escritório dos Serviços"), uma organização de *mujahidin* constituída nos anos 80 do século passado com o intuito de lutar contra os Soviéticos que tinham acabado de invadir o Afeganistão. Na parte final do conflito, foi decidido por vários líderes *mujahidin* da luta anti-Soviética expandir as suas acções para outros cenários de guerra que os Islamistas consideravam urgentes.

Um dos agrupamentos, para tanto constituídos, foi aquele, comandado por um membro de uma família de sauditas notáveis, Osama bin Laden, que mais tarde viria a ser intitulado de al-Qaeda. Economista-engenheiro formado no Médio Oriente – mais precisamente na Universidade de Jedda, na sua Arábia Saudita natal – experiente em lides militares durante a resistência afegã, bin Laden mostrou-se, desde cedo, empenhado numa curiosa mistura de cosmopolitismo com um tradicionalismo feroz; durante os seus estudos teve professores egípcios, refugiados na Arábia Saudita, que muito o terão

---

[15] Thomas L. Friedman (2005), *The World is Flat. A Brief History of the Twenty-First Century*, Farrar, Strauss and Gitoux, New York.

influenciado em termos político-religiosos, do que resultou um curioso amálgama dos ensinamentos de al Qutb e dos do wahabismo da sua terra natal. Em 1988, Osama bin Laden assumiu uma iniciativa "expansionista", movendo-se na direcção de outros cenários de guerra. Oportunidades não tardaram. O movimento teve a sua grande reconversão (decidindo "operar fora de área" relativamente ao que lhe era habitual, por assim dizer) quando, em finais de 1990, o Rei Fahd, da Arábia Saudita, recusou a oferta de protecção contra Saddam Hussein que lhe foi disponibilizada pelo seu conterrâneo e, em vez disso, preferiu autorizar a entrada no país de tropas norte-americanas.

Osama bin Laden durante um tempo preferiu chamar à sua organização *Frente Internacional para o Jihad contra os Judeus e os Cruzados*. Mas a adopção do nome al-Qaeda[16], tanto quanto sabemos, surgiu cedo, logo nos anos 80, ainda no Afeganistão, quando um líder *mujahid* já morto, Abu Ebeida El-Banashiri, se começou a referir aos campos de treino instalados no país e no vizinho Paquistão usando essa expressão. Em boa verdade, no entanto, ainda que antes não fosse desconhecido, o nome al-Qaeda só se viu verdadeiramente consolidado a partir de 2001, depois do ataque às Torres Gémeas e ao Pentágono, quando a Administração norte-americana, uma vez apurada a autoria da brutal agressão, se viu na contingência de encontrar uma denominação precisa, exigência essa que provinha de legislação anti-Máfia já antiga que tornava imprescindível que as organizações tivessem um nome para poderem ser *criminally prosecuted*. Por via destes meandros, a denominação ficou. Os *media* e a opinião pública fizeram o resto, cristalizando-a para todos os efeitos.

Note-se que esta versão da origem da denominação não é a única. Uma outra radica, antes, a utilização corrente do nome em narrativas sobre outros acontecimentos. Daniel Benjamin, por exemplo, no seu *The Age of Sacred Terror*, cita um incidente ocorrido em inícios dos anos 90, no qual um documento intitulado "A Fundação" (al-Qaeda, no original) foi encontrado no corpo de um associado de Ramzi Youssef, um dos membros conhecidos da organização de bin

---

[16] Literalmente "a base", o mesmo título que na Idade Média, na Península Ibérica era dado aos chefes regionais e que deu origem ao termo português e castelhano de "Alcaide", ainda hoje o termo utilizado em Espanha com um sentido afim com o de "Presidente de Câmara".

Laden: daí viria o termo. Numa outra hipótese, a origem do seu uso datará de 1987, a altura em que o *Sheikh* Abdullah Azzam, o pai espiritual dos "árabes afegãos", plantou as sementes de uma organização transnacional que apelidou de 'Al-Qaeda al-Sulbah' (a Fundação Sólida). Talvez a hipótese mais interessante (ainda que vagamente conspirativa) quanto à origem da denominação "al-Qaeda", seja no entanto a recente explicação etimológica oferecida por Robin Cook[17], o ex-Ministro dos Negócios Estrangeiros britânico, segundo o qual *"Bin Laden was, though, a product of a monumental miscalculation by western security agencies. Throughout the 80s he was armed by the CIA and funded by the Saudis to wage jihad against the Russian occupation of Afghanistan. Al-Qaida, literally 'the database', was originally the computer file of the thousands of mujahideen who were recruited and trained with help from the CIA to defeat the Russians. Inexplicably, and with disastrous consequences, it never appears to have occurred to Washington that once Russia was out of the way, Bin Laden's organisation would turn its attention to the west"*. Deixando para segundo plano a atribuição de responsabilidades ao Ocidente, note-se o sentido claramente empírico desta curiosa versão – será esta uma informação privilegiada que Cook nos desvenda?

A genealogia que indiquei em primeiro lugar parece-me a mais convincente; mas nenhuma destas outras será de excluir. Um ponto sobressai. Esta fluidez quanto à origem, ao secretismo, ao *timing* e ao evoluir da apelação não deixa de ser significativa, de um ponto de vista institucional. Tal como o nome, assenta com a organização. De um ponto de vista formal, tanto quanto sabemos, a al-Qaeda tem uma estrutura organizacional de algum modo "clássica" para entidades político-militares deste tipo. Inclui, assim, distinções orgânicas de carácter funcional, que podem, logo num primeiro relance, dar-nos a impressão de que estaríamos a lidar com uma hierarquia tradicional,

---

[17] Robin Cook (2005), "The struggle against terrorism cannot be won by military means", *The Guardian*, July 8th. Como escreveu Pierre-Henri Bunel, *"this 'database' was used with an associated computer network that was operated during the 1980's by the Islamic Bank for Development, which hosted an early form of dial-up Intranet for the Islamic Conference. This network was the main method of orchestrating terrorist acts and co-ordinating the Mujahideen's fight against the Soviets by the CIA"*. [Pierre-Henri Bunel (2005), "The Database", www.globalresearch.ca-Al-Qaeda].

como as existentes, por exemplo, em organizações político-partidárias ou em grupos militares.

Há designadamente, na al-Qaeda, um órgão (não há outro termo, embora porventura este, com as conotações que tem, não seja o mais apropriado) intitulado *Comité Militar*, que detém a responsabilidade administrativa "central" pelo treino, planeamento e aquisição de armamentos. A este juntam-se outros Comités, um apelidado de *Comité do Dinheiro e Negócios*, mais um designado por *Comité Jurídico*, e outro ainda chamado *Comité do Estudo Islâmico e da* Fatwa; o primeiro, é suposto garantir a coordenação dos negócios da al-Qaeda[18], incluindo a criação e manutenção de redes de financiamento, a aquisição de bilhetes de avião e de passaportes falsos, etc. O Comité Jurídico e o dedicado às *Fatwa*, os "decretos" religiosos, funcionam em paralelo, e debruçam-se, respectivamente, sobre a adequação à lei islâmica de certos tipos de actuação, e a promulgação de edictos confessionais (as *fatwa*) de sustentação das acções político-militares decididas. Por último, nos anos 90 do passado século XX terá existido um Comité para os media, que chegou a publicar o já defunto jornal *Nashrat al Akhbar*. Hoje em dia, em seu lugar, a al-Qaeda parece preferir levar a cabo um *outsourcing* dessa actividade mediática. Como se pode verificar, a organização está (ou pelo menos foi) dotada de alguma aparente organicidade[19].

No entanto, nos dias de hoje, a "textura" funcional e operacional – chame-se-lhe assim – da al-Qaeda parece ser muitíssimo mais inovadora[20], nos termos concretos da actuação que tem tido. Estará

---

[18] Seria perigoso subestimar o peso desta dimensão. O célebre *US 9/11 Commission Report*, coordenado por Thomas H. Kean, um Republicano, estimou (porventura com algum exagero), logo no início do século XXI, em 30 mil milhões de dólares anuais a quantia necessária para manter a al-Qaeda "em funcionamento".

[19] A informação quanto a esta autêntica "cadeia de comando" da al-Qaeda foi obtida a partir de dados fornecidos por Jamal al-Fadl, um dissidente da organização ligada a bin Laden que tem vindo a colaborar com as autoridades militares norte-americanas. A sua representação é a de um organigrama hierárquico. Para uma boa visão de conjunto da evolução da organização, baseada nas suas próprias representações internas projectadas para o exterior em declarações públicas de "recrutamento e mobilização", ver C. Blanchard (2005) "Al-Qaeda. Statements and Evolving Ideology", texto de um Relatório apresentado nessa data ao Congresso dos Estados Unidos.

[20] São inúmeros os estudos dedicados a esta estruturação operacional, mais difusa, da al-Qaeda. Um bom e curto estudo foi produzido no *Naval War College* de Rhode Island,

porventura, ao que muito indica, sujeita a uma evolução adaptativa acelerada: ainda que venhamos a confirmar que de facto existiu uma organicidade "tradicional" como aquela a traço grosso denunciada por Jamal al-Fadl, tudo aponta para que a al-Qaeda tenha de algum modo "deslassado" face à pressão norte-americana no pós-11 de Setembro; e se o fez, repare-se todavia, que fê-lo sem por isso perder periculosidade.

Bem pelo contrário. De novo tanto quanto sabemos, essa periculosidade aumentou de par com uma descentralização, ou se se preferir, um descentramento e uma desconcentração. A al-Qaeda transformou-se, de alguma forma "desconfigurando-se". Como escreveu há menos de dois anos Marc Sageman[21], *"the movement has now degenerated into something like the internet. Spontaneous groups of friends, as in Madrid and Casablanca, who have few links to any central leadership, are generating sometimes very dangerous terrorist operations, notwithstanding their frequent errors and poor training"*. Talvez uma boa descrição dos passos dados na direcção daquilo em que a al-Qaeda se foi tornando a partir do seu acto fundador seja a disponibilizada por Andrew Phillips[22], da Universidade de Cornell: *"Al Qaeda's* [...] *evolution has been exhaustively documented elsewhere and the tale will not be recapitulated here,*

---

em 2002, por Clayton Saunders, intitulado "Al-Qaeda. An example of Network-Centric Operations". Pese embora Saunders se preocupe, no essencial, em defender as cores da opção *network centric*, que tem os seus opositores, o trabalho constitui uma razoável introdução ao *modus operandi* comunicacional da al-Qaeda nas suas operações. Para uma leitura mais macro e moderadamente crítica desta, ver o também curto artigo David Ronfeldt (2005), "Al-Qaeda and its affiliates. A global tribe waging segmental warfare". Para uma leitura mais crítica e muitíssimo mais extensa, ver o magnífico trabalho produzido em 2006 na *US Military Academy*, em West Point, que tem o título sugestivo de "Harmony and Disharmony. Exploiting Al-Qa'ida's Organizational Vulnerabilities". No seu "Al-Qaeda's Strategic Evolution", disponibilizado em 2005, W. Waddell ensaiou um rastreio das alterações evolucionárias a que a organização operacional da rede tem estado sujeita desde 2001.

[21] Marc Sageman (2004), "Understanding Terror Networks". Um estudo cuidado e muito interessante, redigido por um antigo *case officer* da CIA que esteve colocado no Afeganistão entre 1987 e 1989 e que é hoje um especialista em Psiquiatria Forense.

[22] Andrew Phillips (2006), "Subverting the Anarchical Society - religious radicalism, transnational insurgency, and the transformation of international orders", *paper* não-publicado apresentado na *Second Oceanic Conference on International Studies*, University of Melbourne, 5-7 de Julho de 2006, em http://www.politics.unimelb.edu.au/ocis/Phillips.pdf.

*save to observe that Al Qaeda has from the beginning consisted of a
network of networks, with jihadists from the Maghreb to Southeast
Asia being bonded in their common commitment to Salafi-jihadist
ideology and also in their shared experiences waging jihad in
Afghanistan. With the 1998 merger between Ayman al-Zawahiri's
Egyptian Islamic Jihad and bin Laden's organization, Al Qaeda
assumed its pre-9/11 organizational form as a coalition of allied
jihadist networks, with a core leadership group coordinating and
directing individuals and cells in the commissioning of major attacks
such as the 1998 African embassy bombings, the attack on the USS
Cole and of course September 11. Following 9/11 and under the
impact of intensified international counter-terrorism efforts, Al
Qaeda has morphed from a hub-and-spokes network to a much more
loosely organized chain network, in which connections between individual cells have become significantly more attenuated and in which
the central leadership's capacity to organize and coordinate large-
scale attacks has been significantly – perhaps fatally – degraded.
With a significant proportion of Al Qaeda's pre-9/11 leadership
either killed or captured, the network's infrastructural power and
coordinating capacity has been dramatically diminished, but this
setback has been partially offset by Al Qaeda's enhanced post 9/11
capacity to inspire dispersed autonomous jihadist cells to perpetrate
atrocities such as the Madrid and London bombings".*

Porventura esta não será uma boa interpretação daquilo em que
a al-Qaeda se transformou, e decerto será melhor encará-la, antes,
como uma espécie de *holding* capitalista, *mutatis mutandis* claro está.
Em alternativa, talvez devamos, como David Ronfeldt recomenda[23],
vislumbrá-la mais como uma entidade pós-moderna e compósita:
*"analysts and strategists should be treating Al-Qaeda more as a
tribal than a religious phenomenon. They should be viewing Al-Qaeda
from the classic tribal as well as the modern network perspective. It
is often pointed out (including by me) that Al-Qaeda represents a
post–modern, information–age phenomenon. But it is time to balance*

---

[23] No já citado David Ronfeldt (2005). Para um estudo conexo, ver Noor Hudo
Ismail (2006),"The Role of Kinship in Indonesia's Jemaah Islamiya", *Terrorism Monitor*,
The Jamestown Foundation, sobre o papel das redes de parentesco nesta entidade com
algumas afinidades com a al-Qaeda.

this with a recognition that Al-Qaeda also represents a resurgence of tribalism that is both reacting to and taking advantage of the information revolution and other aspects of globalization". Ou talvez nada disto tenha fundamento, e a al-Qaeda se tenha limitado a minguar e a tornar-se menos visível[24], ou esteja a progredir aos soluços.

Seja qual for a resposta, uma coisa é certa: *aprendendo, a organização evoluiu*. E ao evoluir, tornou-se (pelo menos potencialmente) decerto mais letal – e seguramente muitíssimo menos detectável.

Em todo o caso já no 11 de Setembro de 2001 as características da al-Qaeda enquanto rede eram manifestas. Numa gravação em vídeo encontrada no Afeganistão, foi o próprio Osama bin Laden[25] quem se vangloriou das implicações defensivas do facto, ligando-o implicitamente ao feito [o abate das *Twin Towers* e o ataque ao Pentágono], e afirmando com orgulho indisfarçável que "aqueles que foram treinados a pilotar *não* se conheciam uns aos outros. Um grupo de pessoas *não* conhecia o outro grupo".

Na segunda parte do presente trabalho vamos ver como asserções deste tipo comunicam com clareza a públicos árabes uma estrutura organizacional em simultâneo "tradicional" e em rede. Para já e com o intuito de ilustrar o carácter de *scale-free network* da al-Qaeda operacional, basta a apresentação de três diagramas sobre as ligações conhecidas dos 19 terroristas que levaram a cabo o 11 de Setembro de 2001. Os diagramas foram elaborados por Valdis Krebs, um especialista norte-americano em teoria dos sistemas que tem vindo a dedicar-se ao estudo de agrupamentos terroristas[26].

---

[24] Dou aqui apenas alguns pormenores sobre as características mais centrais de uma entidade sobre a qual muito tem sido escrito e que, por isso, me escuso de repetir. Para visões amplas de conjunto quanto às origens e evolução conhecidas da al-Qaeda, ver, designadamente, Peter Bergen (2002), *Holy War, Inc: Inside the Secret World of Osama Bin Laden*. Free Press, New York; Rohan Gunaratna. (2002), *Inside Al Qaeda: Global Network of Terror*, Columbia University Press, New York; e, ainda, Jason Burke (2003), *Al Qaeda: Casting a Shadow of Terror*. I.B. Tauris, London.

[25] Uma tradução de uma tradução, com itálicos meus. Na transcrição original (U.S. Department of Defense, 2001) Osama bin Laden afirmou que *"those who were trained to fly didn't knew the others. One group of people did not knew the other group."*

[26] Reproduzo aqui os três diagramas disponibilizados por Valdis Krebs na *net*. Na comunicação que apresentei no IDN em Novembro de 2005 e no artigo que em resultado publiquei, fiz já uso destas três magníficas imagens.

Eis o que se sabia, com base em dados não-classificados e livremente disponíveis em publicações de grande circulação, quanto a ligações efectivas existentes entre os suicidas, uns meros dias depois dos terríveis ataques, logo em início-meados de Outubro de 2001:

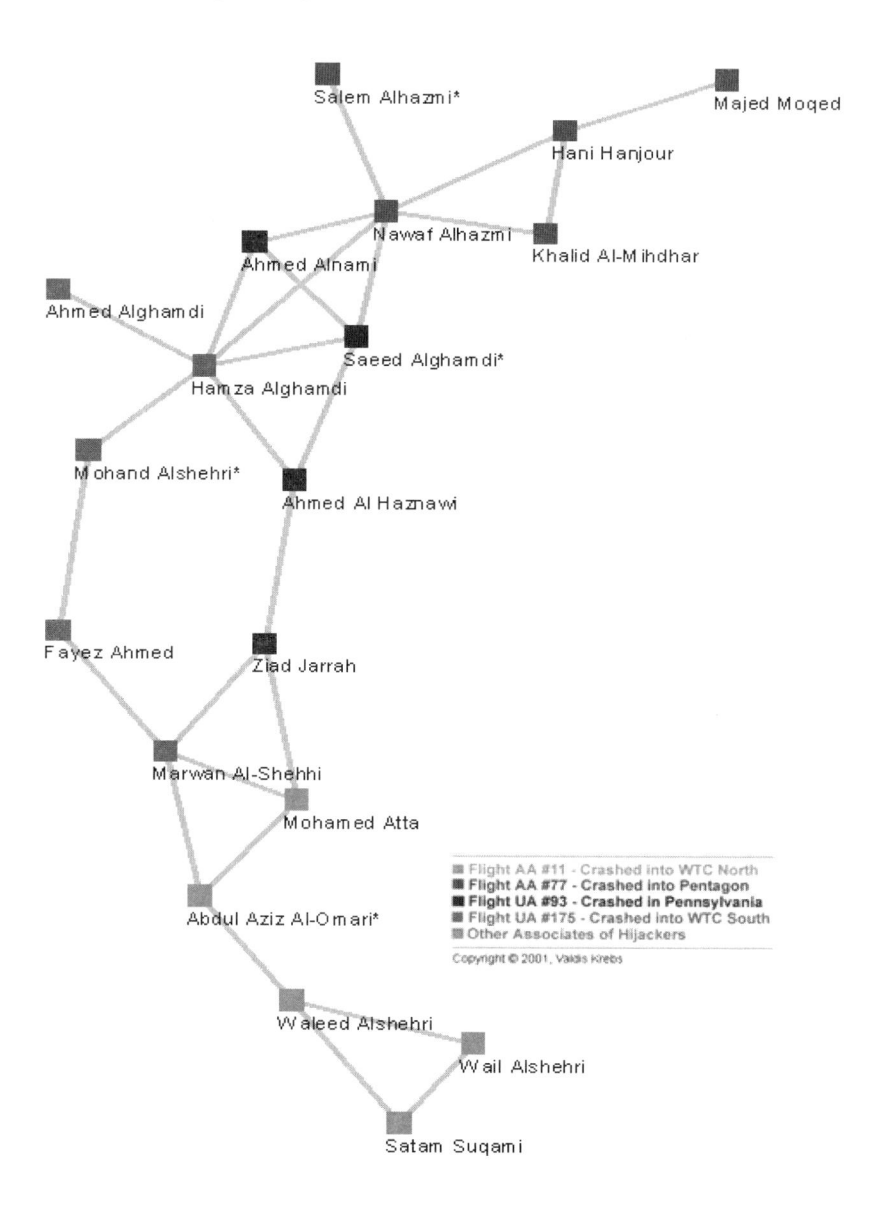

Uma segunda representação gráfica diagramática, com dados sobre contactos obtidos, nas semanas imediatamente subsequentes aos ataques, em jornais não norte-americanos da Alemanha à Europa central, do Egipto à Jordânia, da França à Grã-Bretanha e de vários Estados africanos:

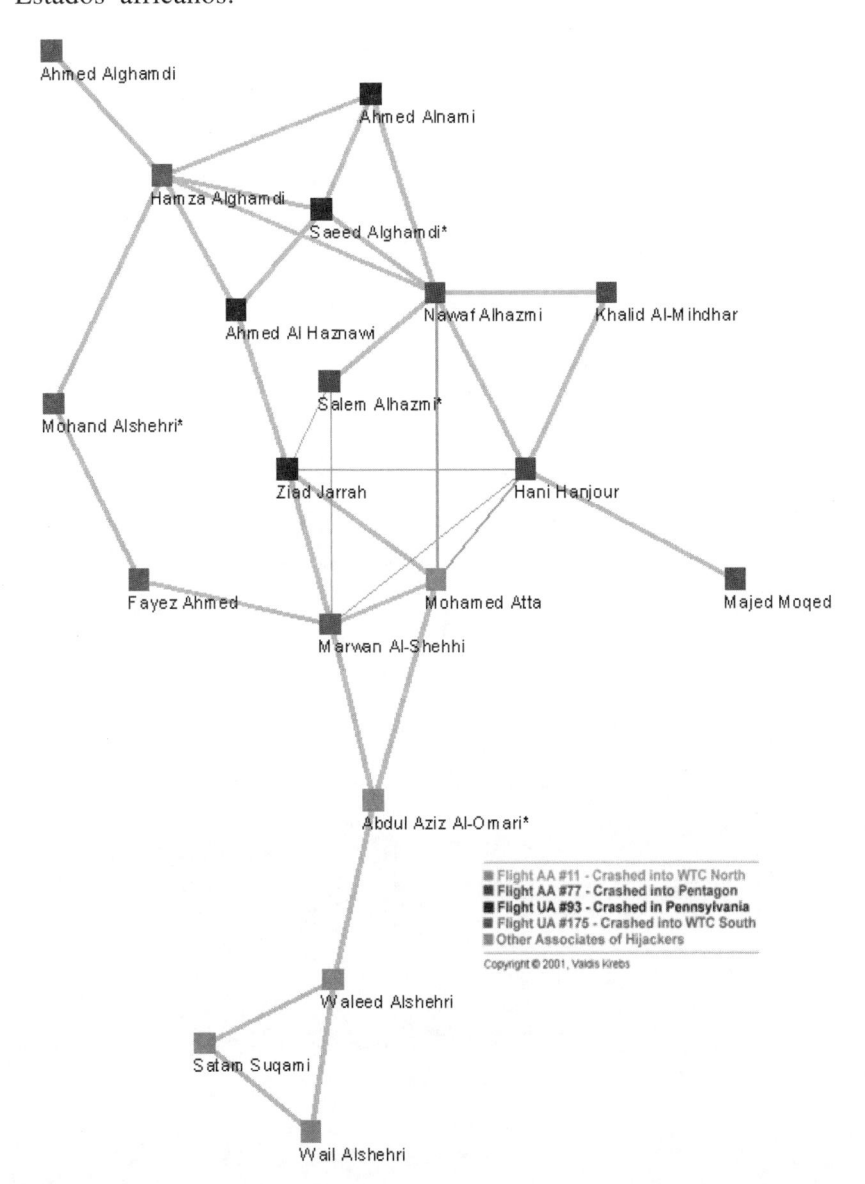

Num terceiro diagrama, elaborado quase dois anos depois, em 2002, Krebs cartografou as ligações e os nexos relacionais entretanto apurados, que se estendem muito para lá do grupo de 19 comandos suicidas directamente envolvidos nos ataques:

Iremos deter-nos em pormenor sobre estes grafos dentro de pouco. Mas para já queria começar por alguns comentários de carácter mais genérico. Pelo menos duas coisas ressaltam com clareza destes grafos de Valdis Krebs. Por um lado, é patente a óbvia estrutura organizacional em rede (e em rede *scale-free*) dos comandos operacionais da al-Qaeda envolvidos no 11 de Setembro, bem como da posição "nodal" de Mohammed Atta, que a imprensa – presumindo que teria de existir uma liderança e uma hierarquia claras – de imediato veio apresentar como o *mastermind* por de detrás da acção. A representação gráfica dos contactos conhecidos entre suicidas demonstra com nitidez esta opção organizacional, incluindo a posição de "placa giratória", por assim dizer, de Mohammed Atta[27].

Por outro lado, os diagramas põem em relevo muito nítido as dificuldades de detecção de estruturas organizacionais em rede, embora isso seja posto em evidência pela análise não de um qualquer dos diagramas *mas da relação entre eles*, nomeadamente nos intervalos de tempo que separaram a sua feitura e a laboriosa reconstrução das conexões existentes entre os nodos desta estrutura organizacional muito informal, por assim dizer; e, por certo, informalíssima se e quando comparada com uma organização hierárquica-tipo. Aliás, ao que parece, a maioria dos suicidas que colaboraram em cada um dos aviões apenas se terão conhecido uns aos outros no seu próprio avião. Quase só os comandos-nodos (Atta, Hanjour, Alhazmi, por exemplo) se conheceriam já uns aos outros quando os *hijackings* (uso o termo anglo-saxónico, porque foram mais do que meros desvios ou sequestros) ocorreram. Mantenhamos em mente um conceito que aquilo que acabei de mostrar sugere ser da maior importância: o de *covert networks*, literalmente "redes encobertas" – uma "propriedade" não das redes em si mesmas, mas antes da articulação dinâmica *sui generis* delas com o meio em que estiveram integradas. Voltaremos com muitíssimo maior pormenor a este ponto na quinta e derradeira secção substantiva do presente estudo.

---

[27] Para uma interpretação ao mesmo tempo mais focada e mais comparativista do que a minha, empreendida pelo autor destes *graphs*, ler o curto artigo de Valdis Krebs (2002), "Mapping Networks of Terrorist Cells", publicado na revista *Connections*.

Antes disso, no entanto, regressemos aos grafos que acabámos de ver. Podemos ir mais longe, no que diz respeito à qualidade e direcção das ligações estabelecidas entre os membros representados.

Num primeiro momento, ampliemos imagens, por assim dizer. Aqui está uma ampliação anotada de um dos grafos de Valdis Krebs, mostrando em maior detalhe as "influências recíprocas" (uma questão da maior importância organizacional em estruturas e organizações informais deste género, como é intuitivo) dos operacionais envolvidos. Os autores desta ampliação-anotação são Steven Barnes, Hande Mutlu e Ling Ramirez, todos eles académicos, todos eles cientistas políticos, os dois primeiros da New York University, o último da vizinha University of Rochester[28].

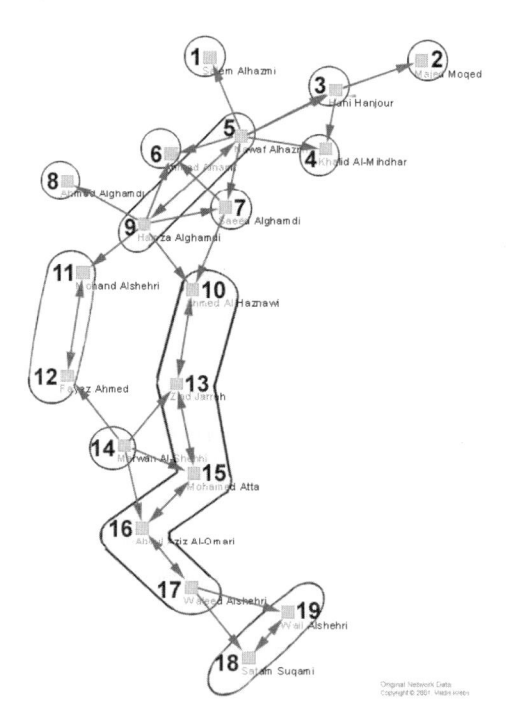

---

[28] Num artigo intitulado S. Brams *et al.* (2005), "Influence in Terrorist Networks. From Undirected to Directed Graphs". O texto tem por finalidade o desenvolvimento de "*a methodology for converting terrorist networks from undirected graphs to simplified directed graphs (or digraphs) and mapping the flow of influence in them*". A imagem que apresento não precisa de legenda.

A imagem que apresento (uma retoma, como terá sido notado, da primeira figura antes mostrada, da autoria de Valdis Krebs) fala por si e por conseguinte dispensa comentários. Sublinha proximidades.

Porventura ainda mais interessantes, em todo o caso, são as duas representações complementares que os três analistas – Steven Barnes, Hande Mutlu e Ling Ramirez – compuseram com base no terceiro dos grafos de Valdis Krebs que apresentei. De notar a re-organização dos nodos empreendida, no que é agora apresentado como estruturas "hierárquicas" de "influências". O que aqui é tornado claro é que havia uma espécie de divisão, em termos de proximidade, influências, e laços de confiança recíproca entre os vários membros do agrupamento terrorista que agiu em Nova Iorque. As legendas dizem mais uma vez tudo quanto às distinções entre uma e outra das duas imagens. O que ressalta com clareza é a divisão do grupo em dois subgrupos, dois *clusters*: um deles, representado nos dois níveis superiores da imagem, incluía os pilotos e organizadores dos *raids*; o outro, de novo internamente coeso, juntava os níveis restantes.

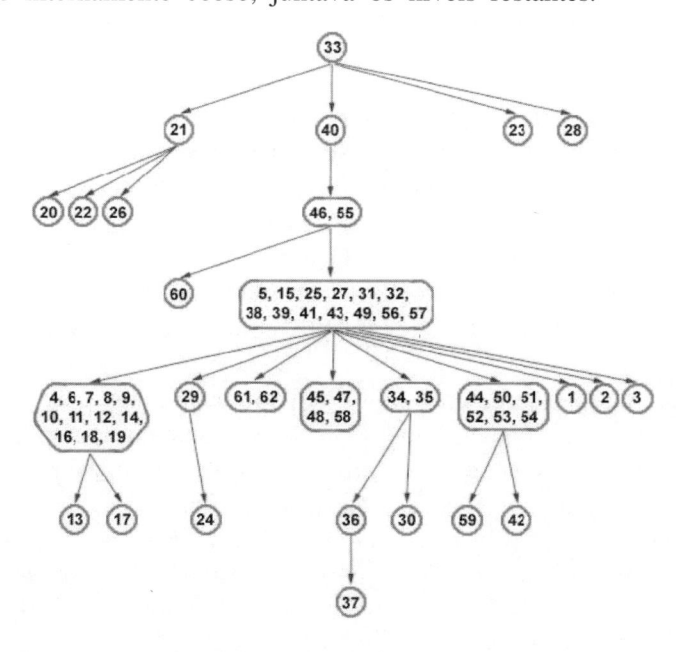

Figura 1. Hierarchical Directed Graph of Large al-Qaeda Terrorist Network (Absolute Standard of 2 or Fewer Links for Bidirectional Influence Relationship)

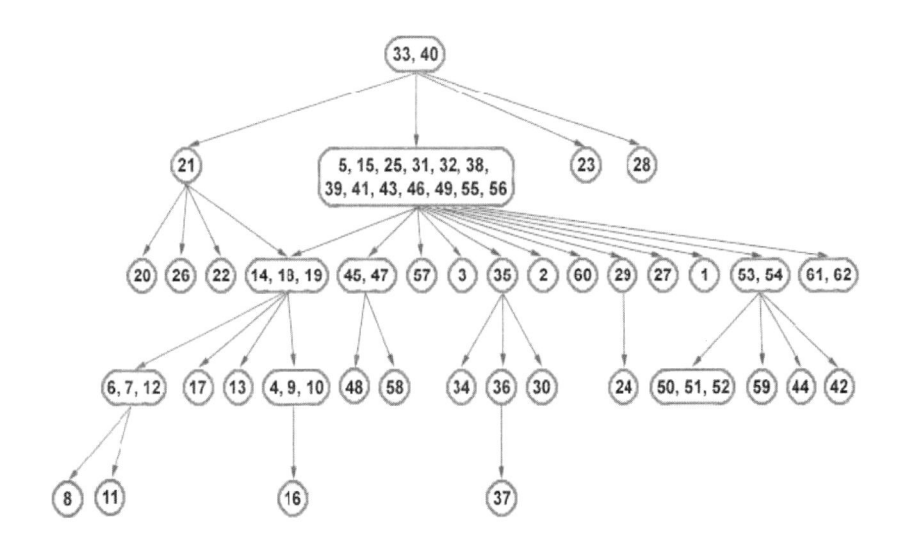

Figura 2. Hierarchical Directed Graph of Large al-Qaeda Terrorist Network (Relative Standard of 25% or Fewer Links for Bidirectional Influence Relationship)

Escusado será comentar estes dois grafos, que também falam por si agregando de maneira visível relações de influência recíproca entre os dezanove terroristas que actuaram no 11 de Setembro e os seus aliados e contactos "externos", indicados e nomeados no terceiro grafo de Krebs, que mostrei. O que vale a pena é retomar, com estas informações, aquilo que Krebs apurou e sugeriu em 2002 – pois só assim se compreende plenamente o alcance destes acrescentos analíticos.

Para tanto, regressemos, por um momento, aos três grafos de Krebs e aos seus comentários sobre eles. Tomemos como ponto de partida uma consideração de ordem geral. Como escreveram H. Brinton Milward e J. Raab[29], dois analistas em Gestão e Sociologia das Organizações, "[e]*very secret organization has to solve a fundamental dilemma: how to stay secret but at the same time insure the*

---

[29] Num artigo fascinante, cuja referência completa é H. Brinton Milward e J. Raab (2002), "Dark Networks. The Structure, Operation and Performance of International Drug, Terror, and Arms Trafficking Networks".

necessary coordination and control of their members. [...] Every link increases the risk of detection and of the destruction of the organization if a member is discovered and detained. How this dilemma was solved in the case of the September 11 attacks is quite remarkable".

Brinton Milward e Raab referem-se naturalmente à análise de V. Krebs e à interpretação do próprio, subinhando que "[t]*he structure seems to have been based on prior trusted contacts between the members* (Krebs chamou a este 'núcleo duro central' uma *clique*, um termo a que irei voltar mais à frente). *However these ties were very limited and as a consequence a* very sparse network (o realce é meu) *evolved in which team members of the same flight were sometimes more than two steps away from each other. There were apparently hardly any prior contacts between team members of different flights except for the alleged pilots of three flights, who were members of the 'Hamburg Cell'. Therefore, it is hardly surprising that the average mean path length is 4.75, which for a group of 19 nodes is quite high. This means that on average it takes almost five steps to go from one hijacker to the next"*. Ou seja, tal como bin Laden declarou, ufano, parece que de facto muitos dos atacantes só se conheceram nos aviões. Mas o que significa isso em termos concretos, de um ponto de vista que reflita, *simultaneamente*, preocupações de segurança *e* preocupações de natureza mais organizacional?

Como Brinton Milward e Raab afirmaram, Valdis Krebs[30] concluiu que, neste caso, a al-Qaeda *"traded effectiveness for secrecy"*. De que modo, então, conseguiram os terroristas envolvidos uma coordenação suficiente para cumprir a missão em que se tinham empenhado? Segundo Krebs[31], os *hijackers* do 11 de Setembro lograram-no por meio de um *'judicious use of transitory shortcuts'*, i.e. encontros 'raros' que ligaram umas às outras partes distantes da rede. Ligações essas que passaram a *'dormant'* até que a necessidade para uma actuação conjunta re-emergisse.

Vale a pena citar de novo H.B. Milward e J. Raab, agora quanto a estas 'ligações adventícias', chame-se-lhes assim, a que Krebs atribuiu uma enorme importância: [s]*ix shortcuts were added to the*

---

[30] Valdis Krebs (2002), *op. cit.*: 46.
[31] *Ibid.*.

network temporarily in order to collaborate and coordinate (o realce é novamente meu). *With the shortcuts the mean path length* [was] *drastically reduced (by more than 40%). Although there are clearly still nodes and links missing (for example, the financial support ties) to draw an accurate picture of the real network, it is nonetheless very interesting, however, that the alleged four pilots of the attacks are among those persons who have the highest scores for closeness and degree centrality. Despite the caution that is appropriate in terms of data, the research by Krebs, shows nonetheless that the 'Hamburg Cell'*[32] *was very likely the coordinating center of the whole operation based on trusted prior relationships which made the network both hard to detect and resilient. [...] Although it makes sense that the pilots were also the planners and coordinators of the whole operation, especially if it is true that the other team members did not know the ultimate goal, it is, according to Krebs [...], a very risky strategy. Concentrating unique skills and connectivity in the same nodes makes the network easier to disrupt. On the other hand, by concentrating the unique skills and the planning and coordinating activity in the hands of four to five very devoted people that trust each other literally with their lives and leave the rest of the group more or less in the dark secured both secrecy and the necessary coordination*". Um risco ao que parece calculado ao milímetro e um risco cuja assunção surtiu o efeito desejado.

Regressaremos a pontos conexos, quando, na terceira parte deste estudo monográfico, analisarmos o comando e controlo em redes político-militares *scale-free*.

Num passo suplementar, cabe agora, porém, debruçarmo-nos um pouco mais sobre as características e as propriedades específicas de redes como as ilustradas.

---

[32] Assim chamada por ter sido este o local, Hamburgo, em que primeiro e sobretudo conviveram uns com os outros os 'coordenadores' suicidas que actuaram em Nova Iorque.

2.3. *As redes em contexto contrastivo: propriedades e características estruturais e funcionais comparativas*

> "[F]aites croître l'action, la pensée et les désirs par
> prolifération, juxtaposition et disjonction, plutôt que par
> subdivision et hiérarchisation pyramidale".
>
> Michel Foucault (1977), na *Introdução* que escreveu
> para o livro de Gilles Deleuze e Félix Guattari, *L'anti
> Oedipe. Capitalisme et Schizophrénie*

Muito poderia ser dito quanto às propriedades específicas das redes e quanto aos ângulos analíticos de abordagem que têm vindo a ser utilizados para as estudar. Dada a importância central de tais caracterizações no que toca ao estudo da evolução das estruturas organizacionais terroristas em rede, será útil, no mínimo, fazer um breve *tour d'horizon*. Ao longo da presente monografia tocaremos nalguns dos aspectos que considero mais interessantes e apropriados de ambos os domínios, aflorando por um lado características e marcas distintivas e, por outro, perspectivações sobre umas e outras.

Para já, no entanto, limitar-me-ei a equacionar uns poucos contrastes patentes ao nível macro entre estas fascinantes redes e outras estruturas organizacionais alternativas, de entre as muitíssimo numerosas existentes. Por razões de inteligibilidade, abro a minha angular de entrada, por assim dizer, e nas páginas que se seguem assumo uma postura mais histórico-sociológica do que tem sido o caso. Não abandono nunca, no entanto, a tónica que tenho vindo a colocar na configuração, em si mesma, das redes de relacionamentos que disseco.

Há várias contraposições que podem ser úteis para pôr em evidência aquilo que são as características contrastivas fundamentais das redes que aqui nos ocupam. Designadamente, tornou-se convencional opor *redes*, por via de distinções mais ou menos enxutas, a tribos, clãs, ou linhagens, por um lado, e, por outro, distingui-las de hierarquias e mercados. *Et pour cause*: operar estes dois conjuntos de contrastes é particularmente revelador[33]. Contrapõe configurações.

---

[33] Seria impossível não citar aqui o extraordinário (e seminal) artigo de Eric S. Raymond (1998), "The Cathedral and the Bazaar", que foi primeiro publicado *online* na

Para efeito do presente artigo, as distinções que separam as redes deste último conjunto – aquele que aglomera mercados e hierarquias – são mais importantes do que as primeiras. Convém-nos, então, assestar baterias sobre as distinções existentes entre redes, hierarquias e mercados e sobre o alcance que elas têm.

As hierarquias, sabemo-lo bem, ocupam-se, tipicamente, de problemas relacionados com a organização do poder, da autoridade, da governação, ou da administração. Logram-no por intermédio do que precisamente as torna reconhecíveis como hierarquias, ou seja entidades que, em simultâneo, são dotadas de um princípio de *centralidade* e de um outro: o de uma correlativa *diferenciação de capacidade*.

Em consonância com isto, as hierarquias tendem a estabelecer uma espécie de Estados-Maiores, centralizados e coordenados, de tomada de decisão. Por via de regra, as hierarquias são construídas ao redor de cadeias de comando, e são animadas por direitos, obrigações, privilégios, rituais e honrarias. Os casos que podem servir de paradigma para uma tomada de pulso deste tipo são numerosos. Sem querer entrar em grandes pormenores, para o ilustrar basta que nos atenhamos ao exemplo de evolução histórica do poder equacionado por Max Weber.

Para utilizar a fórmula clássica de Weber, o "carisma" de um chefe clânico tradicional obedecia, precisamente, a um tipo de lógica baseada simultaneamente na centralidade e na diferenciação, e foi aquilo que, na prática, se tornou "rotineiro" com o advento da "racionalidade burocrática" moderna. Ambos os casos, note-se, operam em enquadramentos organizacionais nos quais existe uma posição de topo, um lugar de chefia no que toca ao comando e controlo da estrutura, uma posição na qual, real ou metaforicamente se senta um "líder" que pronuncia as palavras que o distinguem: "esta é a minha vontade". Historicamente, os grandes exemplos de hierarquias

---

justamente famosa *First Monday* [www.firstmonday.org]. Foi seguido por uma plétora de outros. Para discussões muito mais pormenorizadas, ver dois artigos de fundo: David Ronfeldt (1996), "Tribes, Institutions, Markets, Networks — A Framework About Societal Evolution", e David Ronfeldt (2005), "A Long Look Ahead. NGOs, Networks, and Future Social Evolution", ambos publicações da Rand. Para discussões de detalhe sobre hierarquias, ver a colectânea recente em (ed.) Denise Pumain (2006), *Hierarchy in Natural and Social Sciences*, Springer.

no mundo ocidental foram as forças militares e as Igrejas. O que a Paz de Westphalia no fundo veio fazer foi superá-las como paradigmas de hierarquias concretas, transcendendo-as lógica e cronologicamente com a figura hierárquica por excelência que é, hoje, o Estado.

Sem querer perder tempo com detalhes e divagações (que na economia do presente estudo seriam laterais ao tema central e por isso mesmo descabidas), é evidente que hierarquias apresentam vantagens e desvantagens em relação a outros formatos organizacionais possíveis. A maior fraqueza de hierarquias – e este é um facto de que todos os burocratas não podem senão ter uma consciência aguda – é que elas acabam por ser incapazes de processar grandes volumes de informação, sobretudo se esta for complexa ou contiver ambiguidades.

Um exemplo, que julgo rico em implicações, valerá por todos: o da transcendência-superação de hierarquias por mercados. Finquemos os olhos apenas na questão da eficiência. Como escreveu Barry Cooper[34], "[h]*istorically, [the organizational] weakness appeared initially in failures to control economic transactions, particularly long-distance trade. As a result, state hierarchies were faced with a major problem: they could either attempt to control the new organizational form, the market, or they could limit themselves. From the perspective of organizational theory, the transition from mercantilism to capitalism amounted to the self-limitation by state hierarchies of the reach of their own authority. Those states that managed the transition well were strengthened; those that did not were weakened. The end of the transition was a separation of public and private, of state and market*". Em modelizações como esta, repare-se, a emergência de um mercado seria no fundo uma resposta adaptativa em relação a um limite contra o qual se esbarrou no que respeita à eficácia organizacional das hierarquias até então dominantes na gestão do comércio. Mais do que apenas entidades distintas de hierarquias, os mercados seriam, com efeito, *sucedâneos* delas.

Sublinhe-se que os atributos dos mercados que aqui nos interessam *não* estão directamente relacionados com a sua eventual maior produtividade, mas antes com o facto de os mercados serem formas

---

[34] Barry Cooper (2004), *New Political Religions or, An Analysis of Modern Terrorism*, pp. 161-162. Uma obra de referência, em termos analíticos.

caracterizadas pela presença ubíqua de competição e pela circunstância estrutural de que, em mercados, os actores em jogo são largamente *independentes* uns dos outros. Trata-se de uma questão estrutural.

Podemos enunciar isto mesmo por outras palavras, arrolando diferenças: os princípios da forma organizacional *mercado* são coisas como (para só nomear as mais importantes) os interesses pessoais, a busca do lucro, e os direitos individuais. Os mercados não estão, por princípio, ligados à vontade de um qualquer líder. No tipo-ideal do mercado, pelo menos, não existe nenhum centro, nenhuma inteligência animadora, por assim dizer, nem nenhum soberano; há antes aquilo que, numa expressão particularmente feliz, F. Hayek apelidou de "*spontaneous order*", uma ordem espontânea[35].

Tudo isto que acabei de listar distingue mercados de hierarquias, e constitui de certa maneira o mote da minha monografia, pelo que regressaremos a estes pontos ciclicamente. O ponto focal, todavia, está colocado nas redes que ocupam o centro do palco.

E então as redes, no quadro destas comparações funcionais, onde e como entram? Qual o significado a atribuir a essa "desnecessidade" de haver nelas, para que primeiro apareçam e depois funcionem, uma inteligência *animadora*, uma entidade *soberana*, ou mesmo *um simples líder*?

---

[35] Uma cláusula de salvaguarda: ao nível da modelização, não interessa, em boa verdade, que na realidade as coisas nunca se passem de facto assim, e que o Estado, na prática, intervenha. A razão é simples: esta intervenção é estrutural e estruturante, faz parte intrínseca do sistema. Repare-se que enquanto hierarquias tendem para monopólios institucionais de vários tipos – uma lei, um só centro de decisão, um único Banco controlado pelo Estado, umas linhas aéreas nacionais, ou uma só empresa comercial – os mercados, ao invés, tendem para uma pluralidade de instituições: pluralismo jurídico e jurisdicional, descentramento-desconcentração de decisões, uma multiplicidade de instituições bancárias e de crédito, diversas linhas aéreas, várias entidades dedicadas a trocas comerciais, importações e exportações, e assim por diante. É certo que desde há muito que tem havido enormes debates, de grande conotação e incidência política, a respeito do que devem ser os limites apropriados de mercados e de Estados. Mas o certo é que o crescimento do sistema mercantil – patente no plano macro na abertura capitalista que emergiu encadeada na Paz de Westphalia e também, em planos micro, nas numerosas "transições democráticas" a que temos vindo a assistir em vagas sucessivas – é um crescimento que *fortalece* de maneira muito sensível o poder dos Estados que aderem ao sistema, embora, de maneira paradoxal, assegurem ao mesmo tempo que os Estados não detêm, por si sós, as rédeas do controlo do desenvolvimento económico.

Desde há muito que é sabido que porventura a maior das vantagens das redes está ancorada na enorme capacidade competitiva que resulta da sua flexibilidade. Uma vantagem que lhes assegura maiores probabilidades de sobrevivência em confrontações com outras formas organizacionais. Uma vantagem *adaptativa*, evolucionária se se quiser, apesar das algo severas limitações em que, (como veremos), incorre a aplicabilidade deste termo. Abaixo passaremos à perspectivação diacrónica e "fisiológica", que nos permitirá vê-la bem.

2.4. *As especifidades das redes: as características organizacionais e comunicacionais como factores de robustez, contra o pano de fundo de algumas das fragilidades exibidas*

> "*The Queen propped her up against a tree, and said kindly, 'You may rest a little now'.*
> *Alice looked round her in great surprise. 'Why, I do believe we've been under this tree the whole time! Everything's just as it was!'*
> *'Of course it is', said the Queen, 'what would you have it?'*
> *'Well, in OUR country', said Alice, still panting a little, 'you'd generally get to somewhere else – if you run very fast for a long time, as we've been doing'.*
> *'A slow sort of country!' said the Queen. 'Now, HERE, you see, it takes all the running YOU can do, to keep in the same place. If you want to get somewhere else, you must run at least twice as fast as that'!'*
>
> LEWIS CARROLL, *Through the Looking Glass*

Queria agora dar um outro passo no sentido de tornar mais claros tanto os atributos morfológicos como os princípos de funcionamento que mais importam no tipo de redes como aquelas a que nos dedicamos. Vou assim ocupar-me, por uns momentos, a dar o devido relevo à importância da comunicação – uma comunicação que actua, como iremos ver, em vários planos simultâneos, ou (se se quiser) *dimensões complementares* – para a tão marcada *dinâmica* que elas tendem a tão visivelmente manifestar. Passo depois, ainda nesta sub-secção, a algumas considerações quanto à robustez própria das redes.

Começo por uma série de considerações de largo espectro, para usar uma metáfora. Uma das fragilidades mais sérias da maioria das análises, na primeira geração do seu estudo, de "redes sociais" foi a tónica excessiva em *externalidades* de que padeciam. Na larga maioria dos casos, a qualidade de membro era – infelizmente, ainda muitas vezes o é – apurada pura e simplesmente por um analista que labora no cartografar das várias conexões *externas* existentes entre os indivíduos sob observação. As dimensões *internas* poucas vezes eram consideradas. Raramente assumidas, as implicações desta postura são curiosas, para dizer o mínimo.

Este pseudo-"objectivismo" externalista tem efectivamente um preço; e esse custo é o empobrecimento. Vale a pena, neste contexto, citar aquilo que escreveu o já referido B. Cooper[36] a este propósito: "[t]*his meant that the analyst could include someone in a network even if the individual did not know he or she was part of a network or even that the network existed. Considered as a form of organization, however, and especially a high-risk organization such as a terrorist network, all network members are fully aware that they are members, even though they may not know very many (or perhaps any) other members. The point is not that members might deny their membership; humans can always lie. Rather, membership is, in part, de?ned by a narrative, by shared stories. A story – any story – gives meaning to experience. Stories told to members of organizations give meaning to their purposes and interests as well; they sustain a sense of identity, team membership, and belonging; they provide a mission statement that explains how and why "we" will harm and perhaps prevail over "them." In short, stories provide networks with self--consciousness. When members deeply subscribe to the meanings the stories convey, the accumulated social capital of the network is augmented. Narrative is important in networks because it explains how essentially acephalous organizations know 'what has to be done'".* As redes sociais integram *pessoas*, por outras palavras; e pessoas *não são* meras entidades passivas: simbolizam, falam, comunicam.

---

[36] B. Cooper, *op. cit.*: 170-171.

A lição fica: redes humanas, as nossas *social networks*, são redes que não devem ser concebidas *fora* do quadro disponibilizado pelas *narrativas* (Cooper chama-lhes às vezes *compelling narratives*, noutros casos refere-se-lhes como *animating narratives*) que lhes servem de suporte e enquadramento comunicacional. "Narrativas", como é bom de ver, é termo aqui utilizado para denotar a fundamental dimensão simultanemanete comunicacional e complexa dos *suportes simbólicos* das chamadas redes sociais.

Aprofundemos um pouco. Estas narrativas (no fundo as auto--representações de suporte que as redes manifestam e as representa-ções que mantêm) assumem nelas um papel *constitutivo*. Talvez a melhor maneira de insistir neste ponto seja, de novo, com as palavras de Cooper: *"stories provide networks with self-consciousness"*[37]. Vis-lumbrando isto a partir de um outro ângulo: "narrativas" formam uma dimensão simbólica (melhor, semiológica) de fundo que aumen-ta o que é comum chamar o *capital social* das redes. A al-Qaeda, é claro, não constitui aqui uma excepção[38].

---

[37] Idem, p. 171. Vale a pena, neste contexto, citar B. Cooper de maneira algo exausti-va, pela dimensão sociológica apurada a partir dos comentários de enquadramento que alinhava: "[o]*ne of the methodological weaknesses of the analysts of social networks was that membership was determined by the external mapping of various ties between individuals. This meant that the analyst could include someone in a network even if the individual did not know he or she was part of a network or even that the network existed. Considered as a form of organization, however, and especially a high-risk organization such as a terrorist network, all network members are fully aware that they are members, even though they may not know very many (or perhaps any) other members. The point is not that members might deny their membership; humans can always lie. Rather, membership is, in part, de?ned by a narrative, by shared stories. A story—any story— gives meaning to experience. Stories told to members of organizations give meaning to their purposes and interests as well; they sustain a sense of identity, team membership, and belonging; they provide a mission statement that explains how and why "we" will harm and perhaps prevail over "them." In short, stories provide networks with self-consciousness. When members deeply subscribe to the meanings the stories convey, the accumulated social capital of the network is augmented. Narrative is important in networks because it explains how essentially acephalous organizations know 'what has to be done'.*"

[38] Desafia qualquer listagem o conjunto de estudos disponíveis sobre as ideologias dos grupos terroristas contemporâneos. Tenho um apreço particular pelo ensaio de uma *senior analyst* do Ministério da Defesa da Roménia, Ana Serafim (2005), "Terrorism, a cultural phenomenon", publicado na famosa *The Quarterly Review*. Um trabalho breve e de alçada mais restrita é o de Chrsitopher Henzel (2005), "The Origins of Al-Qaeda Ideology.

Tudo isto, naturalmente, sublinha a importância do papel preenchido pela comunicação nas redes, uma comunicação que, mais do que tão-só um elemento, ocupa o lugar de um *ingrediente constitutivo* de estruturas emergentes e auto-organizadas. Voltarei a este ponto, dada a importância central que ele tem para a minha argumentação de fundo quanto à "evolução" a que as redes estão sujeitas e quanto às características distintivas e específicas que a aprendizagem nelas tem.

Antes de avançar para novos territórios e novas elaborações, gostaria de fornecer um rápido par de exemplos ilustrativos do papel essencial da comunicação na gestação de agrupamentos sociais "modernos" (ou, se se quiser, pós-modernos), em termos *volitivos* e *instrumentais*, por assim dizer. Exemplos que dão realce às características auto-organizacionais e emergentes de muitas das *social networks*. Um deles diz respeito aos chamados *flash mobs* lúdicos, uma moda relativamente recente que começou (como não podia deixar de ser...) em Nova Iorque. Outro alude a uma mobilização de carácter cívico, com traços semelhantes, que teve lugar há cerca de dois anos em Bucareste.

Primeiro Nova Iorque. A história dos *flash mobs* é fascinante. Trata-se de casos de agrupamentos formados por intermédio de apelos lançados por SMS[39]. De acordo com a Wikipedia (a história pode ser comprovada em muitos outros pontos da *net*), "*the first modern flash mob was organized in Manhattan in May 2003, by an underground group called the 'Mob Project'. The first attempt was*

Implications for US Strategy", publicado na célebre revista militar norte-americana *Parameters*. De carácter mais inquietante é o trabalho de Michael Radu (2005), "Gangs in Search of an Ideology", sobre a busca de uma narrativa convincente por minorias étnicas urbanas pelo Ocidente fora.

[39] Para uma interessante colectânea sobre várias das dimensões linguísitcas e sociológicas comparadas dos SMS, ver (eds.) R. Harper *et al.*, (2005), *The Inside Text Social, Cultural and Design Perspectives on SMS*, Springer. Particularmente interessantes são os artigos de P. Keyani e S. Farnham "Swarm: text messaging designed to enhance social coordination", pp.287-303, e B. Elwood-Clayton, "Desire and Loathing in the Cyber Philippines", pp.195-218. Enquanto o primeiro cartografa capacidades alternativas de coordenação social conseguidas em experiências empreendidas com SMSs diferentes, o segundo mapeia processos de construção e dissolução de ligações afectivas "diádicas" levadas a cabo por intermédio destas tecnologias.

unsuccessful after the targeted retail store was tipped off about the plan for about fifty people to gather. The first successful flash mob assembled in June 3, 2003 at Macy's department store [no Herald Square, entre a 34th e a 35th Streets, na Broadway, uma localização central, para dizer o mínimo]. *Organizers avoided such* [betrayal] *problems during the second flash mob by sending participants to preliminary staging areas – in four prearranged Manhattan bars – where they received further instructions about the ultimate event and location just before* [that] *event began. More than one hundred people converged upon the ninth floor rug department of Macy's department store, gathering around one particular very expensive rug. Anyone approached by a sales assistant was advised to say that the gatherers lived together in a warehouse on the outskirts of New York, that they were shopping for a Love Rug, and that they made all their purchase decisions as a group".*

As coisas não ficaram por aqui. *"Following this flash mob, about 200 people flooded the lobby and mezzanine of the Hyatt hotel in synchronized applause for about fifteen seconds, and next a shoe boutique in SoHo was invaded by participants pretending to be tourists on a bus trip".* Um óbvio divertimento. De uma maneira que considero interessante (e isto é tão só uma nota à margem), a Wikipedia avançou a interpretação segundo a qual estes eventos se terão seguido ao que localmente foi visto em Nova Iorque como um coartar de liberdades pessoais no rescaldo do 11 de Setembro, e constituiriam uma "reacção criativa" a isso mesmo: *se non è vero è ben trovato.* Uma ressalva comparativa: em contraste com estas, as motivações de uma al-Qaeda estão mais ligadas ao ódio político do que ao prazer lúdico; trata-se contudo aqui de pôr em evidência *um mecanismo* e não de encontrar motivos.

O meu segundo exemplo passou-se na Roménia em 2004. Mais uma vez os SMSs foram instrumentais. De novo segundo a Wikipedia, o que aconteceu teve lugar *"in Bucharest in front of the National Television, some 50 to 100 persons stuck duct tape on their mouths and mimed a jogging session".* Tratou-se de uma *flash-mob*, a encenação de um "jogo" simbólico daquilo a que, idiomaticamente, os Romenos se referem como "fecha essa boca e dá aos tornozelos" (uma expressão vernácula traduzível como "faz o que te mandam e cala-te"). O objectivo foi político: de acordo com a Wikipedia, *"the statement was targeted towards the low freedom of speech of the journalists in* Televiziunea Românã" – o nome da cadeia nacional romena de televisão. Enquanto mecanismo de participação democrática a iniciativa funcionou bem: a *flash-mob* desencadeou num ápice mudanças na composição da administração da Televisão Romena. Teve assim um efeito pragmático, se não normativo[40].

Para tornar mais claro aquilo que quero sublinhar, gostaria, no entanto, de fornecer uma segunda demão ilustrativa do papel crucial preenchido pala comunicação entre os nodos de uma rede. Dou de algum modo um passo em frente, deixando o lúdico e o lúdico-político dos dois exemplos que acabei de aflorar para me debruçar sobre um caso porventura mais explicitamente político – embora tão-só ao nível da feitura, gestação, e emergência de modalidades *soft* de participação política. Para tanto, apresento mais uma vez uma família de grafos, neste caso, de novo, três deles. Vou mudar de tema, mas vou fazê-lo apenas ligeiramente: sem perder o fio à meada constituída pelo rastreio que tenho vindo levar a cabo quanto ao papel da comunicação na cristalização de agrupamentos sociais. Neste caso, de agrupamentos sócio-políticos.

Começo com um novo grafo, desenhado em 2004 pelo nosso já sobejamente conhecido Valdis Krebs[41]. Mais uma vez se trata de um caso que teve lugar nos Estados Unidos da América, mas não custa imaginar exemplos paralelos na Europa ou seja onde fôr.

---

[40] Extrapolações analógicas diversas são facílimas de gizar. Na última semana de Fevereiro de 2006, em resposta ao uso imprudente de uma *T-shirt* com *cartoons* "dinamarqueses" de Maomé publicamente vestida na televisão por um Ministro da Liga Norte, deram-se vários protestos públicos na Líbia, uma antiga colónia italiana onde os noticiários milaneses são assaz comummente vistos. Seguiram-se agressões violentas junto à Embaixada Italiana em Tripoli, em consequência das quais 10 pessoas foram mortas e inúmeras ficaram feridas. No entanto tudo se extinguiria depressa. Segundo a oposição líbia, tal terá resultado da violência da repressão governamental. Os factos apontam antes, no entanto, para um conjunto de medidas avisadas do Governo: as autoridades líbias suspenderam rapidamente a operação dos servidores nacionais da *Internet* e congelaram também os serviços de mensagens SMS por telemóvel, tornando assim muito mais difícil a convocação de protestos em massa. O mesmo se passou quando do ataque da al-Qaeda, em Londres, em 2005: a primeira medida governamental britânica foi a de cortar todas as comunicações por telemóvel, para evitar (ou dificultar) a coordenação de "réplicas" eventualmente planeadas.
[41] Num artigo sugestivamento intitulado Valdis Krebs (2004), "It's the Conversations, Stupid! The Link between Social Interaction and Political Choice".

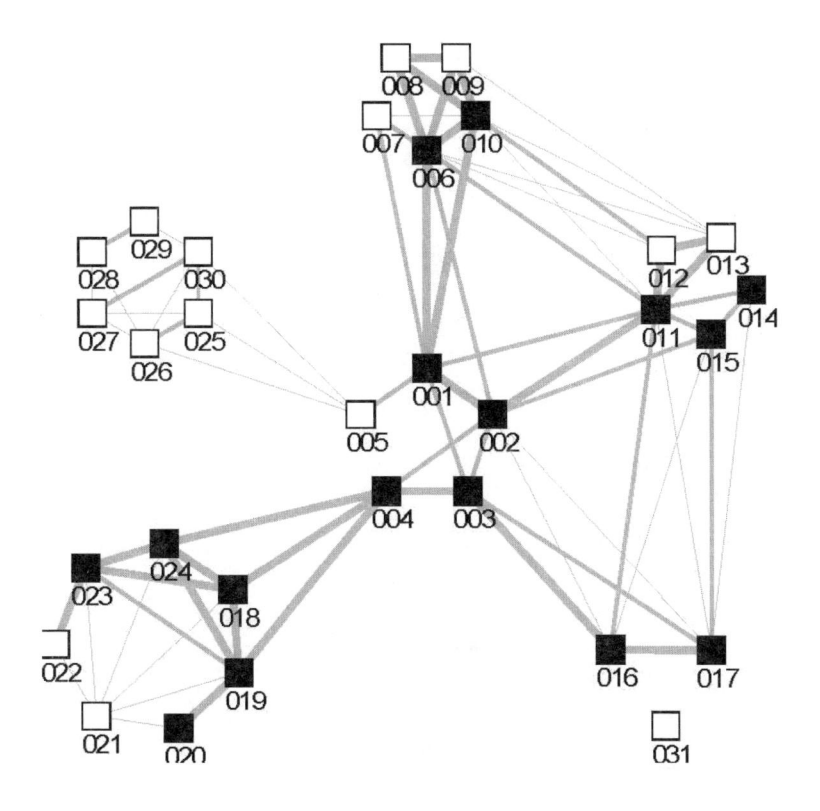

Figura 1

A *figura 1* mostra uma pequena rede centrada em volta de discussões políticas que tiveram lugar num local de trabalho. Tal como nos exemplos anteriores, mapeia uma situação real, alude a um caso empírico. No *cluster* do meio (o que inclui os nodos que vão de 001 a 005) estão os colegas. Estão ligados por uma linha cinzenta, se discutiram questões e candidatos políticos; uma linha mais espessa indica uma interacção mais frequente. Os *clusters* dispostos em redor deste grupo de trabalho representam amigos e familiares de cada um dos empregados, com quem estes também tiveram discussões políticas. Note-se que uns poucos destes amigos e familiares dos diversos colegas também se conhecem (i.e. alguns dos familiares e amigos de 002 interagem com os familiares e amigos dos empregados 001 e 003). Quadrados *brancos* denotam indivíduos que não tinham ainda feito quaisquer declarações públicas de intenção quanto aos seus votos numa eleição iminente; os *pretos* identificam aqueles cujas intenções de voto tinham sido já anunciadas.

Passemos então a uma segunda figura, relativa às intenções iniciais *concretas* de voto do mesmo universo de pessoas.

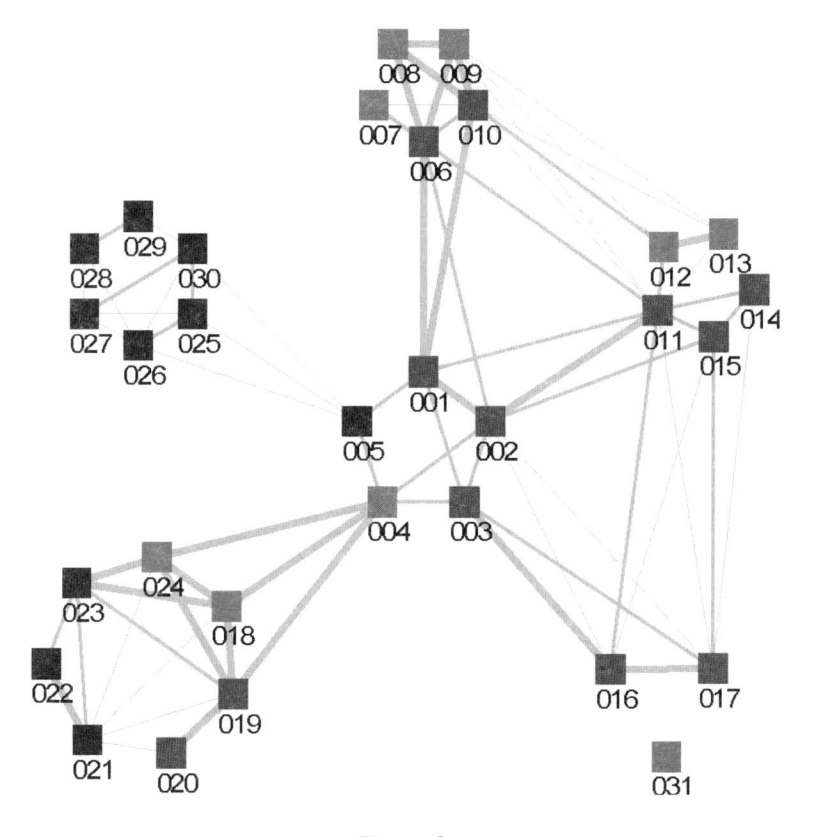

Figura 2

A *figura 2* mostra a mesma rede que a *figura 1*, mas agora os vários nodos presentes estão codificados por cores de acordo com as suas escolhas correntes quanto a em quem vão votar para Presidente. Nodos a *azul* indicam aqueles que dizem ir escolher o candidato Democrático, os a *vermelho* os que tencionam votar no Republicano; os nodos *cinzentos*, pelo seu lado, identificam os indecisos ou aqueles que preferem o candidato Independente.

Chegamos, por fim, à terceira figura, uma representação gráfica relativa (como não podia deixar de ser), aos votos de facto lançados por esta gente.

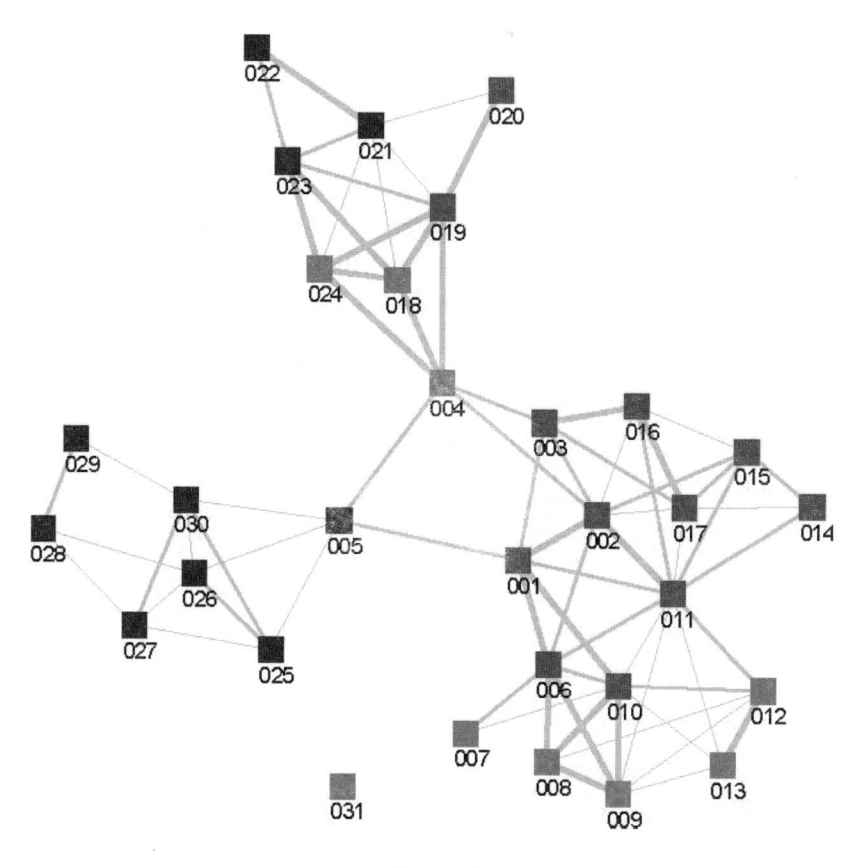

Figura 3

A *figura 3* mostra a mesmíssima rede que a Figura 2 – todas as pessoas aí representadas tornaram a sê-lo e estão ligadas precisamente às mesmas outras. Mas, agora, os nodos estão dispostos, segundo a *estrutura emergente* da rede geral, em *clusters* baseados em ligações concentradas. Por outras palavras, a topologia da rede está aqui agora determinada por quem se vê ligado de facto a quem, tanto directa quanto indirectamente. Este último diagrama oferece sem sombra de dúvida um retrato de leitura muito mais explícito quanto à estrutura do agrupamento. Note-se a agregação bastante nítida dos nodos afins em aglomerações, ou *clusters*.

Depois deste exemplo, e contra o pano de fundo dos dois casos anteriores a que fiz alusão, podemos formular um balanço de conjunto sobre algumas das mais importantes características de *social networks* e das propriedades e especificidades das *scale-free networks* [sem esquecer as específicas dos *small worlds*] que tendem a constituir. A ligação entre interacções sociais e preferências em termos de acção política dificilmente poderia ser mais óbvia. Interacções essas, queria tornar a sublinhar, de natureza *comunicacional*: aquilo que neste último caso foi efectivamente cartografado foram *as conversas políticas* havidas entre os vários participantes; nos dois primeiros casos tratou-se de pôr em relevo *o papel constitutivo* (e com grande alcance político, directa ou indirectamente) da comunicação na gestação de agrupamentos sociais de tipos variados.

Não custa, porém, ir mais longe. Para tanto, começo por uma macro comparação.

3.

CONEXÕES, ATALHOS, E ROBUSTEZ: relações

"Where Calvinist networks in Reformation Europe were quick to exploit the propagandistic and mobilizational opportunities provided by the printing press, Al Qaeda and its affiliates have masterfully exploited the information technology revolution to propagate the message of Salafi-jihadism and glorify the deeds of jihadist martyrs. Unlike their early modern European counterparts, Al Qaeda has not been able to rely on the direct military or economic assistance of state actors, although allied Salafi-jihadist organizations (e.g. Lashkar e-Tayyiba in Indian Kashmir) have enjoyed sponsorship from states such as Pakistan. Al Qaeda has nevertheless been able to tap into various global financial flows, ranging from funds diverted from Islamic charities to profits garnered from the sale of African conflict diamonds, to finance the global jihad. Finally, the accelerated global diffusion of dual-use technologies and the post-Cold War glut in the small arms market have significantly increased the pool of military resources and disruptive capabilities available to non-state actors, providing ample materiel with which to arm a transnational jihadist community.[…] Today's transnational jihadist networks enjoy a geographical reach and destructive capabilities that far surpass that possessed by Europe's confessional militant networks. Nevertheless, for a variety of reasons, the jihadists are unlikely to have the same transformative effects on the societies they have targeted as did their early modern counterparts. Recall that the Huguenots were able to synthesize the strengths of aristocratic patronage and kinship networks with a

nation-wide bureaucratic church hierarchy to create an insurgent apparatus of exceptional resilience and strength. The ties linking Huguenots to a transnational supportive infrastructure were critical in sustaining their struggle and internationalizing the conflict, but these linkages proved effectual in empowering a resistance movement that was already deeply embedded in the social fabric of Valois France. Conversely, Al Qaeda does not possess a pre-established, bureaucratically governed and hierarchically organized religious infrastructure upon which to piggy-back when mobilizing its military power, and even if it did, such an infrastructure would likely be rapidly detected and dismembered by the international community. It is true that Al Qaeda and affiliated jihadist organizations have derived strength from pre-existing social and kinship networks – witness for example the importance of the Ngruki network of pesantren alumni in forming the core personnel of Jemaah Islamiyah, as well as the self-conscious strategy of network preservation through the inter-marriage of jihadist families pursued by both Al Qaeda and JI. But such linkages and social arrangements pale in comparison with the size and sophistication of the patronage and kinship networks of the Huguenot nobility, networks that yoked fanatical religious commitment together with the affective ties of kinship to produce a deeply rooted structure of resistance to central authority. Whereas Huguenot networks were deeply embedded in French society in addition to being plugged into a dispersed transnational supportive infrastructure, Al Qaeda's degree of social penetration within host societies is generally shallow, with the possible exceptions of southern Afghanistan and the adjoining tribal border provinces of Pakistan. The network has at its core a 'jihad jet set' of nomadic leaders radicalized by their experience of the Afghan jihad, while the network's foot-soldiers have been disproportionately drawn from socially marginalized first or second generation immigrants living in Western Europe and North America".

ANDREW PHILLIPS (2006), "Subverting the Anarchical Society – religious radicalism, transnational insurgency, and the transformation of international orders"

Nesta segunda parte substantiva, que complementa a primeira, viro-me para um enquadramento comparativo maior. A minha finalidade central é a de fornecer algumas considerações sobre as propriedades específicas das redes, designadamente aquelas que lhes dão "resiliência". Aproveito a oportunidade para lançar alguma luz sobre algumas das dimensões sociais menos intuitivas das redes.

3.1. *A robustez comparativa das redes, numa primeira abordagem genérica*

> *"When we used to read the books about the laws of Jihad, the laws about raids, and the laws about prisoners - at a time when the nation was not in a state of Jihad, but in a state of feebleness, apathy, and subordination - we used to think that reading the books on Jihad was a kind of entertainment, and that Jihad was a thing of the past. We used to study the laws of Jihad as if it were an issue of history, not of reality.[...] In the early stages of Jihad, Osama bin Laden's role was one of funding and mobilization. But once camps were set up especially for Arabs, Osama's role became more direct, and he personally took part in battles. He drew up the military plans, and appointed the commanders. He was the military supervisor over all of the camps. You might say, even if it wasn't that explicit, that he was the military commander of the Arab mujahideen in Afghanistan".*
>
> MUSA AL-QARNI, o clérigo saudi, durante muitos anos o *Mufti* de bin Laden. Extracto de uma entrevista que passou na *Dubai TV*, a 18 de Março de 2006.

Em consonância com aquilo que tenho vindo a discutir, quero rápida e sucintamente aflorar as vantagens comparativas das redes de duas perspectivas complementares e muito concretas: por um lado, num plano *organizacional* abstracto, puro e duro, as vantagens manifestas naquilo que remete para a configuração das ligações existentes que definem estas estruturas organizacionais; por outro lado, também no seguimento do que expus, as vantagens existentes em termos *comunicacionais*, aquelas que se afirmam numa perspectiva mais constitutiva e dinâmica, ainda que o façam num sentido quase meramente descritivo[1].

No plano organizacional, quais são ·as vantagens comparativas que têm as redes sobre outros formatos organizacionais? Para o efeito, torno a citar B. Cooper[2]: "[t]*he obvious advantage of a network over a hierarchy* [...] *is that it makes a decapitation strike by an adversary much more difficult*". Mais adiante irei mostrar graficamente como se exprime esta muitíssimo maior capacidade de resistência a decapitações destrutivas (como o mostra um segundo de reflexão), do que a capacidade equivalente de hierarquias para lhes resistir incólumes.

A questão é facilmente inteligível pela negativa: num plano da "resiliência" e em termos meramente organizacionais, as desvantagens comparativas das hierarquias não custam a compreender. No fundo, as hierarquias *dependem*, como vimos, da *capitação* que exibem e que por norma está associada a uma ou a várias cadeias de comando; pelo que a sua vulnerabilidade a decapitações é *estrutural*.

Mais ainda: num embate, uma agressão levada a cabo por meio de um golpe *cirúrgico* infligido a uma estrutura hierárquica – que aponte por exemplo para a destruição de nodos-chave na cadeia vertical – com a maior das facilidades pode induzir um efeito de quebra *em cascata* do sistema como um todo, comprometendo seriamente o seu funcionamento. São numerosos os exemplos disso mesmo, nas numerosas estruturas hierárquicas de que dependemos no Mundo moderno: desde apagões gigantescos nos sistemas de abastecimento eléctrico, petrolífero, de gás, ou nos de telecomunicações,

---

[1] Para uma muito boa discussão do papel constitutivo essencial da comunicação na estruturação de agrupamentos terroristas, ver o artigo Cynthia Stohl e Michael Stohl (2002), "The Nexus and the Organization. The Communicative Foundations of Terrorist Organizing".

[2] Barry Cooper (2004), *op. cit, ibid*. Cabe aqui um ponto importante: apesar de, obviamente, as hierarquias poderem ser conceptualizadas como tipos muito particulares de redes, as suas propriedades distintivas são em vários planos de tal maneira marcadas que se justifica (quando, como no nosso caso, são precisamente alguns desses planos o que está em causa) um seu tratamento separado.

nos circuitos de distribuição de comida ou nos mercados financeiros[3], para só dar uns poucos exemplos.

Nada disto se passa, é bom de ver, em organizações em rede. De resto, quando nos já longínquos inícios da Guerra Fria a Administração norte-americana decidiu pedir à DARPA[4] um sistema de comunicações e de comando e controlo imune à destruição em cascata no caso de um ataque nuclear massisso, a encomenda resultou na invenção da Internet – uma rede como que a meio caminho entre uma *all-channel network* e uma *scale-free network*, que saberia garantir as ligações mesmo que mais de noventa por cento das conexões fossem destruídas. A *net*, depois de nos anos 70 e sobretudo 80 ter sido aproveitada por académicos antes de na década de 90 se "democratizar", surgiu assim em reconhecimento do facto de apresentar uma muitíssimo maior "resiliência" do que a dos sistemas hierárquicos tradicionais, retrospectivamente como que em celebração dessa relativa imunidade.

É certo que as redes apresentam algumas vulnerabilidades notórias e bem conhecidas; mas nada que se compare com as das hierarquias. Redes *scale-free*, por exemplo, são susceptíveis de degradação se e quando forem removidos os seus nodos – ou "vértices" – mais conectados. Note-se, no entanto, que o perigo é muito maior em *random networks*, em que a conectividade, em casos de ataque, se quebra progressiva e inexoravelmente, à medida que as ligações vão falhando e a rede se vai fragmentando em domínios separados nos quais os nodos deixam de conseguir comunicar entre si. As redes *scale-free*, em contrapartida, tendem a exibir muito menor nível médio de degradação nos casos (em termos probabilísticos os mais comuns) em que nodos normais falham: em tais casos a presença de *hubs* – nodos altamente conectados – na vizinhança permite-lhes

---

[3] Quanto a estes pontos, apesar de a tónica estar assente nas vulnerabilidades das hierarquias de distribuição de energia eléctrica nos Estados Unidos da América, é de enorme utilidade a extensa apresentação em *powerpoint* de B. Mittelstadt *et al.* (2005), "Electricity Infrastructures Vulnerabilities". Muitos outros trabalhos há que, quanto a vários domínios infra-estruturais, exploram as vulnerabilidades existentes em Estados modernos hierarquizados.

[4] *Defense Advanced Reasearch Project Agency*, http://www.darpa.mil/, então como hoje a unidade de investigação militar de ponta.

uma "regeneração" rápida por uma "migração" simples de funções para um ou mais "vértices" das proximidades, assegurando-lhes uma muito maior probabilidade de reconstituição em tempo útil do que aquela que se manifesta em *random networks*. E embora os *hubs* de *scale-free networks* sejam focos possíveis de "falhanços em cascata" catastróficos (em casos de "tiros de precisão" repetidos a bom ritmo, ou se vitimados por acasos malfadados[5]), as oportunidades para reconexões rápidas tendem a ser grandes, sobretudo se se estiver na presença de *small worlds* . Ou seja, naqueles casos em que, como vimos, os "graus de separação" são menores e nos quais seis ou sete "saltos" permitem reconexões regeneradoras[6].

A verdade é que, por norma, tanto umas como outras destas redes apresentam por via de regra potenciais regenerativos incomparavelmente mais robustos do que os das hierarquias. Note-se, porém, que as redes exibem fragilidades que resultam em grande parte das dificuldades de coordenação a que estão sujeitas. Ponto que abaixo irei retomar.

Permita-se que, recorrendo de novo a um grafo, ilustre de maneira que apela à intuição muitos dos pontos que tenho vindo a realçar. Trata-se, mais uma vez, de uma comparação estrutural.

---

[5] Evitar "tiros de precisão" deste género, é obviamente um dos incentivos fundamentais para a emergência de *covert networks*, um "encobrimento" que se vê tanto mais justificado quanto mais hostil o ambiente conjuntural em que a rede vive e actua.

[6] Para estes pontos, ver, por exemplo, a curta nota de Jan Matlis (2006), "Scale-Free Networks", publicada nas páginas do conceituado *Computerworld*.

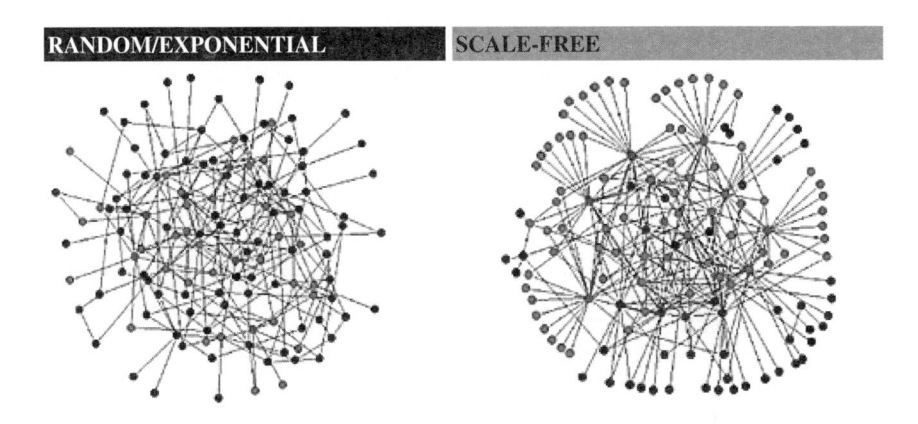

Figura. Um segundo grafo que compara *Random* e *Scale-Free Networks*, apresentado com o intuito de tornar claras algumas das diferenças mais relevantes que refiro no texto. Para o efeito, escolhi um grafo da revista *Nature*, utilizado por Jan Matlis no seu artigo de 2006 que acima cito. Note-se os *hubs* mais conectados, que o grafo destaca a vermelho na margem externa do segundo diagrama.

Em termos mais directamente comunicacionais, quais são então as vantagens comparativas que as redes exibem? E, nesse mesmo plano, quais as fragilidades que revelam? Embora, evidentemente, tal seja mais intenso nuns casos do que noutros, nas hierarquias vimo-lo já, os canais de comunicação são essenciais para um funcionamento efectivo do sistema: é *por meio* de *comandos* verticais que acções e actividades são desencadeadas e é *nos termos* desses comandos que o sistema opera – pelo menos idealmente, e é seguindo a *law in the books*, se se quiser que assim se devem passar as coisas. Às hierarquias convém por isso um sistema comunicacional que seja em simultâneo *permanente* e *centralizado*; ou, por outras palavras, um sistema sempre *online* e monolítico, isto é, *monopolizado na ordem vertical*. Em hierarquias, a comunicação funcional *segue* as cadeias de comando, e são típicas – ou em todo o caso comuns – entidades organizacionais com "centros de telecomunicações" e "cabines de controlo", como regra entidades associadas de *acesso* e *gestão central* das comunicações operacionais.

O panorama é muito diferente no que diz respeito ao papel e às condicionantes da comunicação que ocorre em redes. Os membros de uma rede não têm necessidade de estar constantemente *online* uns com os outros para assegurar o funcionamento operacional da organização. Uma comunicação intensa é fundamental; mas as redundâncias nas ligações existentes, tanto horizontal como verticalmente, tendem a permitir uma muito mais marcada autonomização potencial de sub-grupos de tamanho e escala variáveis. É certo que, em redes, a comunicação não preenche apenas funções operacionais, assumindo um papel *constitutivo*. No seu funcionamento adaptativo, no seu afeiçoamento ao contexto em que se embrenham, as redes precisam com regularidade de fazer *circular* informações entre os seus "vértices" de maneira *rápida*. Podem contudo fazê-lo segundo inúmeros percursos comunicacionais alternativos, estabelecidos entre vários nodos. E quando se dão quebras catastróficas por um *hub* essencial ter sido atingido e removido, a degradação vê-se esbatida, sobretudo se e quando a rede exibe propriedades de um *small world*, pelas virtualidades de uma migração funcional do "nodo coordenador" da acção comunicacional, que leva com relativa facilidade a uma rápida regeneração reconstitutiva. Apesar de isto – como se irá ver mais adiante – ter limites quantitativos e de ritmo temporal, a partir dos quais as regenerações ficam inviabilizadas.

As exigências de permanência e controlo centralizado das hierarquias são assim substituídas nas redes por requisitos de *rapidez* e *abertura de banda*. "Centros" e "cabines" continuam a ser imprescindíveis mas já não apenas com o intuito de restringir comunicações, mas antes para *melhor* e *mais depressa* as disseminar por todos os nodos em conexão. As tecnologias e o *hardware* modernos, chegados com a revolução digital, permitem-no[7] – de *e-mails*, a telemóveis e SMSs, a *faxes*, passando por *sites* na *Web* e por *chatrooms* na *Internet*. Ao nível comunicacional (e no plano da sua estruturação interna, dado o papel de embrião da comunicação na gestação destas entidades organizacionais), a autonomia e a criatividade "descontrolada" parecem ter-se transformado em novas regras do jogo.

---

[7] Como escreveu B. Cooper, "[g]*enerally speaking, markets view networks as threats because they disrupt commercial spontaneity; hierarchies view networks as threats because they cannot be controlled by issuing orders*". Para discussões de maior pormenor sobre as diferenças diacríticas entre redes e mercados, ver David Ronsfeldt (1996) e David Ronsfeldt (2005), *ops. cit.*.

Em planos mais comezinhos, e em casos de confrontações directas entre hierarquias e redes, estas últimas exibem ainda vantagens relacionais pragmáticas a não subestimar. Sem dúvida que enquanto lugares de uma enorme concentração monopolística de força, os Estados – as unidades hierárquicas modernas por excelência, embora também com algumas (e crescentes) características típicas de redes – tendem a ter meios temíveis que lhes conseguem assegurar algum ascendente sobre as redes. O facto é, porém, que as redes possuem uma série de vantagens comparativas que lhes têm permitido os sucessos que dia a dia se observam.

Revisitaremos este ponto fundamental em vários outros contextos. Mas, antes disso, queria formular algumas reflexões sobre as chamadas redes *small world* a que aludi, e também sempre outras formas organizacionais conexas.

3.2. *As redes* **small world** *e algumas das suas mais importantes características distintivas*

> "[T]*he graph connecting words in language exhibits the same statistical features than other complex networks. The short distance between words* [...] *strongly suggests that language evolution might have involved the selection of* [...small-world] *connections between words.* [...] *If the small-world features derive from optimal navigation needs, two predictions can be formulated. First, the existence of words whose main purpose is to speed-up navigation. Second, deriving from the first, the existence of brain disorders characterized by navigation deficits in which such words are involved. The best candidates for answering the first question are the so-called particles, a subset of the function words (e.g. articles, prepositions, conjunctions) formed by the most frequent among them (e.g. ant, the, of,...)1. These words are characterized by a very low or zero semantic content. Although they are supposed to contribute to the sentence structure, they are not generally crucial for sentence understanding. A compelling test of this statement is that particles are the first words to be suppressed in telegraphic speech. The*

answer to the second prediction is agrammatism, a kind of aphasia in which speech is nonfluent, labored, halting and lacking of function words (and thus of particles). Agrammatism is the only syndrome in which function words are particularly ommited. Function words are the most connected ones. We suggest that such halts and lack of fluency are due to fragility associated to removal of highly connected words. Although scale-free networks are very tolerant to random removal of vertices, if deletion is directed to the most connected vertices the network gets broken into pieces. [...] We suggest that paragramatism recovers fluency (i.e. low average word-word distance) by unapropriately using the remaining highly connected vertices and thus often producing substitutions of words during discourse".

RAMON FERRER I CANCHO and RICARD V. SOLÉ (2001), "The Small-World of Human Language", *Proceedings from The Royal Society of London*, B, 268, 2261-2265: 2265

Para introduzir a noção de *small worlds*, começo por uma constatação geral e abstracta, que logo de seguida passo a explicar. Aqui vai: em termos formais o conjunto de todas as redes *small world* possíveis é muito grande, e também o é em termos empíricos. Muito concretamente, o conhecimento do que na práctica as caracteriza torna-se em qestão fundamental mal tomamos consciência do facto de que numerosíssimas das redes com que deparamos no nosso dia a dia manifestam tal atributo: muitas das redes *scale-free* (e nessas decerto a maioria das *social networks*, das redes sociais), constituem exemplos de eleição.

Basta pensarmos na padronização das nossas redes de amizades. Se as amizades fossem aleatórias, (i.e., se nos fosse tão provável ter como amigos o Presidente da Coreia do Norte ou o nosso vizinho da frente) seria de esperar – ou pelo menos sê-lo-ia em termos lógico--formais – que existissem tantas ligações *curtas* como ligações *longas* entre nodos da nossa rede social. Se, ao invés do que é manifestamente por norma o caso, as amizades em que nos embrenhamos fossem geograficamente muitíssimo estruturadas, então esperar-se-ia, de novo nesses mesmos termos, que a probabilidade da primeira hipótese fosse bastante menor do que a da segunda.

O que acabei de afirmar é simples de perceber e dá-me a oportunidade de introduzir numa primeira demão, mas com nitidez q.b., o conceito de *small world*. Voltemos um pouco atrás. Afirmar que as redes de amizades não são nem aleatórias nem altamente estruturadas está obviamente mais próximo da realidade empírica do que qualquer um destes dois pólos: significa tão-só que dois amigos tendem a poder ter um terceiro (ainda que alguém *distante*), como amigo comum. Ou seja: equivale a verificar que (tanto geográfica como sociologicamente) em redes socias há percursos curtos, distâncias pequenas, há "atalhos". É fácil perceber o que isto significa. Todos tivemos seguramente já surpresas que o demostram e que parecem significar – como sempre decerto exclamámos quando nos aconteceu encontrar um amigo comum por esta ou por aquela razão inesperada – que vivemos de facto num "mundo pequeno". Como vamos ver, bem vistas as coisas, a nossa surpresa é, todavia, ela própria surpreendente: tanto factualmente quanto em abstracto, os *small worlds* parecem ser, pelo menos quantitativamente, a formatação dominante[8]. O que não significa, porém, que sejam vistas como tal, e a surpresa que tendemos a manifestar quando deparamos com situações dessas indicia-o. Apesar de se tratar de entidades comuns, a identificação do conjunto dos *small worlds* enquanto constituindo um agrupamento *sui generis*, um enorme agrupamento de redes com características próprias e propriedades específicas fascinantes foi uma ocorrência relativamente recente[9].

---

[8] Para uma excelente discussão recente deste e doutros pontos conexos, ver Andrew Curtis (2004), "Small-worlds, Beyond social networking", *The Rose-Hulman Undergraduate Mathematics Journal*, volume 5, number 2.

[9] A profusão empírica de pequenos mundos no nosso mundo social é, com efeito, enorme. Os exemplos "clássicos" (no sentido estreito daqueles que veicularam as teorizações empreendidas nos últimos anos) são as chamadas *neural networks*, muitos dos agrupamentos de *sites* na *Internet*, as redes de distribuição eléctrica, ou a colaborações em filmes dos mais famosos actores de Hollywood. Os dois casos mais famosos da literatura são seguramente os dos co-autores de artigos científicos do matemático húngaro Paul Erdős [que publicou mais de 1.500 trabalhos], o que deu azo ao chamado "número de Erdős", que descreve a distância em relação a este investigador e outros de acordo com os graus de separação entre eles; e o apelidado *"Bacon number"*, que por sua vez denota o grau de separação de actores hollywoodianos relativamente ao popular Kevin Bacon.

Mas o que são, então, redes *small world* ou, talvez melhor, o que é o "fenómeno *small world*" em redes?

Um rápido levantamento genealógico do processo da sua identificação é bastante esclarecedor a este respeito e permite-nos melhor compreender o que são tais fenómenos e, em simultâneo, deixa-nos esboçar uma resposta para a não-espontaneidade do nosso reconhecimento da mecânica deles. Como já antes *en passant* referi, Stanley Milgram, um psicólogo norte-americano, foi em 1967 o primeiro a apontar a existência material de "*small world effects*" em populações reais, com a experiência que levou a cabo ao enviar, para a *East Coast* dos Estados Unidos (mais precisamente para pessoas residentes em Sharon, no Massachusetts, perto da cidade de Cambridge na qual Milgram, como Professor em Harvard, ensinava) cartas pessoais entregues sucessivamente, *em mão*, ao longo de cadeias de amigos, por "recrutas" arrebanhados em Omaha, no Nebraska, e de seguida constatar que elas lá iam chegando aos seus destinatários depois de, num cômputo estatístico, terem dado apenas cerca de *seis* ou no máximo *sete* passos intermédios.

Ou seja, havia entre as pessoas, religando-as umas às outras, como que atalhos, atalhos esses que asseguravam a existência entre elas de percursos relacionais mais curtos do que poderíamos ser levados a esperar. Para S. Milgram a conclusão pareceu incontornável: tal verificar-se-ia porque vivemos num "mundo pequenino". Foi assim posto em evidência o que cedo se veio a chamar "a regra dos *six degrees of separation*".

Com o intuito de aclarar bem os limites desta verdadeira descoberta do psico-sociólogo norte-americano, vale seguramente a pena que nos detenhamos um pouco neste ponto. Em que sentido estamos perante um "pequenos mundo"? Será este o único pequeno mundo que existe? Os "seis graus" sobre que escreveu darão de facto corpo a uma regra?

Atentemos, em primeiro lugar, na mecânica processual que o nosso investigador seguiu na investigação que levou a cabo. Milgram enviou um total de 60 cartas de Omaha para Sharon. Para o fazer, solicitou a cada um dos seus "recrutas" que pusesse em movimento uma delas, entregando-a para o efeito por mão própria a um amigo pessoal, um amigo que ele ou ela pensasse poder rapidamente encaminhá-la para o destinatário final em Sharon. A cada recruta coube, assim, definir critérios de selecção a usar na escolha do próximo "elo" a quem a carta seria entregue.

Note-se desde logo que a extraordinária ideia de Milgram não foi objecto de cuidados propriamente exemplares, nem no que toca aos métodos utilizados nem na fundamentação que ele deu às conclusões a que chegou. Embora Milgram não o tenha à época reconhecido, num sentido que só posso apelidar de *light*, em boa verdade a experiência não teve o sucesso esperado. Com efeito, só *três* das sessenta cartas chegaram ao destino. No famoso artigo de 1967 o célebre psicólogo social exultou com o facto de uma das cartas atingir o seu alvo num curto espaço de quatro dias; mas neglicenciou confessar que apenas 5% das cartas chegaram ao endereço final. Em várias experiências que se seguiram, a taxa de sucesso foi de novo tão baixa que Milgram nunca publicou os resultados delas[10].

Investigadores que lhe seguiram a peugada – e foram muitos – mostraram que vários factores, de início não ponderados, na prática contribuem em muito para modificar os resultados das experiências iniciais de circunscrição de *small worlds*. Mas não o fazem de maneira evidente nem uniforme nem (este ponto é essencial) levantam dúvidas radicais quanto ao que Milgram veio em 1967 revelar. Grupos étnicos diferentes, por exemplo, exibem diferenças significativas no que toca às suas conexões externas em comparação com as internas, tal como também o fazem agrupamentos baseados no rendimento económico médio auferido. Mais prosaicamente, melhorias ao nível dos protocolos seguidos são também diferenças que fazem toda a diferença: ao pagar aos "recrutas" como incentivo para que eles efectivamente entregassem as cartas que lhes foram dadas, Milgram conseguiu uma taxa de sucesso de 35%; com incentivos reforçados, investigadores subsequentes chegaram aos 97%.

---

[10] Ver, sobretudo, o ataque desferido a S. Milgram em Judith Kleinfeld (2000), "Could it be a Big World After All. The `Six Degrees of Separation Myth", publicado na revista *Society*. Note-se que, neste artigo, não está em causa uma qualquer crítica ao conceito de *small world* ou à sua utilidade analítica, mas antes ao da sua aplicabilidade linear e homogénea ao Mundo contemporâneo. Depois de uma denúncia aturada, a qual se baseia na documentação não publicada de Milgram, Kleinfeld preferiu vincar os graus de separação e as "clivagens" existentes entre grupos sociais e sócio-económicos, num Mundo ainda não uniformemente globalizado. Para Kleinfeld não há dúvidas que muitas comunidades humanas *parcelares* se organizam em *small worlds*.

Por detrás de uma série de complicações não previstas, Milgram tinha de facto apurado qualquer coisa de importante, e inúmeras tentativas posteriores vieram demonstrá-lo de maneira abundante. E a descoberta foi esta: embora tal se não verifique de forma óbvia nem linear, vivemos efectivamente (ainda que, como veremos, nuns casos mais do que noutros) num "pequeno mundo". Talvez de facto os primeiros passos dados por S. Milgram no processo de identificação de *small worlds* não tenham sido muito curiais. Seria no entanto excessivo afirmar – embora, como vimos, houvesse quem o tivesse feito – que a experiência foi um falhanço, ou em todo o caso que o foi num qualquer eventual sentido pleno. Tratou-se, em simultâneo, de muito menos e de muito mais do que um mero erro de perspectivação, ou de um testemunho de discricionaridade na ponderação empreendida. O que podemos concluir?

Creio que basta um segundo de atenção para que pareça evidente que os dados disponíveis (e são hoje muitos os recolhidos de maneiras fiáveis) apenas são passíveis de uma só explicação. Sejam quais forem as hesitações deontológicas, ou as restrições de alçada que queiramos, ou tenhamos de introduzir, o facto está lá: os *small worlds* identificados por Milgram efectivamente existem. Pareceu em 1967 a Stanley Milgram – e tal corresponde *by and large* a uma vivência e a uma surpresa que todos muitas vezes experimentámos já – que o "diâmetro social" do Mundo mostrava ser exíguo. Talvez ele não tivesse inteiramente razão, e porventura tal tenha resultado de uma confusão (uma confusão bem ao estilo desse tempo conturbado) entre comunidades muito conectadas entre si, e uma marginalização que exclui outras, isolando-as de um todo que *não é* uno. Mas que há *small worlds* – se não apenas um, então muitos – tornou-se depressa evidente para todos. Não tardou, de facto, que *small worlds* começassem a ser identificados em numerosos domínios de observação. Fosse qual fosse a sua alçada empírica, Milgram tinha obviamente feito uma descoberta de alcance analítico indiscutível.

Foi, porém, necessário que passasse uma trintena de anos[11] para que se conseguissem decifrar, formal e matematicamente, as condições

---

[11] O que foi logrado por meio do apelidado "modelo Watts-Strogatz", desenvolvido em finais dos anos 90 no artigo acima citado de Duncan J. Watts & Steven H. Strogatz (1998).

de possibilidade para a constituição, tão generalizada, dessas curiosas entidades. Faltava compreender as características e propriedades dos *small worlds,* desde então reconhecidos, e é fácil encontrar para essa incapacidade razões, ou motivos, de ordem conceitual – razões ligadas aos limites intrínsecos dos enquadramentos analíticos utilizados e dos sistemas convencionais de notação gráfica até há poucos anos em circulação[12].

Para melhor as compreender, convém, neste ponto, alguma formalização do que são, em termos um pouco mais técnico-topológicos, *small worlds.* Muitas são as definições possíveis – e, dessas, várias têm sido aquelas que efectivamente circulam em meios académico-científicos – de *small worlds,* literalmente "pequenos mundos". Não vale a pena que nos debrucemos demasiado sobre a gama de variação patente nas interpretações a que o fenómeno tem sido sujeito, visto que para as nossas finalidades isso nos interessa pouco; mas cabe-me tornar explícito o sentido em que neste trabalho se utiliza o conceito[13].

Retomando o que logo de início asseverei quanto a redes, o que são, num plano formal, *small worlds,* no enquadramento maior balizado pelas *random* e pelas *scale-free networks?* Como se definem as *small worlds* num quadro topológico-organizacional comparado?

Num plano estritamente abstracto, o ponto genérico mais interessante é porventura a constatação de que este fenómeno constitui um atributo *geral* das redes descentralizadas que não são, assim, nem absolutamente *ordenadas* (como, por exemplo, as ditas *lattices*), nem integralmente *aleatórias* (traduzo *random*)[14]. Para enunciar as coisas

---

[12] Para um estudo extenso e ricamente absorvente dos "pequenos mundos", ver a hoje clássica monografia introdutória de Duncan J. Watts (1999*), Small Worlds: The Dynamics of Networks between Order and Randomness*, Princeton University Press. Do mesmo autor, e mais recente, ver Duncan J. Watts (2003*), Six Degrees: The Science of a Connected Age.* W. W. Norton & Company. Um outro trabalho, nais amplo no tema e por isso algo menos focado, é o de Mark Buchanan (2003), *Nexus: Small Worlds and the Groundbreaking Theory of Networks*, W. W. Norton & Company.

[13] Embora sem pretender ir muito fundo, enceto-a equacionando, de uma perspectiva sobretudo teórico-metodológica, a definição operacional que para os nossos efeitos reputo como mais útil com uma distinção prévia entre forma analítica e substância empírica.

[14] Ver, quanto a este ponto o artigo do já citado Duncan J. Watts (1999), "Networks, Dynamics and the Small World Phenomenon", publicado na *American Journal of Sociology,*

de um outro ângulo (em termos mais positivos) e a partir daí isolar as entidades que isto mesmo circunscreve, o agrupamento "intercalar" (agrupamento no sentido de *conjunto*) de formatos que acabei de delinear é o dos *small worlds*: o conjunto das redes cujas propriedades repousam em dois grandes parâmetros estruturais, o comprimento médio das suas conexões e o índice de *clustering* dos seus nodos.

Numa espécie de um *fast forward* analítico: em termos formais, o chamado "fenómeno dos *small worlds*" consiste na coincidência (uma coincidência essa que à primeira vista pode parecer, senão paradoxal, pelo menos fortemente contra-intuitiva) entre, por um lado, um alto *clustering* local de nodos e, por outro, separações globais *curtas*. Numa aproximação não muito abusiva, as *small world networks* são redes que agregam sub-conjuntos de nodos que estão a apenas a alguns poucos passos de "distância" uns dos outros. O seu *clustering*[15] é alto e o comprimento das ligações que exibem é por via de regra pequeno. Daí provém precisamente, aliás, a denominação que receberam, a de "pequenos mundos".

Muito bem. Mas como *representar* (e assim compreender de maneira mais intuitiva) este "fenómeno", esta "propriedade", ou essa capacidade, das redes, de formar *small worlds*? Repito: redes sociais empíricas, ao contrário dos *random networks* por norma até então utilizados para representar *small worlds*, manifestam com nitidez a propriedade de *clustering*, ou seja, o que pode ser encarado como uma associação de nodos na qual a probabilidade de duas pessoas se conhecerem uma à outra se vê grandemente aumentada caso elas tenham um conhecido comum. Contêem uma espécie de "coágulos", por assim dizer. Mas tanto não se via reproduzido nas notações gráficas "clássicas" utilizadas desde há muito; ou, em todo o caso, não de modo capaz. No plano dos conceitos, decerto, mas

---

vol. 105, no. 2, pp. 493-527. Este artigo seguiu-se à publicação de uma breve notícia na revista *Nature* do muito citado Duncan J. Watts & Steven H. Strogatz (1998), "Collective dynamics of 'small-world' networks". Para uma visão de pormenor sobre a progressão do estudos sobre *small worlds*, é útil a leitura de I. Frommer e G. Pundoor (2003), "Small world: A review of recent books," *Networks,* volume 41, número 3, pp. 174–180.

[15] É decerto prescindível, para efeitos do presente estudo, uma definição formal do que é um *cluster*. Em termos informais, pode dizer-se que *clustering* é a fracção de "arestas" correspondentes aos vizinhos de um nodo "médio" que efectivamente estejam presentes, calculada sobre o conjunto total dos nodos existentes na rede.

sobretudo no das suas projecções representacionais, era preciso dar um salto em frente.

Em fins do século XX tal foi logrado: para colmatar essa carência representacional originária, (chame-se-lhe isso) Watts e Strogatz acrescentaram às redes aleatórias "atalhos" (traduzo assim *shortcuts*, o termo que os dois autores usaram) entre pares de nodos, e lograram desse modo contabilizar separações médias típicas por vezes muito mais curtas nos grafos produzidos[16].

Eis uma representação gráfica idealizada do novo tipo, o do chamado "modelo Watts-Strogatz":

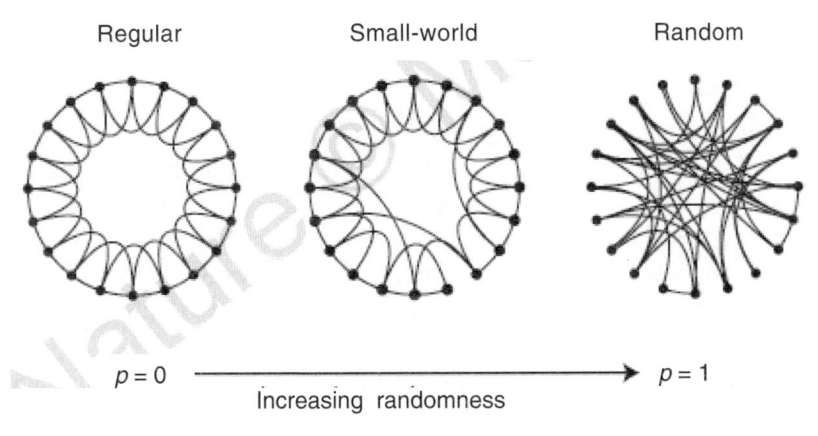

Figura. O modelo Watts-Strogatz (como referi desenvolvido em 1998) de *small world networks* numa representação gráfica comparativa. Para além do *clustering* patente na disposição circular dos nodos representados e nas ligações que os unem nas duas primeiras imagens, note-se a existência de conexões interpoladas, patentes na rede *small-world* representada em tipo-ideal, precisamente os "atalhos" (as "*bridges*", ou "pontes", como são comummente referidas pelos analistas) que permitem caracterizá-la como um *small world* em que meia-dúzia de passos chegam para que seja estabelecida uma ligação entre quaisquer dois dos nodos presentes. Tal como indicado na legenda original da *Nature*, os grafos representados retratam, da esquerda para a direita, uma conectividade cada vez mais aleatória.

---

[16] Não será inútil referir que a modelização proposta pelos dois autores teve origem num estudo do primeiro, Duncan Watts, sobre as estridulações dos grilos. Os grilos mostram um notável – e difícil de explicar – grau de *coordenação* á distância nos seus "cantos", como se entre eles houvesse um "fio condutor invisível": estão como que concertados.

Atendo-nos, mais uma vez, ao plano formal, é fácil compreender a autêntica revelação cognitiva resultante da inovação introduzida pelos dois analistas, no que toca às representações conseguidas pelo modelo proposto em 1998: em grafos *random*, a probabilidade de existir uma conexão entre quaisquer duas pessoas é uniforme. Nos grafos das *social networks* e dos *small worlds* de Watts-Strogatz, ao invés, torna-se antes patente – tal como, note-se, é o caso na vida real – que há nas redes uma distribuição *heterogénea* (quer dizer, uma distribuição *não-uniforme*) de nodos em ligação uns com os outros, visíveis aqui e ali numa espécie de aglomerados[17], os já referidos *clusters*. Da maior importância, ainda, os atalhos vêem-se, com clareza, e nitidez reveladora, representados nos novos grafos. A representação gráfica das redes *small world*, por outras palavras, é hoje muito mais realista e fidedigna.

Finalmente a questão ficava deste modo resolvida, e tornou-se mais fácil de compreender, intuitivamente – por recurso ao que talvez possamos sem grande abuso de linguagem apelidar de uma "teoria representacional dos atalhos" – o porquê do curioso "fenómeno *small world*". E, por seu turno, por isso mesmo, tornou-se mais simples tirar ilações novas sobre ele e sobre as implicações que, enquanto fenómeno, engendra.

Sobre isto me irei debruçar. Antes de passar a outras questões, importa no entanto dar o devido realce a alguns pontos que me parecem ser essenciais quanto às características e propriedades dos *small worlds*, designadamente no que diz respeito às implicações que aqui nos interessam e que são as resultantes do tipo específico de conectividade que exibem e que tentei pôr em evidência. Aflorarei muito rapidamente, dois temas, um primeiro relativo ao *clustering* específico nas redes sociais, a emergência de *cliques*; e um segundo, esse respeitante às particularidades do carácter *scale-free* tão geral em *small worlds*.

A modelização de Watts e Strogatz foi de início uma tentativa de explicar isso matematicamente, uma explicação estrutural depois estendida a outros domínios e generalizada no processo.

[17] É útil, quanto a este ponto, a leitura de Damian H. Zanette (2006), "Dynamics of rumor propagation on small-world networks".

3.3. *Aspectos da dimensão social dos* small worlds
e as suas implicações

> *"In August of 1998, the mysterious Saudi multimillionaire Osama bin Laden was declared Washington's most-wanted fugitive. The previous February, he had called on his followers to kill Americans around the world, and now he was being accused of the bombings of two United States Embassies, in Nairobi and Dar es Salaam. [...] Bin Laden's father was a Yemeni who had immigrated to the kingdom and had made a fortune by building a construction company into a financial empire. Osama's mother, a Syrian beauty, was his father's fourth, and final, official wife (the other three were Saudis), and she was considered by the conservative bin Laden family to be far ahead of her time. (For instance, she refused to wear a burka over her Chanel suits when she travelled abroad.) Osama was her only son. Tutors and nannies, bearers and butlers formed a large part of his life. He and his half brothers – and, to a lesser extent, his thirty half sisters – were playmates of the children of the kingdom's most prominent families, including various royal princes and princesses. [...] In a country that is obsessed with parentage, with who your great-grandfather was, Osama was almost a double outsider. His paternal roots are in Yemen, and, within the family, his mother was a double outsider as well – she was neither Saudi nor Yemeni but Syrian "*
>
> Mary Anne Weaver (2001), "The Real bin Laden", *The New Yorker*, número de 13 Setembro.

Começo por este segundo e último tema. Voltando à minha última figura, a relativa ao modelo Watts-Strogatz, poisemos a atenção na imagem do meio, das três que reproduzo. Note-se que Watts e Strogatz mostraram que a adição aleatória de algumas "pontes" a uma rede regular pode com facilidade reduzir a extensão do percurso directo entre dois nodos de "muito longa" para "muito curta". O resultado?

Escusado será decerto perder muito tempo a explicar aquilo que se torna com facilidade intuitivo pela simples "leitura" deste tipo de grafos de *small worlds*. Para o compreender, pense-se, designadamente, em redes sociais – por exemplo, redes terroristas – com este tipo de características. Torna-se de imediato evidente que a descrição de um sistema social (terrorista ou outro) como um *small world* nos permite uma melhor previsão e compreensão de correntes comunicacionais de mensagens, ou de eficiência no que diga respeito a buscas e recuperação de informações, ou até no que se prenda com o grau de estabilidade social (no sentido de "relacional") existente entre os membros de uma dada rede. O que não é despiciendo, se se tiver em linha de conta o que antes sublinhei.

Mais ainda, um *small world* sugere, de imediato, rápidos ritmos de difusão daquilo (seja isso o que for) que uma rede desse tipo, ou com tais propriedades, transporta. Assim, por exemplo, opiniões tendem em pequenos mundos a convergir mais facilmente em sistemas, por mais incipientes que eles possam ser, do que podemos porventura apelidar uma coordenação, ou uma sincronização, de vontades ou perspectivações. Desnecessário será decerto esclarecer o impacto disto no apoio ao argumento geral do presente trabalho. E não é tudo: em sistemas de *small world*, líderes de opinião (*cela va sans dire*), tendem a ter um impacto grandemente amplificado.

Talvez essencial seja a intuição, que resulta de imediato de uma leitura deste género de grafos das *small worlds* quando eles dizem respeito a redes *scale-free* (obviamente um caso comum em âmbitos sociais, pelas razões aduzidas), segundo a qual tal tipo de redes exibe uma maior tolerância do que outros quando se trata de fazer frente a oposições e ataques aleatórios generalizados; o seu *potencial reconstitutivo*, por assim dizer, é maior, ou pelo menos assim o intuímos. Também a capacidade de *aprendizagem* – ou de quaisquer outras formas de comunicação – nos parece claramente maior em tais redes. Tal como, aliás, a de *sincronização*. Generalizando, o que talvez possamos de novo sem abuso de linguagem intitular de "grupos de discussão" estão organizados, materialmente, enquanto redes *scale-free* e, ao mesmo tempo, distribuem-se em redes ordenadas como *small worlds*.

Por outras palavras, e retomando o que antes afirmei, tanto as características e propriedades próprias das redes *scale-free* quanto as das *small worlds* são de maneira evidente importantes – assim o pressentimos – se quisermos compreender o desenvolvimento de ordens sociais (por exemplo, repito, as terroristas) sejam elas "reais" ou "virtuais". As propriedades e características destes tipos de redes explicam com facilidade a maneira como elas se arrumam em estruturas socialmente estáveis, estruturas em que, designadamente, a saída de indivíduos não causa um desmoronamento imediato da rede enquanto tal; do mesmo modo que explicam a eficácia das modalidades comunicacionais existentes na rede em causa[18].

Voltarei a estes pontos em contexto, a propósito muito concretamente da al-Qaeda, mas não posso deixar de acrescentar algumas considerações de fundo que considero da maior pertinência se se quiser bem compreender a dinâmica gestacional dos *small worlds* e, por aí, melhor conseguir caracterizar as suas propriedades. Qual o modo de composição e emergência e quais são as questões-implicações que suscitam?

Num nisto de ilustração e resposta, quero fazer aqui um pequeno *détour*, contando uma história. Numa obra intitulada *The Tipping Point*[19], um autor norte-americano, Malcolm Gladwell, formula uma alegação que parece evidente: o fenómeno dos *six degrees of separation*, o "fenómeno *small world*", depende enormemente de um muito pequeno grupo de pessoas, que apelida M. Gladwell de

---

[18] O que, no mundo empírico, ou real, não deixa naturalmente de ter implicações - algumas delas inesperadas. Pense-se, por exemplo, na propagação de doenças altamente infecto-contagiosas as quais, como bem sublinharam Christopher Moore e M.E.J. Newman (2000), num artigo intitulado "Epidemics and Percolation in Small-World Networks", podem em consequência espalhar-se pelos seis mil milhões e tal de habitantes do Mundo num intervalo de tempo próximo do somatório de apenas *seis* períodos de incubação da maleita em causa. Neste artigo, C. Moore e M.E.J. Newman calcularam a "susceptibilidade" e a "transmissibilidade" do vírus Ebola, numa simulação de um cenário pandémico preocupante, para dizer o mínimo.

[19] Malcolm Gladwell (2000), *The Tipping Point: how little things can make a big difference*, uma obra que compila uma série de artigos que o autor foi publicando no *The New Yorker.* Para uma leitura mais breve, ver Malcolm Gladwell (1999), "Six Degrees of Lois Weisberg", um curto mas denso artigo publicado no *The New Yorker*, com o sugestivo cabeçalho "*She's a grandmother, she lives in Chicago, and you've never heard of her. Does she run the world?*".

connectors, gente que mantém largas redes de contactos e de amigos e que, por isso, formam "pontos de convergência", já que servem de "intermediários" ao comum dos indivíduos, por regra fracamente conectados. Gladwell desenvolve, neste contexto, o conceito de *funneling*, literalmente "afunilamento".

No fascinante artigo que referi em rodapé, Gladwell discorreu com verve e humor sobre Lois Weiberg, uma senhora hoje em dia idosa mas que continua a ser uma activíssima e largamente desconhecida "construtora de teias sociais" nos Estados Unidos – e uma construtora eficaz, a ponto de ser legítimo perguntarmo-nos, como o autor o faz, *"she's a grandmother, she lives in Chicago, and you've never heard of her.* [But d]*oes she run the world?"*. Sem ser particularmente rica ou dotada, Weiberg é uma espécie de *éminence grise* da alta sociedade urbana de Chicago: organiza com uma regularidade alucinante encontros, festas, ligações, livros, exposições, esquemas de colaboração de celebridades e poderosos, e logra-o como que a partir do nada, sem meios senão o telefone, simpatia e desplante, e sobre uma base local de início muito pequena. Fá-lo por gosto e não por ofício, embora a sua vida pessoal orbite hoje nas ricas teias que vai tecendo. Trata-se de um tipo de personagem facilmente reconhecível.

Para descrever a actuação "social" de Lois Weiberg, M. Gladwell usa termos como *tip of the pyramid* (a alusão a hierarquias é nítida) para se referir a estes "conectadores", ou *centers of the world*, e explica que personagens como ela – e todos conhecemos gente assim – estabelecem ligações de uma forma que Gladwell qualifica como *"archetypal"*. Mas, podemos perguntar, Lois Weiberg é – caso o seja, naturalmente – *arquetípica* em que sentido? Por outras palavras, como lançam tais personagens as suas teias? E, sobretudo, como lhes garantem eficácia? Como operam essas pessoas?

Com o intuito de explicar o processo, Gladwell identificou com alguma precisão o *modus operandi* habitual da senhora Weiberg: *"first she reaches out to somebody – somebody outside her world.* [...] *Equally important, that person responds to her.* [...]. [Then she] *brings people together"*. Suponhamos que o nosso autor tem razão: empatia e sociabilidade é o que entra em jogo É esta a mecânica mais comum do estabelecimento de relações colectivas em teia? Haverá decerto quem seja muito dotado para tanto. Será gente desta quem "manda" no mundo social?[20] E, se a resposta for sim, conseguem-no como?

Olhemos de novo em pormenor para a caracterização de Gladwell quanto ao modo de actuação da velha senhora. Há um ingrediente diacrítico na descrição que M. Gladwell fez da forma de operar de Lois Weiberg no seu incansável *networking* social: refiro--me ao facto de que – como o nosso autor bem sublinhou – Weiberg tipicamente *reaches out to somebody* (...) outside *her world* [o realce é meu]. *Fora* do seu mundo.

Este elemento é fundamental, e não apenas porque é esse o modo como a senhora Weiberg vai alargando a alçada da rede que vai lançando, mas por uma outra oedem de razões, um motivo menos trivial. O que está em causa não é tanto (ou não é *apenas*) o ser *fora* que as relações são estabelecidas, e a importância "construtivista" inerente ao estabelecimento de relacionamentos "pessoais" entre duas pessoas (o que os cientistas sociais anglo-saxónicos chamam *dyadic relationships*), mas sobretudo o facto de essas relações ténues serem estabelecidas "à distância" e terem um papel constitutivo fundamental, papel de uma autêntica *ampliação criativa* da teia de nexos relacionais gerados. Trata-se, por conseguinte, de um gesto verdadeiramente *estrutural e estruturante*. O crucial, no gesto, é a criação do macro pela via do micro, e a reconfiguração do próximo pela transmutação do distante.

Se Malcolm Gladwell tiver razão na leitura que fez da nossa peculiar *socialite* – e creio que a tem –, estamos perante um ingrediente essencial que dá corpo a algo que fora já há uma boa trintena de anos posto em evidência por um outro sociólogo norte-americano, Mark Granovetter[21], mas que nunca foi integralmente compreendido

---

[20] Há em todo o caso que sublinhar que, ainda que muitas vezes tal possa parecer o caso, se assim fôr não o é de maneira linear. Para o compreender, basta uma constatação *a contrario sensu*: diversos trabalhos recentes dedicados aos efeitos do fenómeno *small world* na propagação de epidemias, para só dar um tipo de exemplo, mostram com nitidez que, em resultado do carácter altamente conectado das redes sociais tomadas como um todo (e, nomeadamente, das redundâncias a que isso dá azo), a remoção, numa população, destes pontos de convergência acaba nalguns casos por ter muito poucas consequências no que toca ao comprimento médio dos percursos denotados pelos grafos.

[21] Designadamente no famoso artigo (1973), "The strength of weak ties", que surgiu no prestigioso *American Journal of Sociology*, 78(6), 1360-1380.

num sentido francamente pleno. Para grande surpresa de muitos, Granovetter sugeriu 1973, e depois demonstrou-o, que em muitos casos é a "solidez" (ou, se se preferir, a *robustez*) de ligações *fracas* – e não a das *fortes* – aquilo que garante uma maior coesão e permanência ao conjunto das redes sociais. Um ponto que é, obviamente, da maior importância e que, como iremos ver, se liga àquilo que nos preocupa no presente trabalho.

A linha de argumentação de Granovetter é simples. Pondo a tónica em relações entre dois amigos, o sociólogo mostrou que o grau de sobreposição das suas respectivas redes de amizades variava de uma maneira directamente proporcional à robustez do relacionamento existente entre os dois membros do par inicial. Sublinhando o "poder coesivo" deste tipo de "ligações pessoais", Granovetter mapeou de seguida o impacto desse poder na difusão social ampla e alargada de influências e informações, no que diz respeito à mobilidade das pessoas em grupos, e no relativo à organização global da comunidade existente. A grande inovação conceptual de M. Granovetter foi, no entanto, a do passo seguinte. Numa segunda linha de argumentação, paralela a esta primeira, insistiu que *"your relationship to family members and close friends ('strong ties') will not supply you with as much diversity of knowledge as your relationship to acquaintances, distant friends, and the like ('weak ties')"*.

Assim, sublinhou, uma pessoa pode ganhar tanto *"exposure"* [visibilidade] como *"influence"* [influência] por via da potenciação e manutenção sistemática de *"weak ties"*, já que são elas que nos permitem atingir populações e audiências que de outra maneira estariam como que fora do nosso alcance e depois, num fascinante *feedback*, re-arranjam em enquadramentos novos e maiores aquelas que já tínhamos como que à mão. Se quisermos compreender a emergência de nexos sociais maiores, para além de reconhecermos o lugar central assumido por relações "diádicas" – *"dyadic relationships"*, chamou--lhes ele, presentes, por exemplo, na família, ou no que podemos chamar "núcleos duros" de amizades – temos ainda que saber tomar em consideração *o papel gerador*, por assim dizer, preenchido pelas relações "fracas" a que fazemos recurso. No fundo, note-se, estas duas linhas de explicação convergem: na interacção delas, o macro emerge, pelo menos em parte, como uma espécie de subproduto do micro.

Por outras palavras: segundo Granovetter – e utilizando termos que não foram de maneira nenhuma os seus – os *small worlds* são a chave imprescindível para compreender a dinâmica do que talvez possamos chamar os *big worlds* sociais. Um ponto a reter.

Como antes disse, regressarei, em contexto, a propósito da al-Qaeda, a vários dos tópicos que aqui não fiz mais do que aflorar. Tal ficará, todavia, para mais adiante. Volto-me, agora, para o primeiro tema que indiquei: o relativo a *cliques* sociais enquanto formas empíricas e muito concretas de *clustering* em redes.

3.4. *Alguns aspectos conexos da dimensão social das* cliques

> *"Those youths are different from your soldiers. Your problem will be how to convince your troops to fight, while our problem will be how to restrain our youths to wait for their turn in fighting and in operations."*
>
> OSAMA BIN LADEN, "Declaration Of War Against The Americans Occupying The Land Of The Two Holy Places" 26 de Agosto, 1996

Mantendo sempre em mente os exemplos dos agrupamentos terroristas que aqui privilegio, começo, como não podia deixar de ser, por uma série de rápidos enquadramentos gerais quanto ao que são *cliques*. Da perspectiva da teoria dos grafos, uma *clique* é um conjunto de "vértices" (ou nodos) adjacentes dois-a-dois. Quando se fala em redes sociais, o termo é porém muitas vezes informal e lassamente utilizado para aludir a um *cluster*. Neste sentido sociológico (e o termo tem tido uma profusa utilização na Sociologia) "clique" contrasta com "organização", ou com "sociedade" (ambos tipos de grupos sociais *formais*), e tem por norma como referentes agrupamentos sociais restritos e de carácter informal. Cliques formam muitas vezes parcelas de grupos sociais maiores, e têm em muitos casos sido associados a agrupamentos de *teenagers* e a grupúsculos, ou quasi-grupos, *políticos*, ou *político-militares*, designadamente àqueles que normalmente também apelidamos de "facções". Na sua acepção sociológica, as "cliques", seja qual fôr o campo social de aplicação da sua emergência, são entidades que exibem estruturas complexas e costumam mostrar uma estrutura de poder bem definida, o que por via de regra os caracteriza de maneira muitíssimo distintiva: tendem, assim, a ter um *líder* carismático forte e *seguidores* que a ele ou a ela *aderem*; importante costuma também ser em "cliques" a figura do "excluído" (os *outcasts* da literatura sócio-política e sociológica anglo-saxónica).

De um ponto de vista comunicacional, repare-se que uma clique constitui um espaço social privilegiado. O que não é surpreendente vale a pena dos pormenores. Tendo em conta o envolvimento regular dos membros de uma clique em actividades conjuntas, é habitual que estes formem relacionamentos sociais intensos e perduráveis uns com os outros, e que o façam à medida que socializam e partilham interesses ou objectivos comuns. Mas é habitual nestes espaços socialmente densos mais do que isso. Ser membro de uma clique, ou ver-se a ela associado, gera, por norma, um sentimento de pertença marcado, o que permite e fomenta, não raras vezes, a aprendizagem, por essa via, de acentuada "à vontade" e "destreza social". Por essa mesma via, também a *influência recíproca* se vê activada numa clique. Os membros de uma clique estão sujeitos ao que os anglo-saxónicos apelidam de *peer pressure*, a pressão dos pares. Um forte *sentido de pertença* e uma maior *capacidade de sincronização* são duas das consequências claras dessa intensificação de laços comunicacionais e da densidade relacionamento de social a que uma clique dá corpo.

Seria no entanto um erro presumir que a pertença a uma clique apenas tenha dimensões positivas. A verdade é que os seus impactos variam. As resultantes do estatuto de membro de uma clique podem ser boas, mas também podem ser péssimas. É certo que, pela via da pertença a uma clique, aumenta o grau de socialização conjunta e com ele, intensifica-se a coesão social global do agrupamento. Mas, efeitos perversos podem por outro lado ocorrer. Alguns exemplos chegarão. Para os seguidores fiéis, as cliques tendem a exigir um envolvimento exclusivista, que nalgumas circunstâncias, acaba por se revelar excessivo. Os *outcasts* são em muitos casos vitimizados, e por vezes são-no brutalmente. Em termos gerais, e tanto objectiva como subjectivamente, para indivíduos que se encontram nuns como noutros destes estatutos, a inclusão numa clique cria dependências de todo o tipo. As consequências são as que seriam de esperar, o que não deixa de ter implicações para o nosso tema: pessoas que pertencem a uma clique costumam ser inseguras e ter pouca auto-confiança; vivem, em inúmeros casos, obcecados com não destoar do grupo. As cliques tendem a ser *absorventes*.

Um rápido balanço genérico daquilo que acabei de asseverar, antes de seguir em frente e dar um outro passo. Em temos gerais, escusado será sublinhar a centralidade potencial dos pontos que aqui levantei para o argumento genérico do presente estudo[22]: essa centralidade, pelo menos em potência, é evidente. A existência de *small worlds* é factor que potencia tranformações coordenadas como aquelas que imputo à progressão organizacional da al-Qaeda. Funcionam como correia de transmissão de recrutamento, coordenação, sincronizações, ensino e aprendizagem. As propriedades das *cliques* permitem explicar muita da sua "cultura organizacional", com efeitos semelhantes.

As duas ideias-guia de *cliques* e de *small worlds* re-emergirão, *pari passu*, ao longo deste trabalho. Convém, por isso, mantê-las bem em mente.

---

[22] Por fim, e antes de regressar ao corpo deste trabalho e da sua linha condutora principal, não será decerto desperdício tocar algumas questões relacionadas com aquilo que acabámos de focar, mas menos directamente ligadas ao nosso tema central. Aflorarei, para terminar, algumas frentes (apenas duas, das numerosas existentes e activas) de investigação sobre *small worlds* que me parecem ser promissoras do ponto de vista do tópico que aqui nos interessa. Fascinante é o estudo de Edward Cartwright, publicado em 2004, sobre "contágio" e a "emergência de convenções" em *small world networks* (o artigo em causa é de Edward Cartwright (2004), "Contagion and the Emergence of Convention in Small Worlds"). A conclusão mais geral de Cartwright é a de que o "contágio", e por conseguinte a "emergência de convenções partilhadas" em redes *small world*, é semelhante àquela que se verifica em *lattices* regulares. Uma das implicações é a de que o "equilíbrio" é nelas dominado pelo risco e relativamente instável, enquanto que o ritmo de contágio é comparativamente lento. O estudo mostra também, no entanto (e menos contra-intuitivamente), que há casos em que a instabilidade do equilíbrio induzido pelo risco se encontra associada a um ritmo *rápido* de contágio – em resultado, ao que parece ser a sugestão de Cartwright, do facto da estabilidade se encontrar sempre intrinsecamente relacionada com o grau de *clustering* que caracteriza a rede em causa. Um outro estudo, um pouco mais recente, de G. Biancini and M. Marsilia (ver o artigo de G. Biancini and M. Marsilia (2005), "Emergence of large cliques in random scale-free networks"), parece ir numa direcção de algum modo paralela a este último *caveat*, ao concluir (ou, pelo menos, ao sugerir fortemente) que a emergência de *cliques* de tamanho substancial, em redes *scale-free*, varia de acordo com a *power law* a que elas dão expressão.

3.5. *A razão de ser para uma especial adequação da al-Qaeda a este tipo de formas organizacionais*

"The *inner core of al Qaeda continued* (in 1998) *to be a hierarchical top-down group with defined positions, tasks, and salaries. Most but not all in this core swore fealty (or* bayat) *to Bin Ladin. Other operatives were committed to Bin Ladin or to his goals and would take assignments for him, but they did not swear* bayat *and maintained, or tried to maintain, some autonomy. A looser circle of adherents might give money to al Qaeda or train in its camps but remained essentially independent. Nevertheless, they constituted a potential resource for al Qaeda. (…) Now effectively merged with Zawahiri's Egyptian Islamic Jihad,[82] al Qaeda promised to become the general headquarters for international terrorism, without the need for the Islamic Army Shura*".

National Commission on the Terrorist Attacks on the United States (mais coinhecida como a *9/11 Commission*), liderada por Thomas H. Kean e tendo como Director Executivo Philip D. Zelikow

Para terminar este grande segmento substantivo da minha monografia, deixem que de novo me atenha por uns instantes a questões suscitadas em redor da al-Qaeda, neste caso questões político-militares. Retenho uma posição comparativista. A minha postura é simples: procedo a um esforço, ainda que apenas indicativo, de um "re-embutimento" da al-Qaeda e organizações similares no quadro "cultural" mais amplo onde elas têm origem e implantação. Vou um pouco mais além: insiro um laivo de perspectivação dinâmica dos processos militares de interacção envolvidos, que mais tarde irei retomar num enquadramento evolucionário, como lhe chamo. Limitar-me-ei em todo o caso, neste sub-capítulo, a uma série de constrastes que enumero como que em rajada no contexto de um par de exemplos a que acrescento uma ponderação conjuntural.

Cabem aqui, num primeiro apontamento, algumas palavras para aprofundar um pouco o que acabei de afirmar, dando-lhe uma dimensão diacrónica. As inovações digitais nas tecnologias de comunicação tornaram pela primeira vez possível uma operação realmente eficiente de redes. Historicamente, as redes eram entidades difíceis de operar, sendo portanto menos eficientes do que as hierarquias. Havia, para tanto, dois grupos de motivos. Por um lado, as redes requerem comunicações não constantes mas pelo menos *densas*, por forma a manter os seus graus de coesão, uma exigência formal a que irei voltar. Por outro lado (e tal vinha transformar esta formalidade num impedimento, acrescentando-se-lhe), essa exigência tornava particularmente complicado que em redes se conseguissem tomar rapidamente decisões[23]. Organizações em rede, porventura em parte por isso mesmo, eram até há poucos anos menos comummente adoptadas, excepto naqueles casos em que por quaisquer razões fosse fácil a comunicação entre os nodos existentes – como por exemplo quando os consensos apriorísticos eram de tal modo intensos que comunicações tácitas permitiam o funcionamento eficaz de uma coesão suficiente nesse tipo de organização.

Tudo isto se alterou profunda e irreversivelmente com a "revolução digital": uma "largura de banda" suficiente e uma conectividade invejável estão desde há algum tempo disponíveis para uma ultrapassagem destes problemas tradicionais posto que, em muitas circunstâncias, qualquer nodo pode conectar-se com qualquer outro numa dada rede. Numa expressão que ficou célebre, uma expressão articulada por Manuel Castells[24], a "*interconnectedness*" [se se quiser, a interconectividade ou o *enlaçamento* para usar um termo favorecido

---

[23] Um exemplo histórico concreto das dificuldades que daí podem advir. Os alemães, na Grande Guerra de 1914-1918, inventaram a *Ausfragtaktik*, segundo a qual um comandante atribuía aos agrupamentos que dele dependiam os meios e comunicava a sua intenção, mas depois deixava total liberdade aos subordinados, que apenas tinham que conhecer os respectivos limites *espaciais* de actuação. Na maioria dos casos, não eram necessárias quaisquer ordens adicionais, nem de resto a tecnologia da época por norma o permitia. A "descentralização" lograda tinha óbvias vantagens: por um lado, dava uma muito maior possibilidade de realização das suas próprias valências específicas a cada um dos grupos "autonomizados"; e, por outro lado, tornava mais complicado ao inimigo aprender com a experiência, visto que esta se tornava variável. O conceito funcionou *demasiado bem* em 1914 quando – sem meios de comunicar entre si um retrato em tempo real do cenário global em que agiam, coisa que hoje em dia não aconteceria – dois grandes exércitos alemães, actuando com a maior liberdade, deixaram um enorme intervalo entre si, por onde penetrou um contra-ataque francês que os parou no Marne, com as consequências que se conhecem.

[24] (ed.) Manuel Castells (2004), *The Network Society: A Cross-Cultural Perspective.* Cheltenham, UK; Northampton, MA.

pelos matemáticos] disponibilizada pela "revolução da informação" forma hoje em dia a "base material" de uma sociedade civil reactivada em muitos cenários políticos contemporâneos – mas preenche o mesmo tipo de papel numa *network* terrorista.

Mais ainda[25], no que toca a questões político-militares "é verdade que mudanças nas tecnologias de comunicação e informação (dos caminhos de ferro, à telegrafia sem fios, ao telefone, ao rádio) têm tido desde há tempos imemoriais um enorme impacto ao nível do comando e controlo militar. Mas sempre soletraram, na prática, *um aumento na centralização do controlo*, satisfazendo desse modo, numa frase que ficou célebre, o desejo dos '*commanders to command and staffs to staff*". Como também então sublinhei, não é assim com as novas tecnologias de informação, a pressão sentida é a inversa, já que, neste último caso, ela empurra *na direcção de uma cada vez maior autonomia* das unidades militares[26]. As acções no Iraque pós-Saddam, as batalhas de Grozny, as mobilizações da *Otpor!* em Belgrado contra Slobodan Milosevic, por um lado, ou aquelas em Manila contra o Presidente filipino Joseph Estrada[27], por outro, ou até

---

[25] Tal como ilustrei em detalhe bastante na minha comunicação de Novembro de 2005 no IDN, e reiterei no início da presente monografia utilizando uma argumentação que aqui repito.

[26] Não quero com isto dizer que, nem linearmente nem em sentido estrito, as novas tecnologias de informação sejam a primeira revolução militar a permitir para a descentralização; pontualmente a tendência já emergira noutras conjunturas "técnicas". O ponto de fundo é de fácil enunciação: a tecnologia é simplesmente o *hardware* do acto de fazer a guerra. O mais importante, o decisivo, é o *software* que permite o emprego desse *hardware*; numa linguagem militar, o decisivo é a doutrina. Que importa um computador topo de gama se o sistema operativo é o Windows 95? Não é preferível um computador menos potente mas onde possa correr o Windows XP, ou o Vista, e possamos e saibamos fazer uso deste sistema? O mesmo se passa em termos militares. Com o aparecimento da transmissão TSF, o carro de combate e o avião, os alemães inovaram e consolidaram a sua tradicional tendência para a "descentralização" militar (um legado inesperado de Frederico o Grande), operacionalizando o conceito posteriormente conhecido por *Auftragstaktik*, a que atrás aludi; franceses e britânicos continuaram na centralização como meio de comando e controlo. Há assim decerto que mitigar implicações mais maximalistas do que acabo de afirmar. A relação entre tecnologia e descentralização não é *causal*. A tecnologia pode *convidar* à descentralização, *favorecendo-a* e tornando-a mais *viável e eficaz*; mas quem a decide e garante, com ou sem convites tecnológicos, é sempre a necessidade operacional e a vontade humana de o fazer.

[27] Um só exemplo, que vale por todos: o artigo de Cecilia Alexandra Uy-Tioco (2003), "The Cell Phone and Edsa 2. The Role of Technology in Ousting a President", sobre a eficácia da mobilização de um milhão e meio de pessoas, conseguida em Manila, na

os distúrbios "étnicos" de Novembro de 2005 nos arredores de Paris, são excelentes exemplos das enormes vantagens tácticas que se apoiam nessa proficiência comunicacional comparada e nas novas virtualidades descentralizantes que a revolução digital permite e incentiva. Um ponto a ter em mente.

Quais são os exemplos que quero dar, relativos às vantagens comparativas de redes sobre hierarquias, no quadro dessa proficiência comunicacional comparativa que referi?

Em primeiro lugar, a resultante da diferente definição de finalidades respectivas, patentes nas lutas entre os Estados e organizações terroristas: como tem sido muitas vezes notado, os terroristas dão prioridade à "publicidade" conseguida e não à "dor" infligida, precisamente o contrário daquilo que tendem a ser os objectivos bélicos dos Estados. Se a finalidade táctica primeira é inflingir a "dor" e não auferir "publicidade", os Estados têm dificuldades na própria identificação de alvos para as suas acções de resposta; isto é particularmente verdade no caso de ONGs terroristas (como hoje a al-Qaeda) sem apoios estatais directos e sem base territorial e populacional específica; mais uma vez em contraste organizacional agudo com os Estados que defronta.

Esta vantagem tem várias vertentes. É nestes casos difícil, por um lado, identificar quem é o adversário: só retrospectivamente, por exemplo, se conseguiu ligar a al-Qaeda aos ataques às Torres Gémeas e ao Pentágono, como o fora antes em relação às bombas utilizadas em Embaixadas americanas na costa leste africana, na célebre batalha de Mogadíscio, na Somália, nos atentados ao USS Cole e a um navio-tanque francês ao largo do Iémen, ou depois do 11 de Setembro, nas agressões perpetradas na Chechénia, em Riade, Bali, Carachi, Casablanca, Madrid ou Londres. A dificuldade vê-se agravada pelo *tempo* potencialmente errático, e por isso dificilmente previsível, por *pulsações* de bate-e-foge, de forças militares não-identificadas que, ademais, tornam quase inexequível saber quando é que um ataque, uma batalha, ou uma campanha terminaram. Nisso e na

---

famosa Avenida Epifanio de los Santos (Edsa) que levou à deposição do Presidente Joseph Estrada, acusado de corrupção, depois da sua chocante "amnistia" que lhe concedida pelo Congresso filipino.

possibilidade de levar a cabo os tão necessários e instrutivos *battle assessments*, os contrastes são gritantes – e favorecem as redes.

Segundo, o *hardware* e as tecnologias utilizadas como "base material" da operação das organizações. Um só exemplo: telemóveis e *chat-rooms* ou redes *wireless* são coisas fáceis de aprender a usar com proficiência, ao contrário das "bases materiais" (para repetir a *trouvaille* de Castells) que os Estados continuam, tantas vezes, a teimar utilizar para lhes tentar fazer frente, visto estas últimas serem "bases" que utilizam tecnologias que requerem um *know-how* técnico e uma sofisticação adequadas a uma divisão de trabalho consentâneas com estruturas organizacionais eivadas de diferenciações hierárquicas.

Qual a especial adequação de entidades como a al-Qaeda a soluções organizacionais desse género? E qual a razão pela qual são sobretudo árabes os radicais Islamistas que conseguem organizar-se nesses termos? Restrinjo-me a uma ou duas dimensões de afinidade, relativas a óbvios níveis de adequação social e cultural que julgo existir.

Se tivermos em mente a diversidade muito limitada de formas organizacionais disponíveis como léxico e campo experiencial dos actores sociais em causa, bem como algumas das características distintivas das congregações existentes no Islão, o sucesso de redes como a da al-Qaeda não é surpreendente. Os Estados são entidades de algum modo artificiais em largas franjas do Mundo muçulmano, designadamente em grande parte do Mundo árabe. Os Estados existentes tendem a ter origem ora no modelo imperial turco otomano, ora em modelos coloniais europeus, e tendem a operar como formas raras e comparativamente recentes de ordenação e estruturação das comunidades políticas e jurídicas.

Pelo contrário, ao nível do Islão, a confiança em redes para a sedimentação de identidades sócio-políticas é um traço familiar da vida do dia-a-dia na comunidade dos crentes, a *Umma*. Este ponto é facilmente apreensível no quadro de um contraste parcial. Note-se que os Estados europeus se desenvolveram no essencial depois de violentas guerras religiosas, e neles a liberdade de consciência e a secularização dos modelos de governação andam de par uma com a outra. A legitimidade de leis laicas passaram em larga medida a ser um subproduto – na Europa reformada pelo menos, assim é – do consentimento dos governados. Tudo isto, todas estas práticas políticas, é estranho a grandes fatias do Mundo islâmico e nele sobretudo em grandes segmentos do árabe, em que a soberania é "atributo" de Alá exercido por intermédios dos seus representantes. A lei islâmica, a *sharia*, é encarada como provinda de Deus, e vista como plasmada no Corão e na *Sunna*, a colectânea doutrinária tradicional que arrola os actos do Profeta Maomé. E visto que, em princípio, a lei divina é reconhecida como tendo um carácter ecuménico, não há em boa verdade, no Direito islâmico, tal como ele foi revelado, jurisdições territoriais.

Em resultado e por motivos de natureza mais sociológico-organizacional, os Estados nacionais, baseados como estão na premissa de leis de âmbito territorial, nunca usufruíram de mais do que uma legitimidade ténue e dúbia no Mundo árabo-islâmico mais confessional. Como tem sido comum comentar, a unidade das comunidades mais ou menos teocráticas árabes – as do passado, hoje uma realidade política virtual, mas não inteiramente ineficaz – tende assim a ser "proto-política", pois que não exprime muito mais do que uma unidade "tribal" que coincide em larga medida com a unidade de uma comunidade de crença amparada numa língua comum sacralizada por um texto revelado. Não existe, sequer, nessa comunidade de crença, uma "Mesquita", uma entidade que possamos ver como um equivalente das várias Igrejas cristãs, nem se vê (mesmo entre os shiitas) por que seria, internamente, desejável que tais tipos de organicidade sócio-religiosa aí surgissem. De facto, uma vez que se desmoronou o Califado histórico, redes de ligações transnacionais de comunicação, cooperação, e solidariedade constituem como que *a essência* do Mundo islâmico, a forma mais autêntica da sua identidade sócio-política colectiva[28].

---

[28] Não posso deixar de sublinhar a importância do trabalho recente do filósofo político britânico Roger Scruton (2002) *The West and the Rest: Globalization and the terrorist threat*, ISI Books, O argumento específico que aqui esgrimo não é muito diferente, na sua substância, do utilizado para explicar a ausência de "pessoas colectivas" no Direito do Islão em Timur Kuran (2005), "Why the Islamic Middle East did not generate an Indigenous Corporate Law", no qual o famoso economista escreveu, designadamente, que "[i]*n the early Islamic centuries, from the seventh century onward, the conditions governing organizational evolution differed between the Islamic Middle East and the West. Born in a society held back by endemic tribal warfare, Islam developed a legal system lacking*

Todos os factores que contribuem para tornar eficazes organizações em rede – recapitulando, intensidade relacional e comunicacional, capital social, e uma *compelling narrative* – existem abundantemente (e são internamente valorizadas) na organização da al-Qaeda. Qualquer que tenha sido a sua origem, pragmática e simbolicamente a al-Qaeda tornou-se precisamente numa organização deste tipo. Radicam aí as afinidades electivas e ressonâncias, logo a forte adequação sócio-cultural que explica o porquê da sua capacidade local de recrutamento e mobilização no Mundo árabo-islâmico. Factores como a percepção de um antagonismo histórico e "personalizado" relativamente ao Ocidente, um sentimento de vitimização partilhada, ou solidariedades gestadas numa luta comum, limitam-se a militar num sentido, numa direcção, uma via que essas afinidades tornam possível e delineiam[29].

Não valerá decerto a pena pormenorizar aqui muito os motivos defensivos pelos quais o fazem. Aquilo que dá o mote são as pressões para um encobrimento. O que se verifica com entidades como a al-Qaeda é a emergência progressiva de uma estruturação em "células" (neste caso, como vimos e iremos tornar a escrutinar, trata-se de células muito *sui generis*), a emergência de uma configuração relacional que redunda numa *compartimentação* que é protectora do sistema. Uma compartimentação que primeiro se generalizou a todo o tipo de grupos e depois se tornou cada vez mais complexa, à medida que novos meios íam surgindo que asseguravam o nível de comunicação imprescindível para a estabilidade e reprodução dos agrupamentos em causa.

---

instruments that might legitimize politically destabilizing divisions. Legal personhood, essential for the development of large and complex self-governing organizations outside the purview of the state, was excluded. Accordingly, neither the Roman concept of a corporation nor its rudimentary regional applications influenced the evolution of Islamic law. Meanwhile, the same Roman heritage had a far-reaching impact on the legal evolution of western Europe. In a political environment marked by weak, if not nonexistent, central authority, a wide array of collectivities became corporations and took to governing themselves autonomously, according to largely self-chosen laws. Thus, the initial organizational divergence between the Middle East and the West, visible early in the second millennium, reflects legal choices made, in both regions, during the first few centuries following the rise of Islam".

[29] Quanto a dinâmicas destes tipos, ver, por exemplo, Christopher M. Blanchard (2006), "The Islamic Traditions of Wahhabism and Salafiyya".

Abrir neste ponto o nosso ângulo de visão é útil, já que a gestação deste tipo de estruturação orgânica é edificante e a sua difusão bastante reveladora[30]. No equilíbrio instável de forças na vida política, militar, e criminal contemporânea, compartimentações por células apareceram cedo – dado ajudarem a assegurar um aumento potencial de sobrevivência, compartimentalizações mais ou menos estanques estabeleceram-se e foram-se multiplicando. Os agrupamentos que as geraram foram garantindo uma maior inexpugnabilidade e longevidade, e em resultado o modelo universalizou-se. Tudo isto se passou a partir do alvor da modernidade, de par com o desenvolvimento de tecnologias organizacionais dos Estados modernos criados para as destruir, e todas estas inovações têm prosseguido o seu percurso adaptativo. As "células" foram-se tornando mais "lassas" na justa medida em que os Estados desenvolviam meios para lhes fazer frente, designadamente com a criação de serviços de polícias e de informações, e utilizando técnicas inovadoras bem como outras mais "tradicionais". Como, para só dar um exemplo, escreveu há uns anos Simson L. Garfinkel[31]: "[n]*etwork analysis was successfully used by French Colonel Yves Godard to break the Algerian resistance and end the insurgency's bombing campaign between 1955 and 1957; mapping was accomplished through the use of informants and torture (much of it carried out by French Major Paul Aussaresses). Link analysis, a form of network analysis, was used successfully by both MI5 and the IRA against each other in the 1970s and 1980s. Link analysis was used to determine the identities of important individuals in the opposing organization; these individuals were then targeted for assassination, severing the links and disrupting the opposing network*". A escalada recíproca não iria contudo terminar.

---

[30] Um tema que, por si só, mereceria um estudo aprofundado. A posição que aqui assumo é a de tender a perspectivar essa emergência de compartimentalizações como um mecanismo evolucionário-adaptativo, alicerçado no crescimento progressivo de tecnologias de comunicação que asseguram a manutenção dos níveis comunicacionais internos (e externos) mínimos – ou seja: que asseguram ser viável a solidez e replicação dos grupos que se compartimentam. Não conheço quaisquer trabalhos elaborados segundo este tipo de óptica analítica. Volto em pormenor a esta questão na parte final desta monografia.

[31] Muitos exemplos podem aqui ser dados. Limitei-me a uma citação que contém alguns, tirada de um artigo de Simson L. Garfinkel (2003), "Leaderless resistance today", publicado na famosa publicação periódica *online* intitulada *First Monday* 8 (3).

A emergência de redes, no sentido em que aqui as abordo, enformou o passo seguinte. A *ratio* foi claramente a de evitar, ou pelo menos de tentar tornear, as reacções adaptativas das novas tecnologias de controlo de que os Estados modernos passaram a dispor: as estratégias organizacionais protectivas ir-se-iam intrincar, "virtualizando-se". Tornando a citar Simson L. Garfinkel[32] "[c]*auses that employ Leaderless Resistance do not have these links because they are not organizations: They are ideologies. To survive, these ideologies require a constant stream of new violent actions to hold the interest of the adherents, create the impression of visible progress towards a goal, and allow individuals to take part in actions vicariously before they have the initiative to engage in their own direct actions. [...] The Internet brings to Leaderless Resistance the possibility for autonomous cells (including cells of a single person) to share information and reinforce ideology without even knowing each other's identity. Cells can simply publish anonymously on the Web. Other cells can find those publications through the use of well-known Web sites (such as www.earthliberationfront.com) or, if those Web sites are shut down, through the use of search engines*". A reacção foi, em simultâneo, de acefalismo, descentralização, e do que talvez possamos chamar "difusão virtualizada".

Não são só os Islamistas que se vêem forçados a isso. Trata-se de uma tendência moderna emergente, detectada em numerosos âmbitos. Por razões de economia do presente texto, focamos aqui apenas âmbitos político-militares, e nesses os terroristas. Mas seria fácil ir procurá-los noutros contextos, de partidos políticos a Maçonarias, passando por entidades dedicadas ao crime organizado, ou seja grupos por uma ou outra razão preocupados com o tornarem-se alvos de agressões potencialmente desmembrantes[33]. Vista desta perspectiva ao mesmo tempo diacrónica e relacional, a compartimentalização em apreço, constitui, obviamente, uma reacção defensiva no quadro de uma *arms race* maior em que os militantes Islamistas se embrenharam.

---

[32] Simson L. Garfinkel (2003), idem.

[33] Seria fascinante um estudo comparativo sistemático da evolução de estruturas organizacionais em células que tem tido lugar em diferentes tipos de entidades. Dados os constrangimentos formais existentes, são seguramente de prever amplos paralelismos na progressão adaptativa verificada.

Vale a pena tornar a equacioná-lo: face às tecnologias organizacionais e de comunicação dos adversários que defrontam, designadamente no plano da *intelligence* conseguida por serviços de informações cada vez mais eficazes, os activistas vêem-se na contingência de, por um lado *go covert* e, por outro, assumir formas organizacionais robustas e resistentes a degradações. Ou seja, a razão para a emergência e universalização de redes como formato de eleição é sempre a mesma, ou pelo menos a lógica é comum aos diversos casos que conhecemos.

Uma só ilustração-exemplo suplementar, neste caso da área da acção político-participativa genérica: em 2002, Michael Hardt[34] afirmou sem quaisquer ambiguidades, e discorrendo até sobre a sua capacidade adaptativa estrutural, que *"the traditional parties and centralized organizations have spokespeople who represent them and conduct their battles, but no one speaks for a network. How do you argue with a network? The movements organized within them do exert their power, but they do not proceed through oppositions. One of the basic characteristics of the network form is that no two nodes face each other in contradiction; rather, they are always triangulated by a third, and then a fourth, and then by an indefinite number of others in the web. But that does not mean that networks are passive. They displace contradictions and operate instead a kind of alchemy, or rather a sea change, the flow of the movements transforming the traditional fixed positions; networks imposing their force through a kind of irresistible undertow"*. Os perigos de desmembramento espreitam desde há muito: o modelo, como resultado, foi-se generalizando. Mas não de modo meramente reactivo; pró-activamente, também, dadas as vantagens competitivas óbvias que resultam de uma maior flexibilidade e do secretismo.

Um ponto mais há, a que deve ser dado realce. Várias vezes tem sido constatado que redes emergem em múltiplos domínios confrontacionais de acordo com uma lógica adaptativa, *sem que seja preciso planeá-las*. Este último ponto parece-me fundamental. Para lá das suas evidentes vantagens adaptativas, as redes apareceram e

---

[34] Michael Hardt e Antonio Negri (2002: 117), numa passagem do seu famoso *Empire*. Utilizei esta mesma citação no artigo que publiquei em 2006.

afirmam-se na justa medida em que hoje em dia a tecnologia da informação lhes permite eficácia, uma vez que sobrevivem melhor a penetrações hostis e destrutivas que no caso de redes "malévolas" se amontoam. Mas embora a tecnologia o permita e o propicie, tanto não chega: apenas logram consolidar-se e reproduzir-se como forma-to eleito quando são entidades e estruturas organizacionais que se adequam bem às coordenadas sócio-culturais de grupos sociais que reticulam e re-ordenam[35]. Retomarei estes vários pontos na secção final da presente monografia.

---

[35] Agrupamentos árabes não são de maneira nehuma os únicos em que uma afinidade electiva é patente. Basta pensarmos nos Chiapas, no México, ou nos jovens *communards* em Paris ou Seattle, para encontrar outros exemplos.

4.

ROBUSTEZ, RECONSTITUIÇÃO
E ACOMODAÇÕES: adaptações

"[C]omplex networks are more fragile than expected from the analysis of topological quantities when the traffic characteristics are taken into account. In particular, the network's integrity in terms of carried traffic is vanishing significantly before the network is topologically fragmented. Moreover, we have compared attacks based on initial centrality ranking with those using quantities recalculated after each removal, since any modification of the network (e.g. a node removal) leads to a partial reshuffling of these rankings. Strikingly, and in contrast to the case of purely topological damage, the integrity of the network is harmed in a very similar manner in both cases. All these results warn about the extreme vulnerability of the traffic properties of weighted networks and signals the need to pay a particular attention to weights and traffic in the design of protection strategies".

LUCA DALL'ASTA, ALAIN BARRAT, MARC BARTHÉLEMY e ALESSANDRO VESPIGNANI (2006), "Vulnerability of weighted networks", *Journal of Statistical Mechanics: Theory and Experiment*, P04006. Descarregável em arXiv:physics/0603163 v1 20 Mar 2006

Na primeira parte substantiva da minha apresentação monográfica esbocei uma abordagem inicial de redes, detendo-me em particular nas redes *scale-free* que, insisti, parecem ser bastante típicas das *social networks* em geral, e em particular das formas organizacionais preferidas pelos agrupamentos terroristas contemporâneos. Aproveitei a oportunidade para fornecer um retrato ponderado, apesar de por ora sucinto e abordado tão-só pela rama, da organização e evolução da al-Qaeda, o exemplo de eleição pelo qual optei. Mantive sempre a tónica no seu carácter de rede, e remeti sempre que possível para considerações genéricas quanto às notáveis propriedades das *networks*. Num momento suplementar, numa segunda secção também substantiva, foquei algumas das principais traves-mestras delas, designadamente alguns dos principais sustentáculos das suas robustez e resiliência comparativas.

Numa terceira secção deste estudo introdutório, aquela que se segue, tentarei puxar uns poucos dos fios da meada que teci, abalançando-me a questões de maior alcance, designadamente às relativas à sua evolução. Começo por retomar a problemática das vantagens adaptativas comparativas das redes *vis à vis* as hierarquias, mas desta feita faço-o em modo mais dinâmico e interactivo.

Para tanto, darei de novo uma série de passos tão bem encadeados uns nos outros quanto seja possível na economia de um texto generalista e introdutório como este. A bagagem conceptual adquirida na primeira parte, julgo eu, permite-nos agora dá-los com mais facilidade.

4.1. *Um aspecto da razão de ser* estrutural *para as vantagens comparativas de redes sobre hierarquias: a coesão* versus *a adesão e as "comunidades epistémicas"*

> "[B]*in Laden's years at Al Thagher* [a Escola Secundária que frequentou, na cidade saudita de Jedda] *appear to have been an intellectual prelude to his better-known experiences as a student at King Abdul Aziz University, in Jedda, where he studied during the late nineteen-seventies. At the university, bin Laden was influenced by several professors with strong ties to the Muslim Brotherhood. Among them was Muhammad Qutb, an Egyptian, whose brother Sayyid Qutb had written one of the Brotherhood's most important tracts about anti-Western jihad, 'Signposts on the Road'. (Sayyid Qutb was hanged for treason by the Egyptian government in 1966.) Bin Laden's early exposure to the Brotherhood's ideas and recruiters may help to*

explain why later, in Afghanistan, he was attracted to the causes of so many Egyptian exiles, including his future deputy, Ayman al-Zawahiri, whose experiences also included early exposure to the Muslim Brotherhood".

STEVE COLL (2005), "Letter from Jedda: Young Osama. How he learned radicalism, and may have seen America", *The New Yorker*, número de 12 de Dezembro.

Tendo em mente tudo aquilo que me esforcei por indicar na primeira parte da presente monografia, seria manifestamente laborar num erro supor que a distinção entre redes e hierarquias, no que toca às suas respectivas condições estruturais de *resiliência,* redunda numa distinção simples ou linear. Não é o caso. Sem querer enveredar demasiado num excurso lateral, vale a pena, para encetar uma dissecação do porquê desta negativa, que nos detenhamos um pouco num ponto que confina com este (ou, se se preferir, que está a montante dele) e que se prende com *os traços estruturais que garantem uma robustez comparativa geral* das redes. Irei esmiuçar, contrastando-os, dois conceitos, o de "coesão" e o de "adesão". O âmbito em que o faço é o da construção, manutenção, e reprodução de "narrativas" em *social networks*. O método que utilizo continua a ser "topológico"-configuracional.

Vimos, embora apenas o tenhamos referido de passagem, em que sentido hierarquias são muitas vezes mais frágeis do que redes, o que dá a estas últimas uma óbvia vantagem competitiva. Aquilo que quero agora muito rápida e sucintamente aflorar é o que os analistas intitulam da "coesão" das redes: um indicador estrutural que é definido como o número mínimo de ligações cuja abolição compromete a própria sobrevivência de uma rede[1]. Ou seja, o número mínimo de

---

[1] Uma posição alternativa, é evidente, é a de definir "coesão", pela positiva, como o número de conexões essenciais para manter a unidade do todo. Em minha opinião, a versão negativa é preferível pela maior precisão que permite. Quanto a este ponto e ao seu escrutínio analítico, ver o artigo de James Moody e Douglas White (2001), "Structural Cohesion and Embeddedness. A hierarchical conception of social groups", em que são esmiuçados dois exemplos paradigmáticos: um deles aquilo que os autores chamam "*high school friendships*"; e o que apelidam de "*interlocking directorate networks*". Nos dois casos, são escrutinados os limites (no sentido de "limiares mínimos de reprodução do 'enredamento'") da solidariedade existente (ou seja, a "coesão") em redes sociais muito concretas.

conexões cuja remoção impede de facto uma rede de responder com mecanismos "virais" ou "cancerígenos" – para reter duas metáforas – de reconstituição, como aqueles que iremos ver nos grafos de "decapitação" cirúrgica desenhados por Kathleen M. Carley que quero apresentar a curto trecho.

Antes disso, no entanto, são úteis mais alguns conceitos de enquadramento. J. Moody e D. White mostraram bem como "o número mínimo de actores que, se removidos de um grupo, o desconectam", flutuando de acordo com a presença ou ausência de uma "hierarquia interna" de *nested groups*", uns dentro dos outros, que formem uma espécie de "núcleo duro" (o termo é meu e não deles) no âmbito de uma rede. Ou melhor, de acordo com a presença ou a ausência de *muitos* desses *nested groups*. A lógica que subjaz à definição pela negativa, note-se, mantém-se nestas elaborações e desenvolvimentos. Na terminologia dos nossos dois autores: a "coesão" patente e mensurável é tanto maior quanto mais marcada e variada for esta "*nestedness*" de grupos mais coesos no interior de grupos menos coesos – ou, nos termos precisos por que usam, quanto mais acentuados forem os "níveis de coesão estrutural destes (muitos) grupos 'aninhados'". Grupos esses que Moody e White descrevem como "*local pockets of high connectivity*" e que formam zonas de "adensamento relacional" capazes de actuar como "*amplifying substations*"[2] de informação e recursos.

Por outras palavras, para Moody e White a "robustez" de uma rede social parece ser directamente proporcional à "*cohesiveness*" relativa e simultânea dos "sub-grupos mais densos"[3] que nela se encontrem "embutidos". Esta última, a coesividade, constitui como que o seu limite. Ou seja, a robustez cresce com estas diferenciações internas no que diz respeito ao limiar de exclusão: os números mínimos de ligações cuja erradicação comprometa a sobrevivência dos nexos em causa.

Mas esta modelização, note-se, permite outras conclusões. As diferenciações no plano da "coesão pela negativa" patentes na

---

[2] Para uma primeira abordagem-caracterização destes autênticos "coágulos", ler o fascinante A.-L. Barabási, M. Argollo de Menezes, S. Balensiefer e J. Brockman (2004), "Hot spots and universality in network dynamics", *Europhysics Journal* B 38, 169-175.

[3] As traduções são minhas.

mélange que internamente muitos agrupamentos exibem, de algum modo conferem-lhes alguns dos traços estruturais que tendemos a pensar serem apenas típicos de hierarquias[4]. O ponto parece-me importante, pois que sublinha a *menor* fragilidade daqueles agrupamentos que – pese embora tenham características genéricas de redes – simultaneamente manifestam, na sua organização estrutural interna, diferenciações de "coesividade" *mais* marcadas.

Vistas as coisas de outra perspectiva: a robustez é maior naqueles agrupamentos que, ao mesmo tempo, são mais rede *e também* mais hierarquia. Uma questão tão curiosa quanto é fascinante, e que, como veremos, não é irrelevante.

Seja como for, a "coesão" pode ser contrastada com a "adesão", uma propriedade específica de sistemas hierárquicos e ligações mais unívocas. O mesmo D. White e um outro autor, Frank Harary[5], trataram de distinguir entre o conceito de "adesão", um conceito que viram como estando relacionado com as qualidades atractivas ou carismáticas de um líder, e o conceito de "coesão". As primeiras qualidades, as atractivas, tenderiam a criar tramas de ligações sociais *genéricas* mais ténues do que as segundas, as coesivas, mas, em contrapartida, criariam ligações mais fortes do que elas entre-um-e--muitos, gerando *hubs*, ou entre-muitos-e-muitos, constituindo *clusters*. Consolidam espaços de solidariedade mais uniformes, se se quiser por um momento mudar o registo discursivo. Num balanço geral, no entanto, a coesão gera mais solidez nos grupos sociais do que o faz a adesão. Assim, os dois Autores articulam a distinção coesão-adesão com uma maior robustez dos agrupamentos ancorados na coesão quando comparados com aqueles outros baseados na adesão.

Deste modo, e sem remissão directa para a noção "negativa" de "coesão", White e Harary como que revisitam a ideia de que, pelo

---

[4] A isto, os dois Autores, porventura de maneira algo redutora, chamam "*the social embeddedness of networks*", uma expressão difícil de traduzir (talvez o encastoamento, ou a imersão social das redes?).

[5] Douglas White e Frank Harary (2000), "The Cohesiveness of Blocks in Social Networks: Node Connectivity and Conditional Density", um relativamente curto artigo consultado em http://www.santafe.edu/files/workshops/dynamics/sm-wh8a.pdf. Note-se que a adesão, apesar de disso se aproximar, não corresponde exactamente a uma coesão pela positiva, visto os dois conceitos se colocarem em planos diferentes de inclusividade.

menos em termos analítico-topológicos comparativos, a *robustez* é mínima naqueles casos de *social networks* em que haja um líder forte ou uma figura muito popular. O conceito de "aderentes" alude assim a um agrupamento social especificando os compromissos dos membros para com o grupo ele mesmo ou para com a sua liderança – ou seja: dos muitos-para-com-um.

Tal resulta de uma das definições gerais possíveis: "[a]s *a general definition, a group is adhesive to the extent that the social relations of its members are pairwise-resistant to being pulled apart*". Por conseguinte, nesse segundo caso, o dos agrupamentos baseados na adesão, a robustez é menor, asseveram, esgrimindo o contraste que operaram: pois que neles, "[w]*hat holds the group together where this is the major factor in group solidarity is the strength of adhesion of members to the leader, not the cohesiveness of group members in terms of social ties amongst themselves*". E não mais do que isso. Os nossos dois autores exemplificam aquilo que querem significar, notando que "[t]*he model of 'adhesion' rather than cohesion might apply to the case of a purely vertical bureaucracy where there are no lateral ties*".

Em termos intuitivos e acrescentando uma perspectivação "positiva" à "negativa" que preferi: se um grupo social é tão coeso quanto as relações entre os seus membros resistem a uma fragmentação, um grupo é do mesmo modo tão coeso quanto as múltiplas relações entre os seus membros para isso o empurrem e os agreguem.

Um terceiro e último exemplo de um mecanismo que garante uma forte solidez nas redes, mais amplo e difuso mas nem por isso menos eficaz, prende-se com a importância das "narrativas partilhadas", das "histórias" comuns de que falei na primeira parte da presente monografia. Não posso, nesse contexto, deixar de aqui dizer algumas palavras sobre a importância da presença do que muitos autores chamam "comunidade epistémica" entre os membros de uma rede, que lhe garante uma maior robustez e resiliência. Uma vantagem largamente ausente em hierarquias.

Não quero aqui perder tempo excessivo quanto à melhor definição de uma ideia tão contestada como a de "comunidade epistémica". Avanço, desde já, que a irei tomar como epíteto aplicável a um grupo, ou agrupamento, de pessoas que concordam quanto a uma "narrativa": ou seja, quanto a uma versão de uma história, ou relativamente a uma versão dos critérios de validação necessários para que seja acatada uma história[6]. Uma perspectivação deste tipo não é rara: pelo contrário, ela é explícita ou implicitamente adoptada por muitos analistas de sistemas e por muitos especialistas sobre terrorismo[7]. É por via de regra no quadro de uma comunidade episté-mica que é gerado e acumulado o que se chama o *capital social* de uma rede – como vimos uma sua dimensão importante.

Recorrendo a Moody e White e à sua noção de coesão, ou coesividade, é fácil discernir porquê. Comunidades epistémicas são sub-conjuntos de redes que apresentam uma grande densidade de ligações entre os seus "vértices", ou nodos, sejam eles *hubs* ou não. Formam, são, apresentam-se como bolsas locais de maior conectividade relativa. Muitas vezes constituem-se em *small worlds*, e até mesmo em "cliques"[8] que, por efeito da marginalização a que

---

[6] Assumo assim como minha uma posição que considero ecuménica se encarada em relação às posturas analíticas de A. Greimas, M. Foucault, às dos semiólogos, àquelas mantidas pela escola hermenêutica, ou a uma qualquer combinação delas – e muitas há. A minha preocupação é aqui de mera utilidade analítica. Em vez de "comunidade epistémica", ou de "círculo epistemológico", expressões de hermenutas, Michel Foucault (por exemplo), preferiu falar em *episteme*, domínios de "discursos" e dispositivos de "formação de enuncia-dos" que definiriam, em cada momento cronológico, as respectivas "condições de verdade". A um nível muito descritivo, a "definição" que aqui utilizo aproxima-se daquilo a que numerosos filósofos da ciência e analistas de sistemas chama um *mindset*, uma "postura mental", ou um *conceptual scheme*. Na política, fenómenos semelhantes de convergência são habitualmente definidos como "tendências", ou "facções". Em meios académicos, como "escolas", "correntes de pensamento", ou "perspectivações teóricas". O conceito de "narrati-va" que utilizo não está muito distante de um seu equivalente lateral comum e bem conheci-do, o de "ideologia burocrática": narrativas são como que uma espécie de ideologias de redes; ou melhor, e mais relacionalmente, redes estão para sistemas burocráticos como narrativas estão para ideologias corporativas.

[7] Nalguns casos de maneiras mais teorizadas do que noutros. Ver assim, por exem-plo, Kumar Ramakrishna (2005), "It´s the story, stupid! Developing a Counter-Strategy for Neutralizing Radical Islamism in Southeast Asia", já citado.

[8] São numerosíssimos os estudos recentes sobre *small worlds* e, nestes, sobre *cliques*; as propriedades destes tipos de redes tornam-nas comuns em *social networks* de todo o tipo. Ver, por exemplo, o enquadramento geral disponibilizado por um par de teóricos já citados, em Douglas White e Frank Harary (2000), "The Cohesiveness of Blocks in Social Networks Node Connectivity and Conditional Density". Estudos de maior fôlego são o de Mark Buchanan (2003),. *Nexus: Small Worlds and the Groundbreaking Theory of Networks*. Norton, W. W. & Company, Inc., e o de S.N. Dorogovtsev e J.F.F. Mendes (2003). *Evolution of Networks: from biological networks to the Internet and WWW*. Oxford University Press. Para um trabalho curto, ver Duncan J. Watts e Steven H. Strogatz, (1998). "Collective dynamics of 'small-world' networks", *Nature* 393: 440-442.

se vêem relegados e da intensificação concomitante da comunicação a que se dedicam, como que segregam um universo comunicacional próprio[9]. Dada a importância que a comunicação tem na própria definição *constitutiva* de um qualquer grupo social, o papel que preenchem não pode ser subestimado.

Um segundo de atenção revela-o. A intensificação de laços comunicacionais, associada ao estabelecimento de relacionamentos e interacções padronizadas, são ingredientes que agem com eficácia, formam dispositivos que, de maneira continuada, operam *uma transmutação constitutiva* nos relacionamentos interpessoais. Não só *criam*, mas mais ainda *alteram* agrupamentos[10]. Fluxos de informação, directa ou indirecta, verbal ou não-verbal, modificam (e fazem-no profunda e inevitavelmente) as coisas, na estrutura orgânica dos agrupamentos, reconfigurando-os. Adensam-nos. O tabuleiro material vê-se redefinido. O ideal também. Tipicamente, em tais casos noções abstractas como a de uma "vontade colectiva" começam a ganhar uma tangibilidade e uma concretude patentes. Ao ser intensificada e por conseguinte "normalizada" a comunicação, a "sociedade" torna--se sensível, quase como que, num sentido durkheimiano, um objecto puro e duro, uma qualquer "coisa" que se pode "tocar". Representações

---

[9] O grosso dos investigadores distingue com clareza entre "comunidades epistémicas" e comunidades "reais", ou "físicas", sendo que estas segundas, ao contrário das primeiras consistem de pessoas que partilham "riscos", em particular riscos físicos e muito materiais. Ao invés, comunidades epistémicas formariam apenas "comunidades de intenções". Conquanto em muitos casos essa distinção faça sentido e possa até revelar-se como imprescindível, ela não me parece universalmente generalizável - e portanto em todos os casos necessária.

[10] É inteiramente irrelevante para o meu argumento, como é óbvio, se existem ou não motivos políticos ou outros para a emergência (e até cogência) de uma comunidade epistémica Salafita, ou da própria al-Qaeda. O meu ponto incide sobre *a formação* e *a operação* desse tipo de comunidade, quaisquer que possam ser as suas justificações. Parece-me evidente, em todo o caso, que para a sua reprodução e capacidade de recrutamento, a *compelling narrative* precisa de ter alguma plausibilidade e, mais, que a sua eficácia varia em razão directa da plausibilidade "sócio-cultural" que tiver. Julgo indiscutível, em todo o caso, a emergência e o papel de consensos epistémicos no plano da criação e progressão de entidades como a al-Qaeda, que claramente se inscrevem num *Zeitgeist* cuja fundamentação (seja ela qual fôr) não cabe na economia deste texto. Para uma teorização de como o alcance e o ritmo do "contágio", nestas comunidades, depende das características específicas de cada rede, ver Edward Cartwright (2004), "Contagion and the Emergence of Convention in Small Worlds".

partilhadas como que ganham realidade, naturalizando-se. E grupos sociais, "comunidades", se se quiser *polities*, são constituídos no processo, enquanto realidades *emergentes*.

O contraste entre redes e hierarquias ao nível da *subjectivação* levada a cabo pelos actores sociais quanto à natureza intrínseca dos relacionamentos estabelecidos ajuda a perceber porquê. Numa hierarquia, a obediência a "ordens superiores" gera, no autor material de uma acção, um maior ou menor sentido de desresponsabilização pelo sucesso efectivo de um plano, ou campanha, um plano cujo delinear lhe foi por norma alheio e cujos objectivos lhe soam tantas vezes estranhos, ou lhe são relativamente indiferentes. Numa rede, pelo contrário, cada personagem pode ter a impressão de que adere de maneira espontânea e voluntária a um modelo que o inspira, mas um modelo que lhe deixa um suficiente grau de conformação para sentir as acções como acções suas e dedicadas a uma finalidade com a qual identifica plenamente a sua *Weltanschauung*. A rede constitui, por isso, uma estruturação bem mais sedutora, capaz de gerar uma vontade de adesão por parte dos sujeitos mais díspares e uma disponibilidade deles para actuar em palcos tão distantes quanto o de Nova Iorque, Bagdade, Madrid, Londres, ou Peshawar[11]. A *ductilidade subjectiva* das redes é, assim, o seu grande trunfo, permitindo uma fácil apropriação por uma causa: basta que os defensores desta, por exemplo os terroristas, estejam dispostos a ancorar os seus meios de luta numa *ética da convicção*, por oposição, por exemplo, à dos militares, que agem no pressuposto de uma *ética da responsabilidade*.

Com o intuito de mostrar com clareza aquilo a que me refiro quando falo em "comunidades", "cliques", "facções", ou até *small-worlds*, e do papel constitutivo que nelas a comunicação – em todos os seus aspectos – preenche, gostaria de dar mais um exemplo diagramático. Neste caso, o referente empírico é um clube de artes-

---

[11] O problema da autoria moral, bem como da cumplicidade e da instigação de um crime numa rede, para dar apenas um exemplo de uma das implicações disto é delicado e difícil (pelo menos em abstrato) de resolver, dado o carácter mutante e evanescente dos intervenientes na sua consecução. Com efeito, do mero *compagnon de route* acidental até ao bombista suicida mais empedernido, todos e nenhum parecem susceptíveis de incriminação, já por actual ausência do domínio do facto danoso no caso do primeiro (que se limita a incitá-lo), já por que é concomitantemente agente e vítima, no caso do segundo...

-marciais (no exemplo em apreço, *Karaté*), estudado em 1977 (a observação foi prolongada e cobriu um período de dois anos) por W.W. Zachary[12]. Num clube de karatécas com 34 membros teve lugar um diferendo entre o Administrador e o Instrutor, cada um deles conseguindo mobilizar facções para a sua respectiva "causa". Como resultado final, o Instrutor demitiu-se, indo criar um novo clube, para o qual levou os seus fiéis seguidores. Atento desde o primeiro momento e depois de dois anos de observação participante no processo-litígio, Zachary cartografou assim a clivagem:

---

[12] W.W. Zachary (1977), "An information flow model for conflict and fission in small groups", *Journal of Anthropological Research* 33: 452-473.

(a)

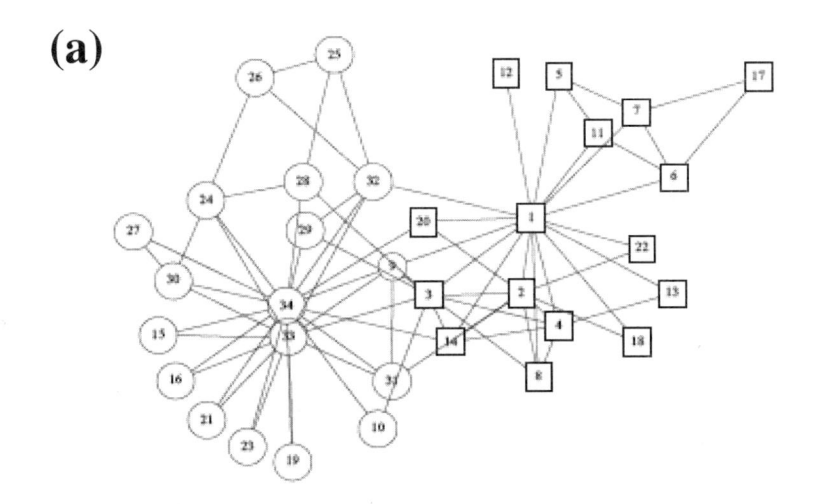

(b)

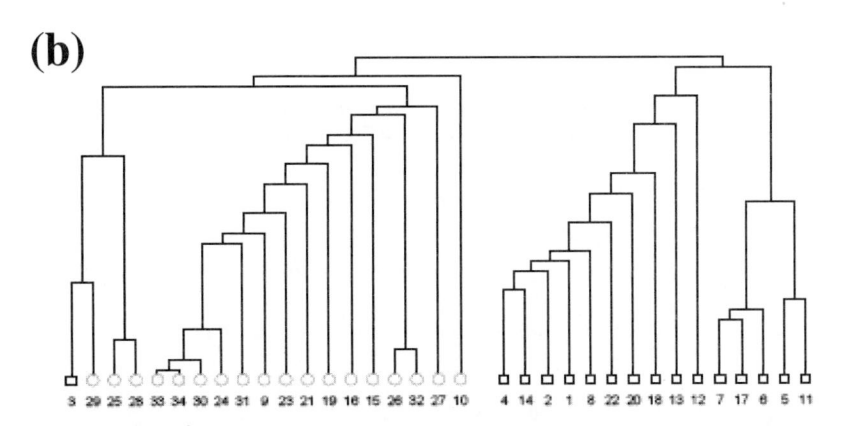

Figura. A rede de amizades (ou, se se preferir, a "estrutura de comunidades") posta em relevo no estudo de Zachary sobre um clube de *Karaté*. No grafo (a), os nodos associados à facção do Administrador do clube estão representados por círculos, enquanto que aqueles relativos à facção do Instrutor do clube foram desenhadas como quadrados. No grafo (b), uma árvore hierárquica, vemos a estrutura comunitária global da rede que os membros do clube de Karaté integravam. A correspondência entre a distribuição verificada e as facções empiricamente observadas por Zachary apenas discorda no que diz respeito ao nodo 3, mal classificado (um infiltrado? Um indeciso? Ou um "vira-casacas"?).

É de novo escusado elaborar sobre grafos como estes dois cuja informação, para além de riquíssima, é assaz transparente. A capacidade destas representações para dar conta de relacionamentos sociais parece-me evidente. Tal como, aliás, patentes são neles algumas das dinâmicas dos processos de formação de "comunidades" e dinâmicas sociais.

4.2. *O potencial regenerativo comparado das* scale-free networks *quando fazem frente a hierarquias*

> *"We've built a major black-is-white logic reversal into the very nature of the threat: Although we've killed countless members of the enemy group, including much of its leadership, disrupted its infrastructure, captured reams of intelligence on its activities, it's suddenly stronger than ever before. Likewise, we ascribe substantial organizational talents to what we also describe as uniquely disorganized. This new group has become [...] a threat not least of all because it is less a group than the former group, which itself was notable for its loose-knitness (although, in comparison with the new group, the former group was apparently a model of central governance). By the logic we are applying to Al Qaeda and its offspring, we can never prevail. Whatever we do to thwart the enemy just makes it stronger. We are always, because of our size and power and resources, necessarily weaker".*

> M. WOLFF (2002), "Homeland Insecurity", *New York Magazine*. July 8

No seguimento dos passos dados, é possível agora dar um salto em frente na nossa conceptualização "evolucionária" e relacional, ou se se preferir *adaptativa*, das redes sociais *scale-free* que tenho vindo a dissecar, o que nos irá a prazo permitir melhor compreender as suas capacidades intrínsecas de regeneração no tempo e a emergência de uma coordenação e de uma aprendizagem enquanto peças, ou ingredientes, dessa evolução.

Cada coisa, porém, a seu tempo. De momento, atenhamo-nos aos diferenciais existentes nas capacidades de redes e hierarquias em se reconstituir quando agredidas. Retomo aqui, com um exemplo empírico, aquilo que já equacionei num plano mais analítico.

Fiz alusão, na primeira parte deste trabalho monográfico, aos tão destrutivos "efeitos de cascata" que as redes podem ter sobre sistemas hierárquicos, e fi-lo no quadro de uma descrição mais genérica do facto de que as primeiras (as redes) possuem uma enorme vantagem táctica sobre as segundas (as hierarquias)[13]. As hierarquias, por sua vez, *não* têm de todo este tipo de efeito destrutivo potencial sobre as redes[14]. Como escreveu com lucidez o já citado B. Moore[15], cujas palavras não quero deixar de repetir, "[t]*he obvious advantage of a network over a hierarchy in this respect is that it makes a decapitation strike by an adversary much more dif?cult*". Mais difícil, como vimos, menos permanente e potencialmente catastrófica, dado o enorme potencial de regeneração reconstitutiva das redes atingidas.

Não será uma perda de tempo apurar quanto isso é verdade no que toca a agrupamentos como os terroristas. Vou assim ilustrar aquilo que antes equacionei em meros termos analíticos. Para tanto, recorro a uma série de representações diagramáticas, desta feita grafos produzidos por Kathleen M. Carley[16], uma ilustre investigadora de sistemas norte-americana, que tem trabalhado para o *State Department* e para a Marinha dos Estados Unidos e se especializou em análises técnicas sobre a organização da al-Qaeda e na do Hamas.

---

[13] Para um curto mas muito informativo tratamento matemático da operação de destruições em cascata em *complex networks*, nomeadamente em redes *scale-free* sujeitas a ataques malévolos, ver o artigo de A. Motter e Ying-Cheng Lai (2002), "Cascade-based attacks on complex networks", publicado na prestigiadíssima *Physical Review*, 66, 0651021-4. O primeiro autor publicou um pouco depois outro artigo afim, na mesma revista: Adilson Motter (2004), "Cascade Control and Defense in Complex Networks".

[14] A eficácia de redes na luta contra estruturas hierárquicas cedo foi reconhecida por militantes políticos empenhados em derrubar formas estaduais. Um só exemplo, já que incluí muitos outros no meu artigo relativo à comunicação que fiz no IDN em Novembro de 2005. Escrevia Michel Foucault, em 1977, na sua curta mas muito política Introdução ao livro de Gilles Deleuze e Félix Guattari, *L'anti Oedipe. Capitalisme et Schizophrénie*, publicado em França poucos anos antes, "*faites croître l'action, la pensée et les désirs par prolifération, juxtaposition et disjonction, plutôt que par subdivision et hiérarchisation pyramidale*". O seu objectivo explícito: a luta contra "o fascismo" em sentido lato.

[15] *Ibid.*, idem.

[16] Kathleen M. Carley (2001), *Destabilizing Networks*: pp.5 a 10.

Trata-se de retratos sincrónicos de simulações dinâmicas de "decapitações" e das suas respectivas consequências no plano da estruturas organizacionais. No que a isso toca, contrastam as implicações de acções de decapitação em *hierarquias* com as que ocorram em *redes*. Note-se que o que está em causa é a remoção de nodos e não a de conexões, uma outra táctica eficaz. As legendas (que traduzem, quase literalmente, as de K. Carley, embora adaptando a terminologia que ela usa àquela que aqui prefiro) dizem quase tudo. Acompanho-as com comentários que visam conduzir a interpretação do que é representado e das suas implicações mais relevantes para a presente comunicação.

Comecemos, tal como Carley o fez, pela representação gráfica simplificada ("estilizada", é o termo que ela utiliza) de uma hierarquia relativamente simples. Repare-se que, por razões que se tornarão evidentes, Carley decidiu-se por uma estrutura hierárquica com apenas duas funções (as funções de "liderança" e de "centralidade"), e por uma estrutura que é mais robusta pois que estas funções estão nela "distribuídas" (um conceito fácil de perceber no contexto) em nodos diferentes. Note-se, ainda que, decerto para simplificar a leitura, neste como nos casos seguintes a analista norte-americana preferiu *não* representar graficamente os "graus", as ligações, a centralidade, a que tão-somente alude: caso o tivesse feito, a complexidade do diagrama seria ampliadíssima, e com toda a probabilidade seriam precisas *duas* cores para representar de maneira legível os *links*.

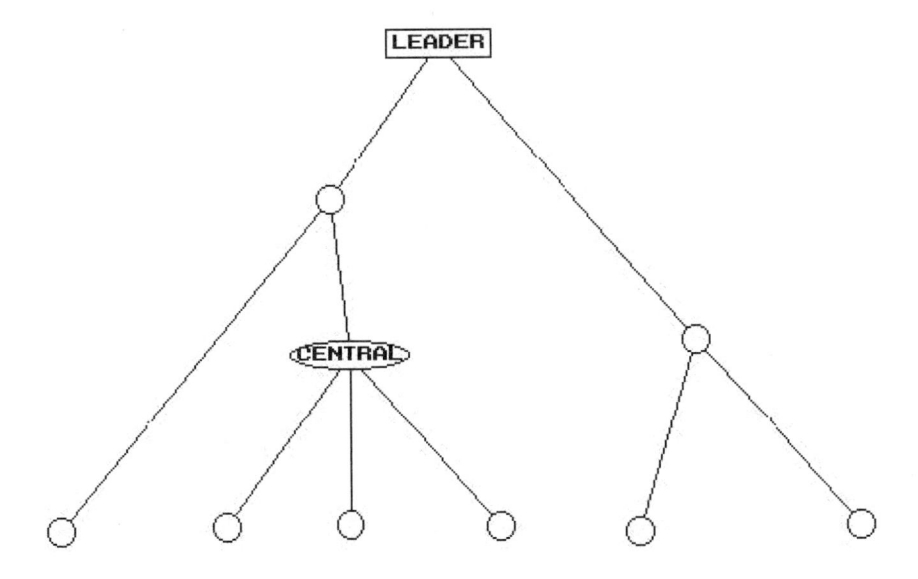

Figura 1a. Remoção de um líder emergente numa hierarquia centralizada estilizada – estrutura inicial

Como se pode ver, uma hierarquia idealizada e bastante simples, à qual podemos com facilidade atribuir um ou outro conteúdo empírico: imaginemos, por exemplo, que se trata do grafo da organização formal de um agrupamento político-militar, com uma divisão interna de funções – entre o *leader* e o *central*, seja qual for a função deste último – desenhada para lhe garantir uma maior capacidade de regeneração na eventualidade de um ataque.

De fora para dentro, procedamos agora à "remoção", por "decapitação", do nodo (*"hub"*), que detém a liderança. E observemos o resultado, num primeiro passo apenas no plano "mecânico", para usar uma linguagem dinâmica para um puro acto burocrático: o de executar, no diagrama, a excisão que K. Carley decidiu simular. Num *freeze-frame* diagnóstico, eis o que acontece:

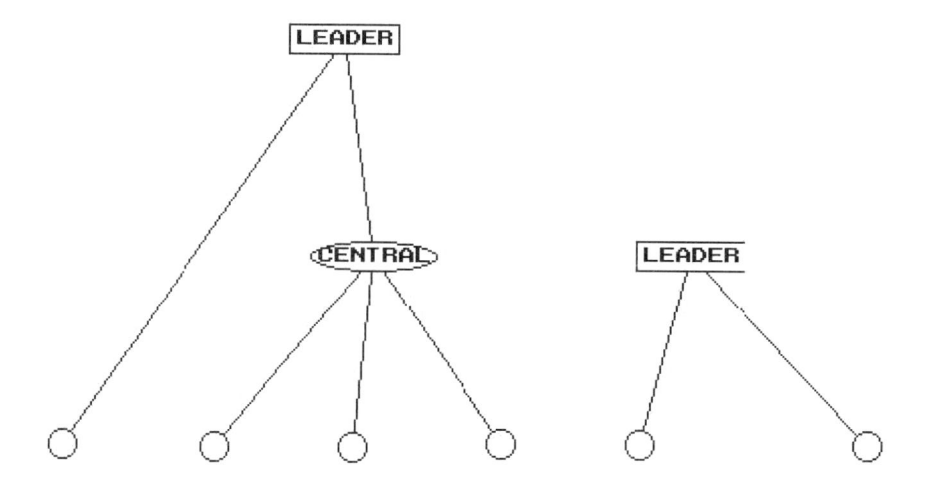

Figura 1b. Remoção de um líder emergente numa hierarquia centralizada estilizada – resposta imediata à remoção de um líder emergente

E em termos *materiais*, por assim dizer, o que se passa mal a estrutura hierárquica tenha o tempo e a oportunidade de reagir? Qual é a configuração resultante logo que uma reorganização ocorra – supondo nós, como é evidente, que se mantenha no processo a mesma *preferência configuracional*, para inventar um conceito. Ou seja: se em vez de *aprender*, *evoluir* e, em função desses dois processos, alterar o seu formato (ou, talvez melhor, a sua formatação) a hierarquia inicial insistir em se reproduzir *telle quelle*?

REMOVED

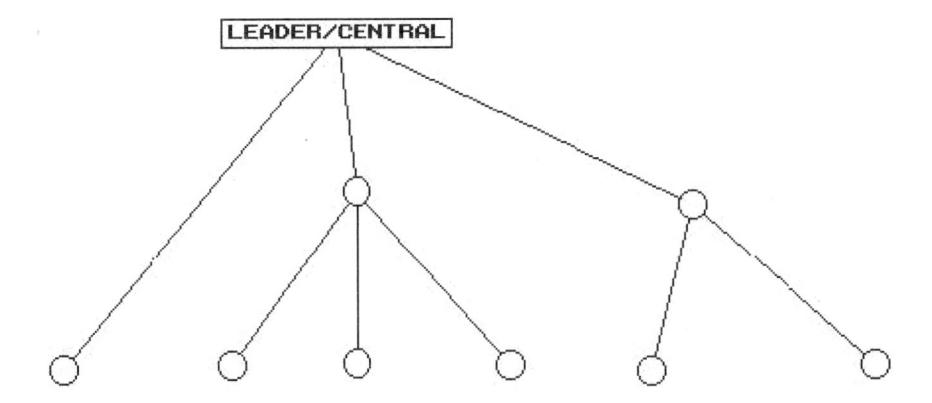

Figura 1c. Remoção de um líder emergente numa hierarquia centralizada estilizada – resposta eventual

A resposta eventual: uma hierarquia semelhante à inicial, mas numa versão reduzida e simplificada: com menos "níveis" e menos "graus" de conexão nos nodos remanescentes, incluindo no *hub* de "topo". Pior ainda, no exemplo escolhido, verifica-se como resultado uma sobreposição, consequente, mas que antes não estava lá, das funções de liderança e centralidade: indicador de uma vulnerabilidade maior da hierarquia reconstituída face a futuras "decapitações". Não podemos, como é óbvio, generalizar quanto à maior ou menor adaptabilidade desta nova estrutura organizacional em novos "meios ambientes". Não é impossível, por exemplo, que *small* seja *beautiful* na conjuntura pós-"decapitação": na maioria dos casos, no entanto, o que Carley nos mostra soletra um enfraquecimento relativo.

Passemos agora a uma rede *scale-free*, esta aparentemente relativamente frágil, pois que acumula num só nodo as mesmas funções de liderança e centralidade. Como se comportará face a uma decapitação do mesmo tipo? Começo por apresentar o grafo de Carley sobre a estrutura organizacional escolhida:

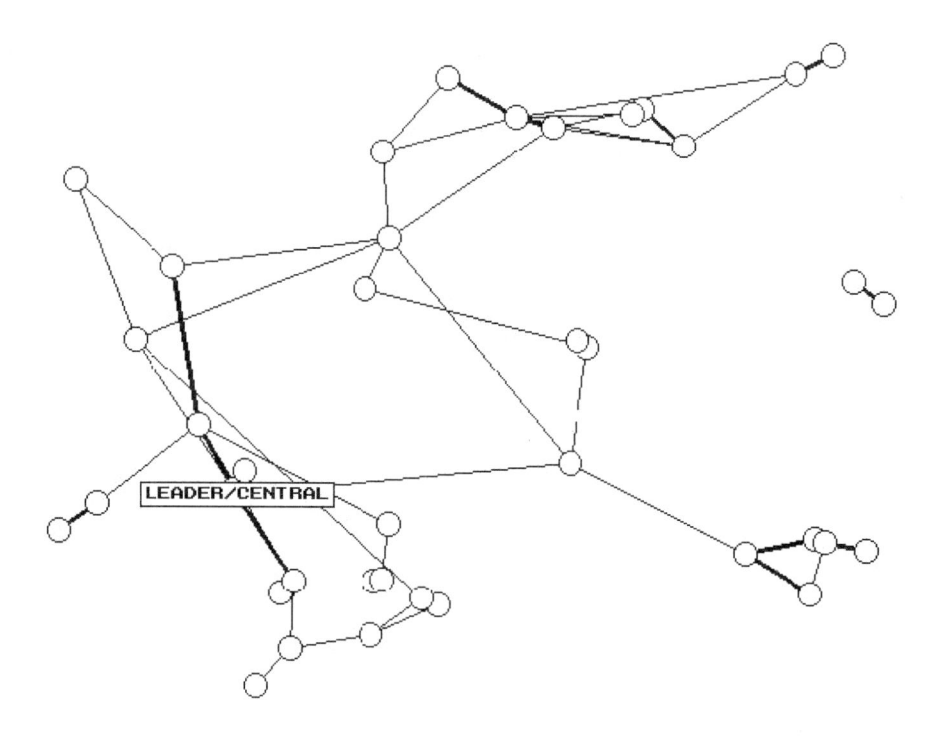

Figura 2a. Remoção de um líder emergente numa rede descentralizada estilizada – estrutura inicial

Simulemos, então, para esta rede, uma "decapitação" induzida a partir de fora, à imagem do que antes fizemos com a hierarquia que mostrámos. Note-se, repito, que por mera comodidade e economia analíticas, no diagrama de Carley que escolhi se verifica (ao invés do que foi o caso anterior) uma arriscada sobreposição pura e simples entre as funções de liderança e o lugar de *hub* central, apetrechado, por assim dizer, com mais "graus". Com isto em mente, observemos aquilo que acontece.

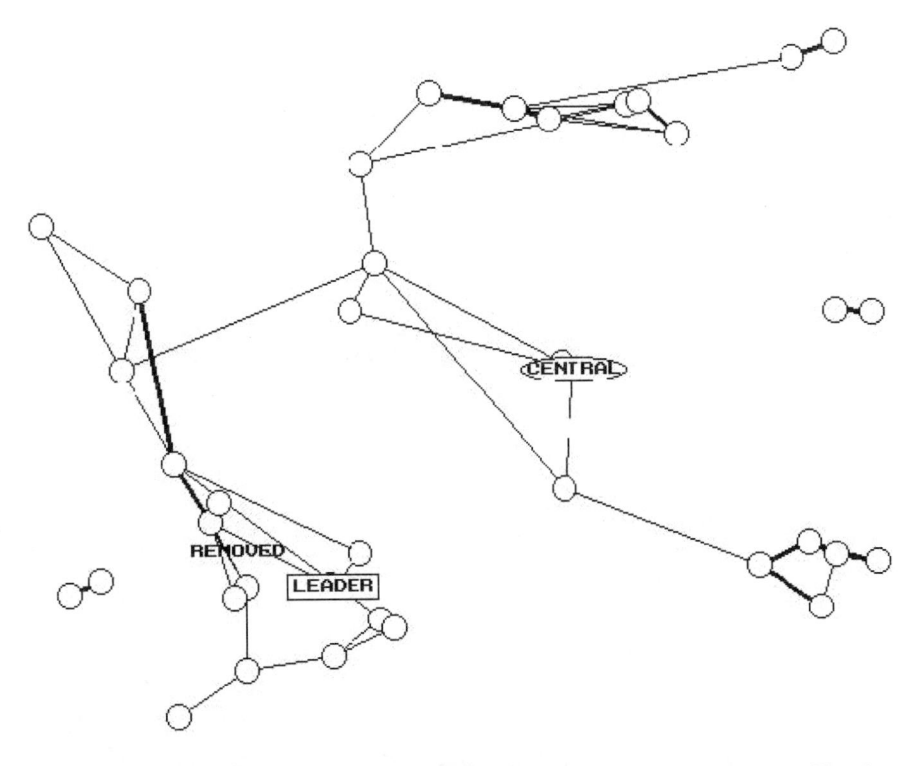

Figura 2b. Remoção de um líder emergente numa rede descentralizada estilizada
– resposta imediata à remoção de um líder emergente

Esta a resposta imediata, num sentido *instantâneo* se se quiser, de uma consequência mecânica. E, de uma perspectiva *mais mediata,* o que acontece face à decapitação induzida? O que ocorre é uma reconstituição surpreendente, resultante de um processo de autonomização dos "fragmentos" (os grupos de nodos remanescentes e os seus "graus" de conexão) e de uma "migração" efectiva, parcial ou total, de funções.

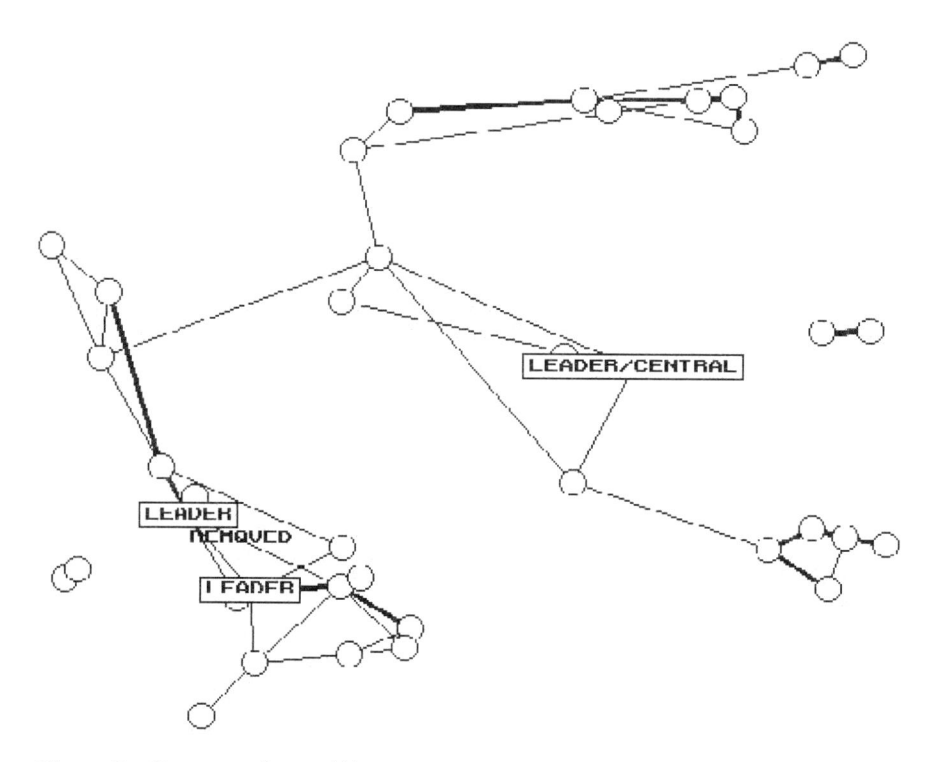

Figura 2c. Remoção de um líder emergente numa rede descentralizada estilizada
– resposta eventual

Face à limpidez intuitiva do grafo, não valem a pena mais comentários. A tracejado, a analista americana incluíu "graus" potenciais que porventura o serão visto corresponderem a ligações entre entidades que na estrutura inicial comunicavam entre si por intermédio de várias conexões indirectas.

Que mais podemos dizer? É escusado sublinhar a informação disponibilizada por um escrutínio minimamente atento destes diagramas de Kathleen Carley. O mais importante para os objectivos desta comunicação, no entanto, prende-se com dois pontos. Por um lado, as simulações de Carley iluminam minudências das reorganizações configuracionais *internas* desencadeadas como reacções imediatas e mediatas de reajustamento face a acontecimentos induzidos do exterior: no caso concreto em apreço, uma "decapitação". Fazem-no com nitidez fria, mas fazem-no numa câmara suficientemente lenta, por assim dizer, para que se torne evidente que a notável regeneração organizacional conseguida resulta, nos casos apreciados, da operação de mecanismos sistémicos *endógenos* de auto-organização.

Por um outro lado, porém, estes grafos demonstram-nos muitíssimo mais, a saber: mostram-nos que os embates simulados dão palco a uma notória vantagem formal das redes sobre as hierarquias, uma das vantagens em que radica a sua mais ampla capacidade de adaptação e, por isso mesmo, de sobrevivência. Estou, evidentemente, a fazer alusão à capacidade regenerativa, reconstitutiva, quase que como a de um vírus, ou de um tumor cancerígeno, que as redes manifestam e a que já fiz alusão.

4.3. *A evolução adaptativa das* scale-free social networks *quando estas sofrem embates que afectam a sua integridade e sobrevivência*

> *"Al-Qaida also controls support cells that generate funds and clandestine cells that disperse them. Before Sept. 11, 2001, the organization was hierarchical – subsequent to it, it was flat. Indeed it is always liable to change its structure according to circumstance, and is increasingly clandestinely choosing to operate through front, cover and sympathetic organizations. The leveling of al-Qaida sparked structural alterations and cell specialization. Many jihad groups evolved in a similar manner, and changed in form (hierarchical to cellular) and in purpose (regional to international) subsequent to the attacks on the World Trade Center and the Pentagon. Their evolution occurred because cells comprised of individuals from different nations came together to carry out attacks and then melted away again".*
>
> CHARLOTTE FLEISHMAN (2005), "The Business of Terror: Conceptualizing Terrorist Organizations as Cellular Businesses", *Center for Defense Information, www.cdi.org.*

Face ao que até aqui expus, torna-se agora muito mais simples, assim o espero, gerar generalizações fáceis de compreender relativamente às reacções adaptativas que ocorrem em redes, uma vez confrontadas estas de maneira sistemática por estruturas hierárquicas que as ameacem. Daquilo que mostrei com os grafos de Kathleen M. Carley, podemos de imediato enunciar uma primeira generalização: enquanto que as hierarquias, uma vez decapitadas, ou se degradam rapidamente por efeito de destruição em cascata ou sofrem uma enorme e pesada *redução* de *níveis* e de *graus*, as redes sujeitas ao mesmo tipo de pressão externa *multiplicam-se* numa espécie de metástases, ou num género de "reprodução" viral, para usar duas metáforas. Fazem-no sem que isso redunde em quaisquer verdadeiras perdas no plano da sua conectividade; ou, por outras palavras, não só não se extinguem, mas, bem pelo contrário – e ao invés do que se passa com hierarquias – *tornam-se mais, e não menos, activas e perigosas.*

Este é um bom momento para ensaiar um recuo maior e para tentar uma perspectivação teórico-metodológica do conjunto formado sobre muito daquilo que até aqui tratei de descrever. Antes de avançar num arrolamento de adaptações e mecanismos que as subtendem, vale certamente o esforço reflectirmos por uns segundos sobre a perspectiva *evolucionária* que tenho usado e que tenho insistido em manter[17]. Quero aproveitar o ensejo para alguns comentários de enquadramento de fundo sobre a chamada *4th Generation Warfare*, quando esta é encarada numa perspectiva em simultâneo dinâmica e adaptativa. Qual é o melhor quadro para um cômputo geral capaz e convincente das mudanças organizacionais verificadas em entidades como a al-Qaeda? De que ângulo analítico a mudança

---

[17] Quanto a este ponto, a bibliografia disponível é imensa. E vem de há muito. Um trabalho clássico sobre esta perspectiva no que respeita sobretudo a *scale-free networks*, é o de Kathleen M. Carley (1999), "On the Evolution of Social and Organizational Networks". Numa obra colectiva sobre terrorismo também publicada em 1999 pela Rand Corporation, Ian Lesser sugeriu (p. 25) que as organizações terroristas teriam "uma capacidade inerente" para aprender, afirmando que, para entidades como a al-Qaeda, *"an almost Darwinian principle of natural selection […] seems to* [operate], *whereby every new terrorist generation learns from its predecessors – becoming smarter, tougher, and more difficult to capture or eliminate. Terrorists often analyze the mistakes made by former comrades who have been killed or apprehended"*. Para uma visão geral, mais descritiva do que analítica, ver o trabalho de Brian Michael Jenkins (2006), "The New Age of Terrorism", Rand.

se torna mais inteligível? Qual o paradigma para que nos devemos mobilizar conceptualmente para a abarcar? Parece-me que a melhor resposta para este grupo de questões é enunciável numa só palavra: *evolução.*

Agrupamentos terroristas organizados em rede como a al-Qaeda, num certo sentido restrito tal como organismos biológicos, são antes do mais *sistemas evolucionários.* Adaptam-se e, para tanto, mudam. Apesar das limitações que, como iremos ver, ferem a transposição pura e simples de modelos evolucionários *darwinistas* para enquadramentos destes, certo é que a fórmula evolucionária geral – primeiro variação, depois selecção, e por fim replicação – constitui um razoável princípio formal genérico, equaciona um mecanismo operativo[18]. As *scale-free social networks*, enquanto formas organizacionais, *evoluem.* As redes terroristas são entidades dinâmicas, *adaptam-se.*

Como é que esse mecanismo funciona no que toca à matéria--prima organizacional do terror? Permito-me meia dúzia de sugestões. Os planos de acção dos agrupamentos terroristas são os equivalentes político-militares do ADN, e as "células operacionais" o veículo, ou o hóspede deles no Mundo real. É fácil imaginar uma espécie de "Biblioteca de Babel", *à la* Jorge Luis Borges, de todos os planos de acção concebíveis, desde ataques suicidas levados a cabo por jovens de uniforme contra postos de polícia em plena luz do dia, a bombas escondidas ao lado da uma estrada a caminho de um aeroporto, passando por uma mulher-bomba no meio de um grupo de partici-

---

[18] Esta é uma de um grupo de explicações apelidadas por Robert Nozick [em Robert Nozick (1994) "Invisible-Hand Explanations", 84 (2) *The American Economic Review*, pp. 314 a 318]. As *invisible-hand explanations* são figuras, ou talvez melhor configurações, que conhecemos bem mas compreendemos mal: descrevem um padrão, um *"pattern or institutional structure that apparently only could arise by conscious design"* que efectivamente são um produto secundário da interacção de diversos agentes que não tinham esse padrão ou esse desenho institucional em mente (idem, *op. cit.*, p. 314). Segundo Nozick, existem dois tipos fundamentais de processos deste género, dois tipos de mecanismos que logram esse efeito secundário. Por um lado, podem operar *"filtering processes, wherein some filter eliminates all entities not fitting a certain pattern"*, ou seja, processos eliminatórios que por uma desmontagem sistemática do "excesso", como que *chegam* ao padrão final; e, por outro lado, mais construtivamente, *por adição* por assim dizer podem entrar em operação: *"equilibrium processes wherein each component part adjusts to local conditions, changing the local environments of others close by, so the sum of the local adjustments realizes the pattern"* (ibid, *op. cit.*, *loc. cit.*).

pantes num enterro, ou sequências mais sofisticadas de actuações bélicas que envolvam ataques encadeados uns nos outros de acordo com uma gestão previsional cuidada de movimentos de pessoas em reacção a cada um dos ataques empreendidos[19]. A evolução disponibiliza uma maneira notavelmente eficaz para os actores envolvidos nas actuações político-militares vasculharem esta vasta biblioteca na busca de manobras viáveis, encontrando soluções num amplo mar de possibilidades, por assim dizer.

Uma colecção numerosa de agrupamentos lassamente inter-ligados entre si, ou até quase inteiramente desligados uns dos outros mas a observarem as acções respectivamente levadas a cabo segundo os seus próprios modelos de actuação, oferecem a fonte de variação necessária. Uma espécie de "mercado terrorista", impõe, por sua vez, uma forma poderosa e notavelmente eficiente de selecção. E embora os planos de acção não consigam reproduzir-se a si mesmos, aqueles que exibem sucesso tendem a sorver uma parcela substancial da actuação e dos recursos político-militares, à medida que agrupamentos se expandam à sombra desse sucesso e que outros, que os observam, pura e simplesmente os copiam[20].

Processos como estes têm sucesso "evolucionário"-adaptativo no plano da actuação terrorista como um todo, ao mesmo tempo que

---

[19] Ver Armando Marques Guedes (2006), *op. cit.*, parte 1.

[20] Quero aqui sublinhar qual o limite lógico-formal que fere a transponibilidade pura e dura do conceito de evolução para estes âmbitos. Deve ser sublinhado que a perspectiva evolucionista aqui utilizada deve mais a Lamark do que a Darwin, como leitores atentos já terão decerto notado: ao contrário do darwinismo, na progressão de redes terroristas traços adquiridos são "hereditários" (no sentido de replicados na "geração" seguinte), o que lhes outorga, senão um *telos*, pelo menos uma direcção relativamente "organicista" e previsível nas transformações verificadas, o que está ausente no darwinismo. Dever-se-á por conseguinte falar de uma *adaptação dinâmica* mais do que propriamente numa *evolução*? O certo é que a ideia de evolução (se e só se tomada numa acepção lamarkiana, note-se) é mais intuitiva e linguisticamente mais económica. Em simultâneo, note-se também que embora estejamos perante processos lamarkianos de aquisição e acumulação de traços, num plano mais macro entra em jogo uma selecção darwinista "cega" dos formatos organizacionais que acabam por "sobreviver". Por isso utilizo, embora o faça com os cuidados devidos, a noção de *evolução*. Prefiro-lhe muitas vezes, contudo, a ideia (mais localizada) de *adaptação*. Não me coibo de ir sempre fazendo menção do jogo darwiniano de um "*survival of the fittest*", que ocorre em níveis mais macro de "competição" (no plano que resulta do que chamei as *arms races* organizacionais).

são friamente indiferentes quanto ao destino dos agrupamentos individuais que a integram e compõem. Em muitos casos o funcionamento do sistema evolucionário que retratei a traço espesso pode revelar-se, mesmo, como implacável: é provável que, em diversas circunstâncias conjunturais, o progresso conseguido resulte mais de uma *substituição* de uns agrupamentos por outros do que de uma qualquer estratégia de *renovação* dos grupos terroristas "incumbentes" num dado momento[21]. O facto, porém, é que enquanto dispositivos de selecção adaptativa tais processos podem ser de uma eficácia vertiginosa.

Ligando isto àquilo a que atrás fiz alusão a respeito das vantagens e desvantagens "logísticas" das redes sobre hierarquias é agora possível entrever *o lugar de inserção* de processos de aprendizagem em redes terroristas como a al-Qaeda. Mas mais do que isso, começamos a vislumbrar *a mecânica* das constantes mutações e da aparente fluidez organizacional deste tipo de agrupamentos apostados em se adaptar a "meios ambientes" circundantes muito hostis, como aqueles em que grupos fracos tendem a encontrar-se em situações confrontacionais de marcada *assimetria*.

---

[21] Para uma aplicação à "evolução organizacional" das teses do chamado *punctuated equilibrium*, ver I. Price (1995),"Organisational Memetics. Organisational Learning as a Selection Process".

4.4. *A evolução da al-Qaeda enquanto um fenómeno adaptativo emergente, auto-organizado e contínuo*

> "*Whether terrorist networks will conform to the principles and processes that their topology and structure suggest remains to be seen. There is no reason to believe, however, that terrorist organization will not capitalize on the advantages of self organized networks. Terrorist organizations demonstrate the flexibility, robustness, embeddedness, boundary permeability, and interdependence with context associated with many different types of contemporary organizations throughout the world*".
>
> CYNTHIA STOHL and MICHAEL STOHL (2002), "The Nexus and the Organization: The Communicative Foundations of Terrorist Organizing", *paper* não-publicado preparado para a NCA Organizational Communication Preconference, New Orleans, 20 de Novembro de 2002, intitulada *Communication in Action: The Communicative Constitution of Organization and its Implications for Theory and Practice*

Antes de passar à frente quanto à mecânica gerada a partir desse lugar de inserção e antes de equacionar, implantando-as aí, questões especificamente relativas à coordenação e à aprendizagem, bem como às suas inter-relações, deixem-me regressar brevemente à organização e liderança da al-Qaeda. A finalidade, ao fazê-lo neste ponto da minha exposição, é a de disponibilizar um enquadramento de algumas das implicações muito concretas do potencial de auto-organização a que aludi, e fazê-lo de modo a facilitar a compreensão do que se segue. Repito que não cabe nas finalidades desta monografia discutir os eventuais motivos desta ou de qualquer outra organização terrorista: limito-me a continuar a focar questões "topológico"-organizacionais e a sua dinâmica.

A perspectiva que aqui utilizo parece sugerir que a atitude e postura de bin Laden terão sido desde muito cedo mais permissivas do que propriamente criativas; e muitíssimo mais instigativas do que directamente causais. Por muito que tenha tentado ser mais do que isso (e sem dúvida que o tentou), Osama bin Laden tem-se comportado mais – tanto quanto sabemos – como uma imagem-guião, uma *tag* (uma entidade "etiqueta") do que, em sentido pleno, tem vindo a operar como entidade em controlo. Por outras palavras: tem funcionado mais no registo de foco de mobilização do que enquanto comandante activo num qualquer sentido "clássico". Não sabemos se tal é desejado, ou não, por bin Laden: nem isso é essencial[22].

O meu ponto é o seguinte: por intermédio da disponibilização, simultânea, de um simbolismo directo e frontal de liderança (conjugado com o seu ímpeto implícito para um *networking* amplo), e de liderança indirecta e *multiplex*, assim fomentando a emergência de estruturas auto-organizadas e muito descentralizadas, a al-Qaeda inicial de bin Laden de facto opera desde há já alguns anos segundo uma formatação em que tem oferecido *"models of creativity, dropped seeds of innovation, encouraged innovative initiatives, stimulated growth of supporting resources, and stayed out of the way of spontaneous growth and innovation"*[23]. Um ponto a que regressarei depois de introduzir mais uma mão-cheia de conceitos-chave, por forma a que este *modus operandi* e a sua eficácia se tornem mais facilmente inteligíveis.

Para já, e num primeiro balanço: o que podemos, então, concluir no que toca ao comando e controlo operacional exercido na al--Qaeda, antecipando um pouco uma discussão mais teórica a que irei dedicar alguma atenção na terceira secção do presente trabalho? Avanço de imediato uma hipótese de trabalho, que irei mais tarde revisitar em contexto conceptual apropriado: Osama bin Laden é talvez mais *uma figura-de-proa catalizadora altamente visível* do que um *capo*, uma espécie de "facilitador" que opera motivando e acompanhando – mas, em boa verdade, fazendo-o sem grandes interferências materiais e directas nas acções concretas a desencadear ou na sua coordenação prática.

---

[22] Possivelmente, aliás, não o será. Um indício foi a ordem *"attack now"*, interceptada no Paquistão há poucos meses, que levou à prisão imediata dos comandos em causa. Casos como este (e decerto outros haverá que nos não são dados a conhecer para não pôr as fontes em risco) sugerem uma vontade centralista e mostram os riscos em que a organização incorre se nela persistir. O meu argumento é que são precisamente lições deste tipo que têm levado a uma crescente fluidez organizacional da al-Qaeda.

[23] Marion Uhl-Bein (2005) "Al-Qaeda structure and leadership".

Mas sem por tudo isto perder eficácia na sua "liderança". Como? Da maior importância, como iremos ver, é o facto de no palco central por assim dizer, ter estado a organização ela mesma, a própria al-Qaeda: o "quási-grupo", para tomar emprestado um conceito oriundo da Sociologia das Organizações[24]. Mais do que um "chefe" dessa tão difusa entidade organizacional, bin Laden é melhor concebido como constituindo uma curiosa "propriedade" dela. Voltarei também a esta questão específica.

Antes disso, porém, convem-nos dar um passo em frente quanto ao que tem sido a evolução organizacional da al-Qaeda. Fá-lo-ei usando o ataque de Madrid como *case-study*.

4.5. *O ataque aos comboios em Madrid a 11 de Março de 2004 no quadro genérico da progressão organizacional da al-Qaeda: os "núcleos duros operacionais" e a importância e força das "conexões fracas"*

> *"I consider network consolidation, and in particular how it is that networks may come to look like single point actors: how it is, in other words, we are sometimes able to talk of 'the British Government' rather than all the bits and pieces that make it up. I then examine the character of network ordering and argue that this is better seen as a verb – a somewhat uncertain process of overcoming resistance – rather than as the* fait accompli *of a noun".*
>
> JOHN LAW (1992), "Notes on the Theory of the Actor-Network. Ordering, Strategy and Heterogeneity", *Centre for Science Studies, Lancaster University*

---

[24] Mesmo as várias entidades que, conjuntamente, compõem este quási-grupo – de fileiras da Irmandade Muçulmana ao Jihad Islâmico, à gente de al-Zawahiri e tantos outros – operaram, se não *a contrario*, em todo o caso de maneiras atípicas do ponto de vista de uma consolidação organizacional. O funcionamento que têm tido, enquanto uma espécie de embrião, tem sido indirecta: não têm impedido, mais do que positivamente tenham vindo a criar, o crescimento evolucionário da rede al-Qaeda tal como hoje a conhecemos. No sentido em que possamos afirmar que Osama bin Laden tem tido sucesso, podemos por isso dizer que tal aconteceu não tanto por aquilo que ele *fez* como por aquilo que *pretendeu* e aquilo que *não* fez. Também retomaremos este ponto.

Os ataques da al-Qaeda que ocorreram em Madrid tiveram lugar no dia 11 de Março de 2004. Foi a maior acção terrorista de sempre em solo europeu e consistiu nas explosões, a poucos minutos umas das outras, de várias mochilas carregadas de explosivos criteriosamente depositadas em diversos locais nevrálgicos de uma estação de caminhos de ferro da capital espanhola. As mochilas foram detonadas por telemóvel. Morreram 191 vítimas civis e houve 1.500 feridos, alguns deles feridos graves. No dia seguinte, manifestações de protesto congregaram, por toda a Espanha, mais de doze milhões de pessoas. Indignados pela insistência do governo conservador do PP em culpar a ETA pelos atentados, numa clara manobra eleitoral, os eleitores deram nas urnas uma vitória inesperada aos socialistas do PSOE três dias depois, a 14 de Março.

Um dia antes disso, a 13, a Polícia prendeu cinco suspeitos, três deles de Marrocos e dois oriundos da Índia. Os 3 marroquinos viviam em Madrid há já alguns anos e tinham aí uma Loja de Telefonemas (chamada *Locutorio "Nuevo Siglo"*), identificada pelas autoridades com base nos telefones móveis capturados. Passados três dias, a 17 de Março, as autoridades identificaram e atacaram um apartamento em Leganes, um subúrbio localizado na parte sul de Madrid, onde se encontravam os sete perpetradores do ataque à estação ferroviária. Esta "célula" reagiu, fazendo explodir a residência, o que vitimou mortalmente os sete terroristas e um agente especial da Polícia espanhola. Cinco desses terroristas do grupo operacional eram de Marrocos, um da Tunísia, e o último da Argélia. Na sua maioria, os sete suicidas eram membros da célula Abu Dahdah da al-Qaeda espanhola. O tunisino fazia também parte do Grupo *Salafiya Jihadija* e do Grupo de Soldados de Alá, enquanto o argelino estava ligado ao GIA (Grupo Islâmico Argelino).

Com a morte dos sete membros operacionais e os cinco do *Locutorio*, a Polícia espanhola considerou de início que tinha conseguido desmantelar a estrutura central por trás dos ataques. Enganou--se. Como no-lo relata um Professor de Barcelona, José A. Rodríguez[25],

---

[25] José A. Rodríguez (2005), "The March 11th terrorist network. In its weakness lies its strength", *Grupo de Estudos de Poder y Privilegio, Departament de Sociologia i Anàlisi de les Organitzacions Universitat de Barcelona*; um notável *Working Paper* apresentado pela Universidade de Barcelona. *Op. cit.*: pp.6-7, do *pdf* de José A. Rodríguez, não paginado, mas facilmente disponível (em vários *sites*, aliás) na *net*.

"[t]*wo weeks after the terrorist action, nineteen suspects had been arrested. Police work in the following months resulted in further arrests: fourteen in April and six in May (five of them affiliated with an Al-Qaeda cell). By the end of June, the police had been able to track down most of the perpetrators and associates. More than 50 people had been arrested or interrogated, including twelve Spanish citizens that supplied the explosives*".

A investigação policial seguiu moldes clássicos. As primeiras prisões seguiram-se a uma análise dos equipamentos e dos materiais utilizados nos ataques (no caso, os explosivos e os telefones com que estes foram activados). A partir das cinco prisões resultantes, as autoridades centraram o foco nas relações nos contactos dos arguidos, e o *Locutorio "Nuevo Siglo"* passou a ocupar um lugar central nos inquéritos. Esta fonte de pistas juntou-se às primeiras e sucederam-se as prisões. Os *habitués* do *Locutorio* e as chamadas a partir dele realizadas levaram às primeiras ligações com a al-Qaeda. Os explosivos conduziram os investigadores policiais aos primeiros espanhóis capturados. As ligações à al-Qaeda depressa levaram ao estabelecimento de elos com outros suspeitos que tinham sido camaradas dos detidos em campos de treino no Afeganistão e no Paquistão (sete dos 50 presos), que tinham co-participado em guerras como a da Chechénia (três deles) e no planeamento de acções terroristas anteriores, designadamente as levadas a cabo em Casablanca e em Nova Iorque (catorze dos cinquenta que foram capturados). Em finais de Junho de 2004, o grosso da rede estava identificado[26]. Dos cerca de setenta indivíduos nomeados nessa rede alargada, vinte e três tinham relações de parentesco entre si e quinze tinham ligações conhecidas com a al-Qaeda ou com bin Laden[27].

---

[26] Na página 8 do artigo de Rodríguez que citei, o autor disponibiliza, numa série de oito grafos, a reconstituição da rede pelas autoridades policiais espanholas.

[27] O autor distingue-as, chamando a umas *binding ties* (as baseadas no parentesco, na amizade, ou em contactos pessoais), a outras *repeated interaction ties* (construídas no *Locutorio*, ou em co-habitação), e a outras ainda *reliability ties* (as resultantes das solidariedades e confiança criadas por uma actuação político-militar conjunta). Como Rodríguez (pp. 10-11) escreveu, "[e]*ven after a thorough investigation, security forces may not be able to uncover all the nodes and links among them. Networks are also likely to have fuzzy or ever-changing boundaries, which make it difficult to decide who to include and not to include in the analysis. And networks are also dynamic, that is to say they are in a continuous*

Com base nesses e noutros dados não-classificados, por regra obtidos na imprensa, J.A. Rodríguez decidiu empreender um estudo sobre esta rede – muito semelhante ao de Valdis Krebs que antes expus, um autor que aliás o catalão cita abundantemente – tentando dela elicitar informações úteis. Repito aqui os passos que ele deu, reproduzindo para o efeito alguns dos esplêndidos grafos que incluiu no seu extenso artigo.

Apesar de longa, a exposição apresentada por José A. Rodríguez em 2005 é extraordinariamente clara quanto à importância da *weak ties* para que, como vimos, M. Granovetter nos chamou há anos a atenção. Vale a pena reproduzir a muito pormenorizada sequência de grafos que o investigador catalão elaborou. A par e passo vou sublinhando o seu alcance.

Comecemos (*figura 1*) pelo grupo central dos terroristas operacionais directamente envolvidos nos ataques que tiveram lugar nos comboios de Madrid.

---

process of change and transformation. Perhaps this last aspect is the very key to the network as an organizational form. It is this state of change which facilitates, at a moment's notice, the optimal flow of communication or the best manner to organize a terrorist act. The network changes continually, strengthening and intensifying certain relationships and letting others fall away".

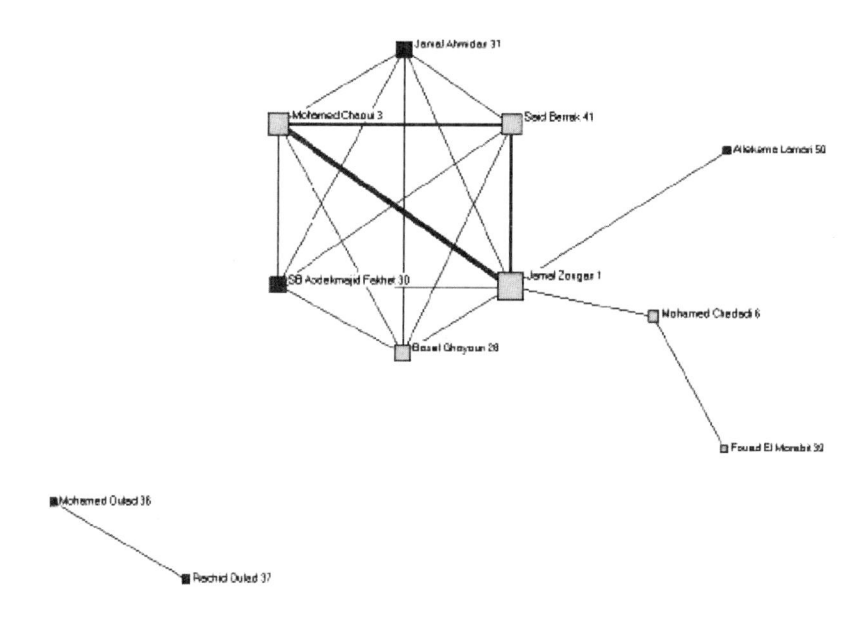

Figura 1. O chamado *field operation group* [FOG]. A verde, estão representados os operacionais que morreram na explosão de Leganes.

Num segundo grafo, vejamos agora quais os laços pessoais (a colecção de *binding ties* conhecidos que Rodríguez isolou, o conjunto de ligações ancoradas em relações de parentesco, de amizade, e em contactos pessoais) existentes entre estes membros do "núcleo duro", uma autêntica *clique* que colaborou directamente na organização logística dos ataques.

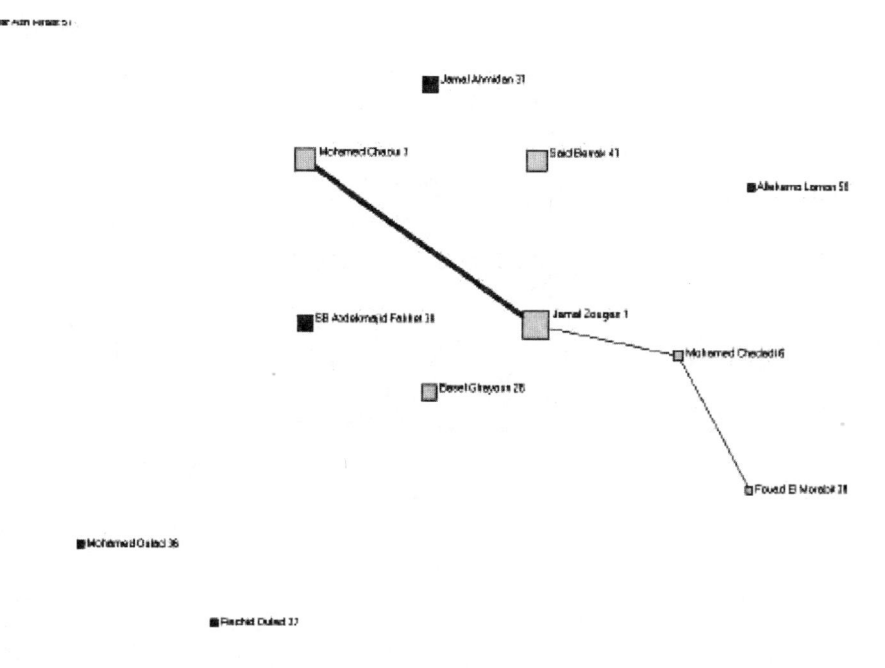

Figura 2. As *binding ties*, baseadas em relações de parentesco, de amizade, e em contactos avulsos ou repetidos.

Um terceiro grafo mapeia as *repeated interactions* viabilizadas por encontros no *Locutorio*, ou resultantes da co-residência dos membros do pequeno grupo no apartamento:

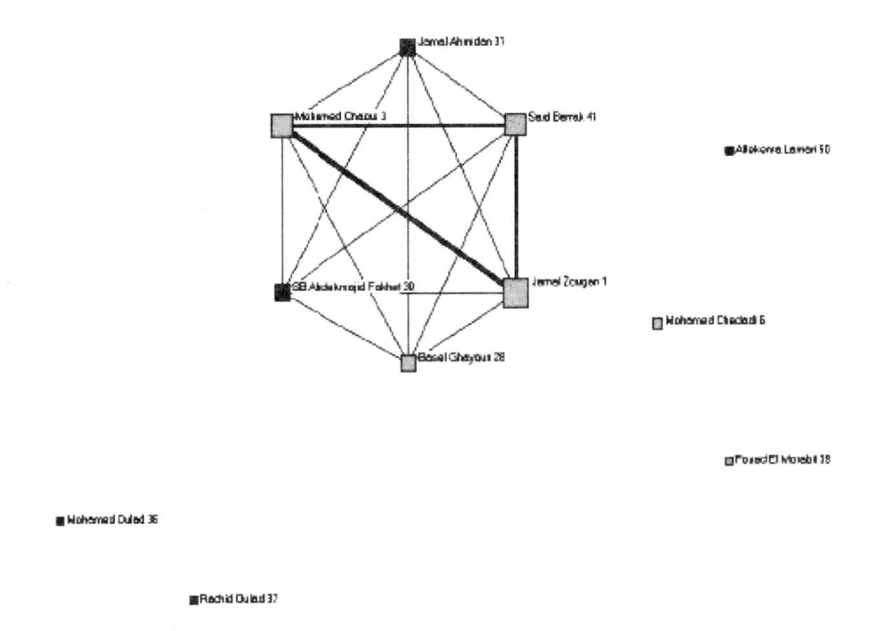

Figura 3. Encontros "telefónicos", ou directos e pessoais, repetidos por via da *Locutorio* "El Nuevo Siglo", ou por via de uma co-habitação em casas ou apartamentos. As "arestas" a traço mais espesso indicam uma maior intensidade relacional entre os "vértices".

Num quarto grafo, J.A. Rodríguez juntou umas às outras as ligações cartografadas nos dois grafos precedentes:

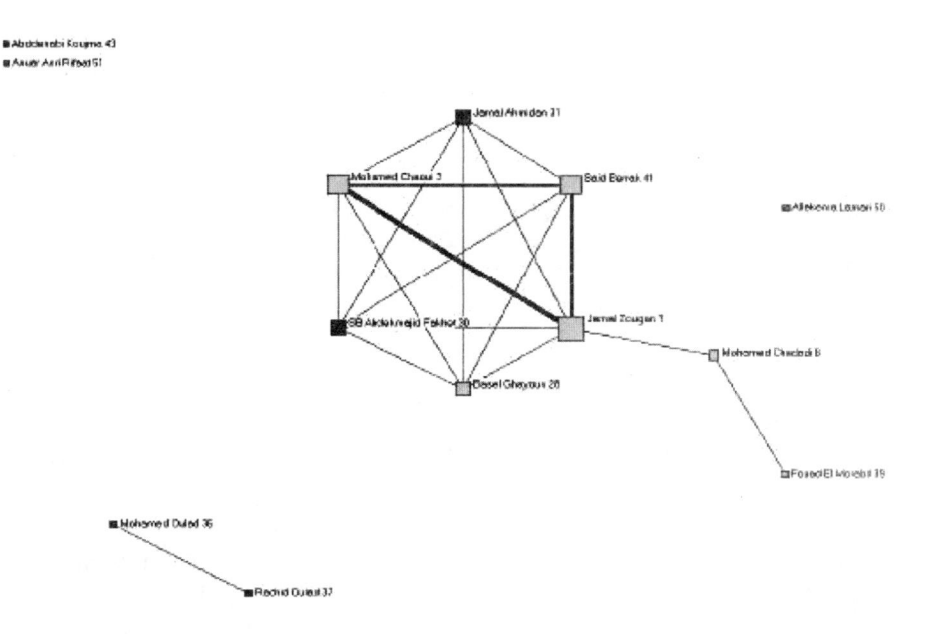

Figura 4. Uma agregação, num só grafo, da *binding ties* e dos "encontros repetidos".

O quinto dos grafos de Rodríguez diz respeito às *reliability ties* gizadas entre os membros do "núcleo duro", no que apelidei de *clique*, pela via mais *hard* da participação conjunta destes em conflitos ou acções terroristas, respectivamente no Afeganistão ou no Paquistão, e em Casablanca ou Nova Iorque.

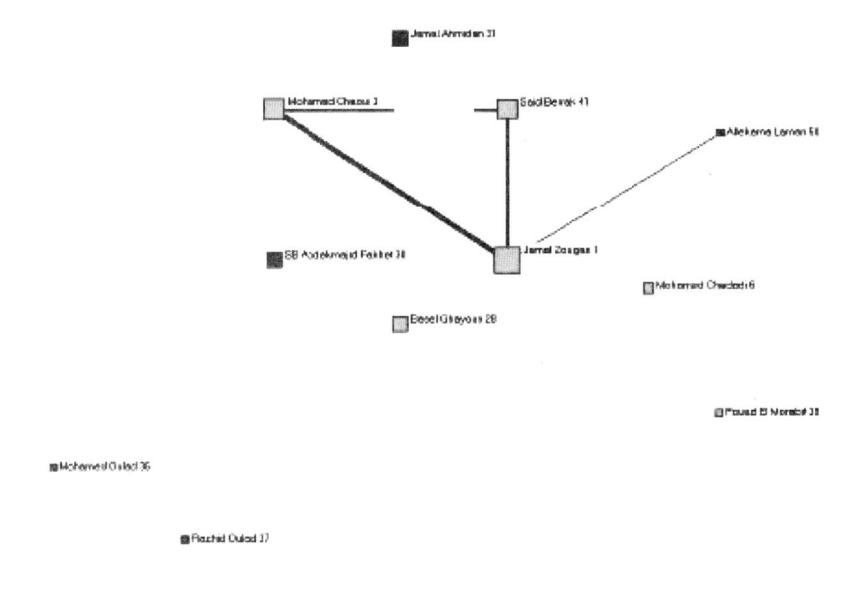

Figura 5. Um grafo baseado nas redes de membros da al-Qaeda, nas relações genéricas estabelecidas com a al-Qaeda, no treino no Afeganistão e no Paquistão, em participação no conflito na Chechénia, e em envolvimento directo conjunto em acções terroristas anteriores ao 11 de Março.

O sexto grafo é muito maior, e nele J.A. Rodríguez congregou *todos* os relacionamentos apurados pelas autoridades até Junho de 2004 e no período subsequente: no total cerca de setenta pessoas, entre perpetradores directos, fornecedores de armas e explosivos, colaboradores logísticos, contactos e informadores activos – todos aqueles, por outras palavras, que preencheram um papel importante, seja a que título tenha sido, no brutal ataque levado a cabo nas estações de comboio.

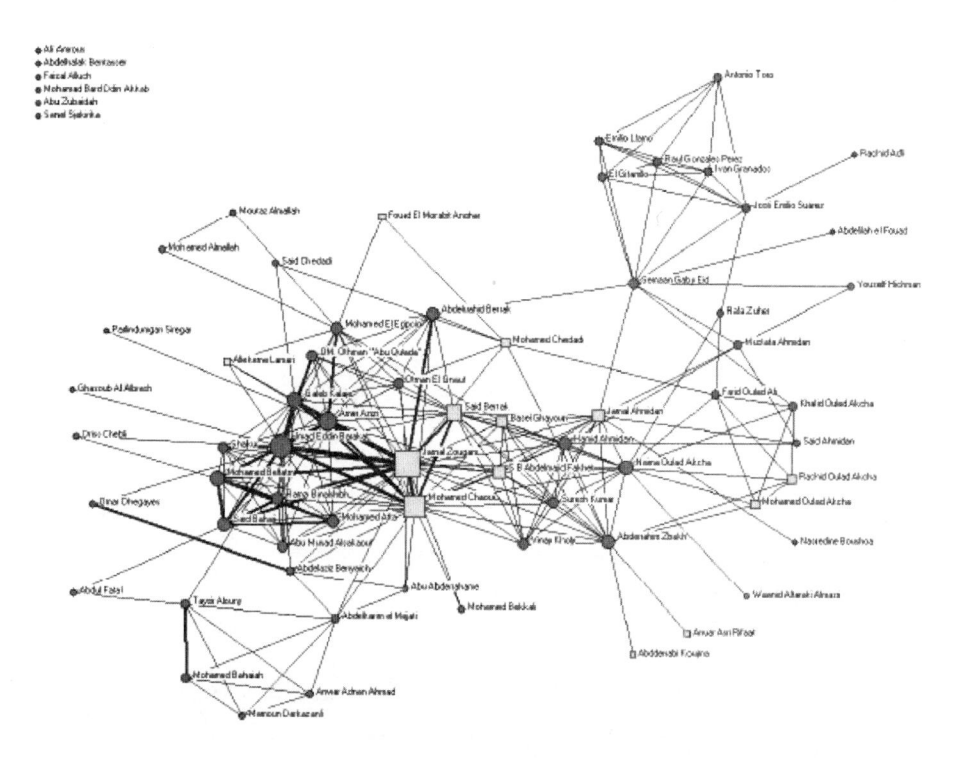

Figura 6. A rede completa. Tal como nos anteriores, note-se os vários pontos de aplicação da codificação utilizada. O tamanho dos nodos (dos "vértices"), neste grafo, é proporcional ao seu grau de conectividade. A espessura das "arestas" representa a intensidade dos relacionamentos. Os quadrados localizados no centro da imagem dizem respeito aos membros do FOG (o *field operational group*).

Numa espécie de segunda volta, o investigador catalão re-aplicou, agora ao conjunto maior de nexos apurados, o primeiro dos seus "critérios", o das *binding ties*, mas desta feita no tabuleiro geral, por assim dizer. Note-se a rarificação comparativa de ligações deste tipo:

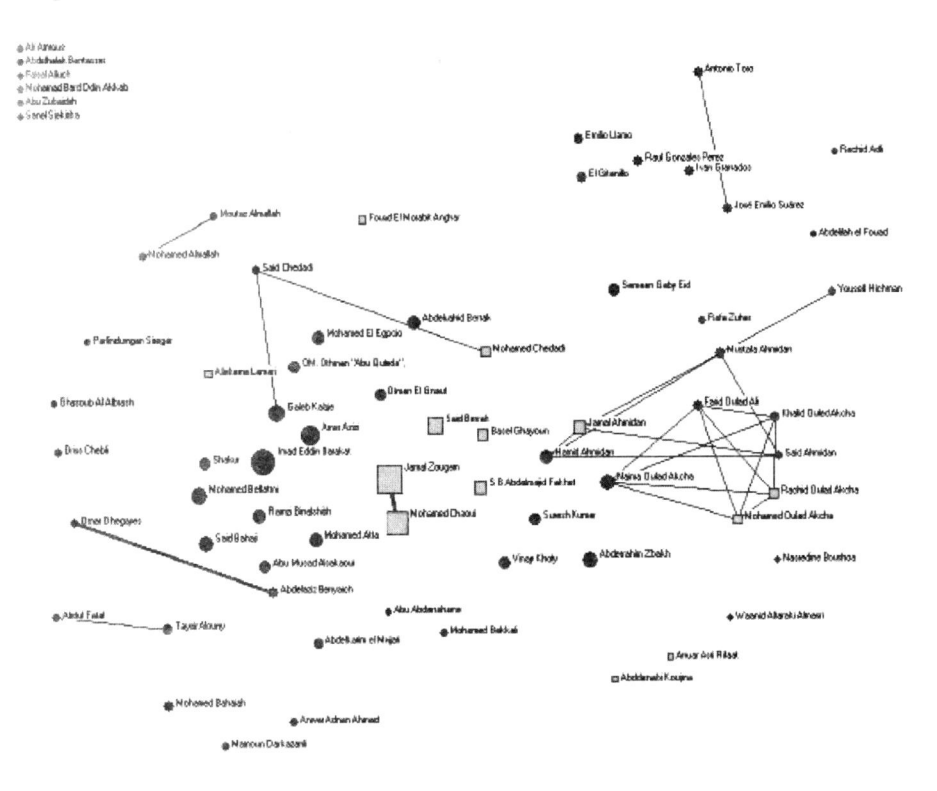

Figura 7. A rede completa e as relações de parentesco existentes entre os nodos "externos" representadas nela.

Seguindo a mesma lógica, segue-se o rastreio representacional das *repeated interactions in particular settings* conhecidas, indicadas no todo maior apurado. Note-se que Rodríguez decidiu aqui *não* incluir as relações muito especiais de interacção estabelecidas (e mais fáceis de apurar com precisão) no *Locutorio*:

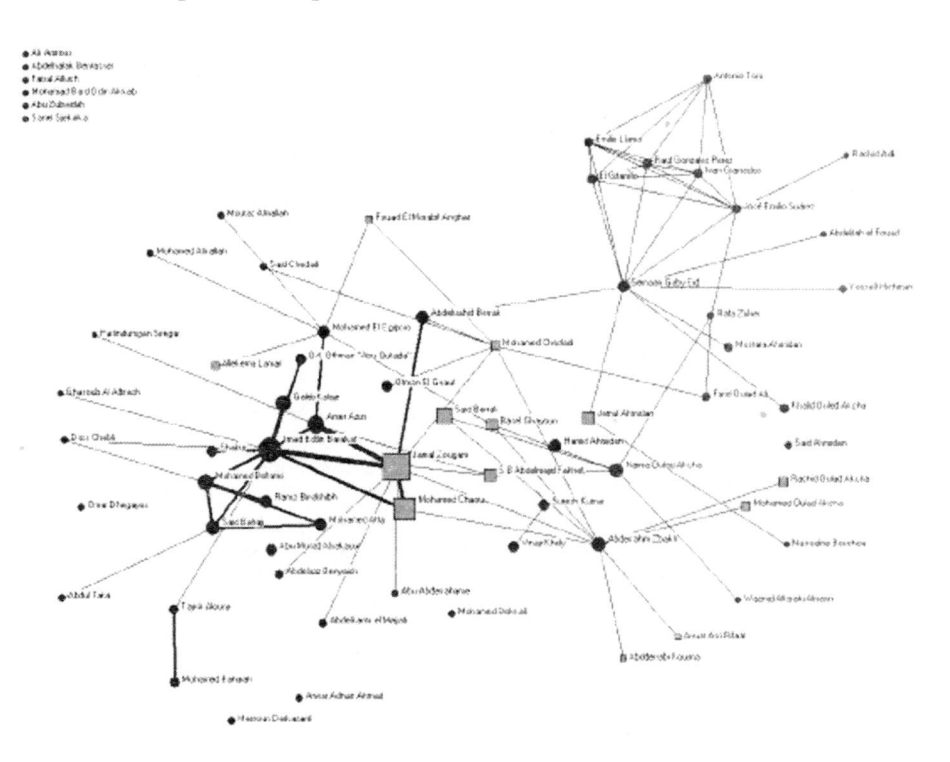

Figura 8. A rede completa e, nela, algumas das relações de amizade e contactos que se conseguiu apurar existirem.

Na figura 9, Rodríguez decidiu isolar, em particular, as *repeated interactions* resultantes de contactos mantidos no *Locutorio*. A finalidade foi a de mostrar como estas circunscreveram, com grande eficácia e nitidez, um subgrupo – senão uma clique mais ampla, pelo menos um grande *cluster*:

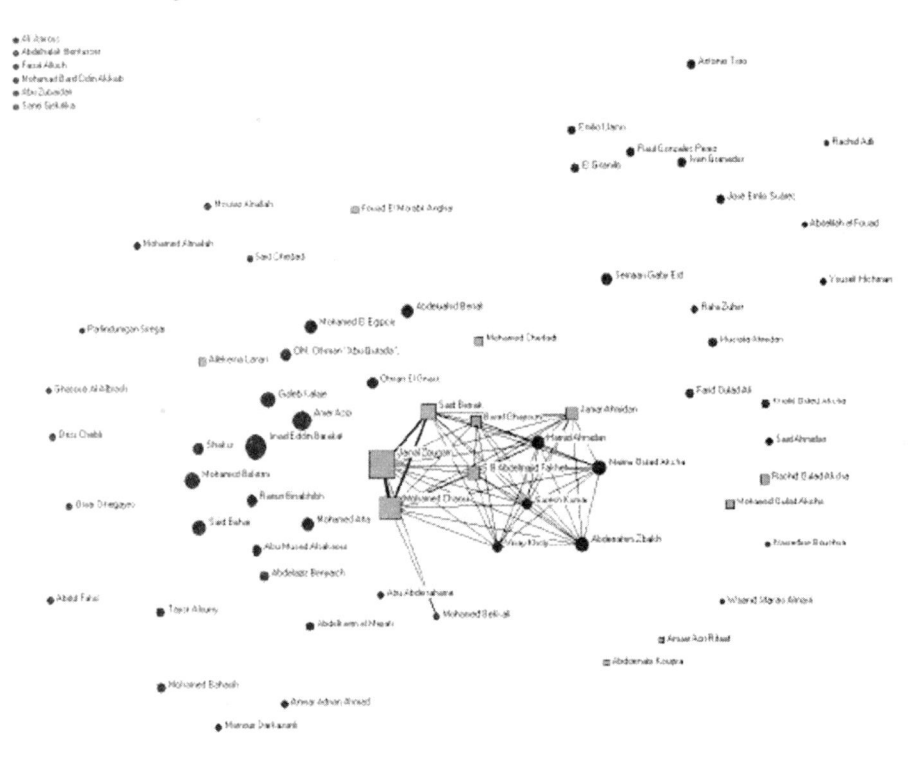

Figura 9. A rede completa e os contactos, nela, através da *Locutorio "El Nuevo Siglo"*. A imagem põe bem em evidência um *clustering* relacional.

Por fim, as *reliability ties* conhecidas entre as cerca de sete dezenas de pessoas envolvidas, neste grafo mapeadas exactamente nos mesmos termos que as anteriores:

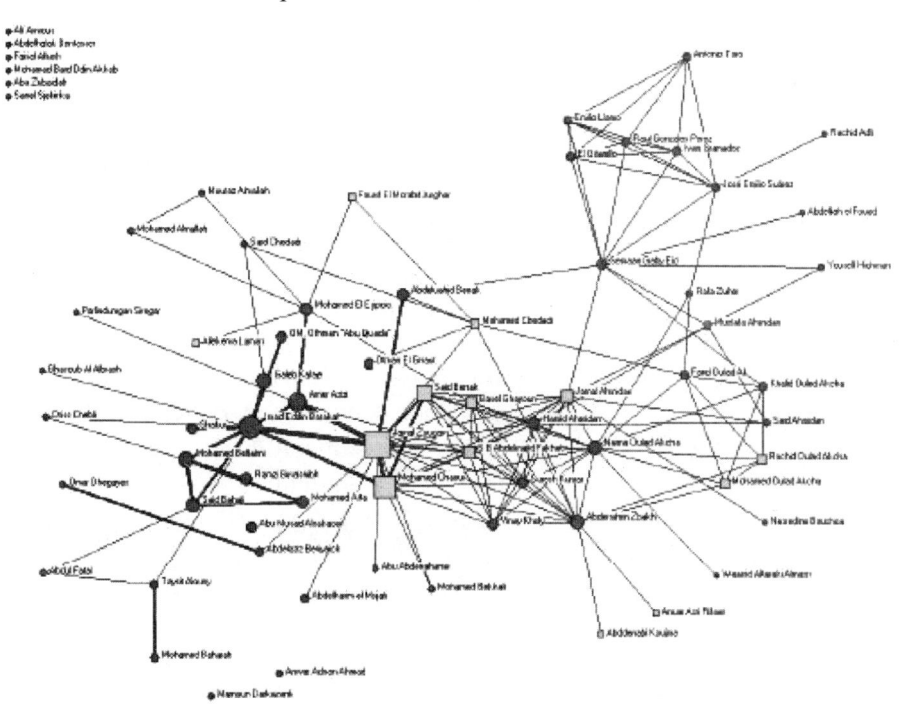

Figura 10. A rede completa e, nela, a distribuição das relações baseadas na confiança recíproca.

Neste caso, talvez o mais surpreendente seja notar que apenas três dos membros do FOG – os operacionais efectivos – mantinham relacionamentos com a al-Qaeda internacional. É certo que estas três pessoas foram, em simultâneo, centrais num e noutro agrupamento; isto é, tratou-se de figuras-chave tanto no grupo dos operacionais quanto no círculo externo maior. Como escreveu J.A. Rodríguez[28], "tal terá uma boa razão de ser: " *there are reasons to believe that the*

---

[28] *Op. cit.*: 22.

*need for security dictates that the interconnection between the al-
-Qaeda international structure and the local operatives is kept at low
levels of observability"*. No topo superior direito do grafo, do mesmo
modo, pode ver-se uma sub-rede em forma de uma espécie de dia-
mante, uma sub-rede que liga os fornecedores espanhóis de explosivos entre si e ao "núcleo duro" dos operacionais, neste último caso
de novo apenas por meio de uma conexão – porventura tendo em
vista considerandos de segurança e "inobservabilidade" do mesmo
tipo.

Note-se que de um ponto de vista geral se pode dizer que a rede
apresenta um alto nível de segmentação, com atribuições e competên-
cias focadas em centros diferentes de actividade, e exibindo missões
e mesmo líderes distintos.

Um décimo primeiro grafo, em que Rodríguez representou as
reliability ties dos membros do "núcleo duro" (da *clique*, como lhe
chamei), entre si e com os vários agrupamentos que mais directamente participaram na organização e execução dos ataques de
Madrid, bem como com a organização internacional mais ampla da
al-Qaeda.

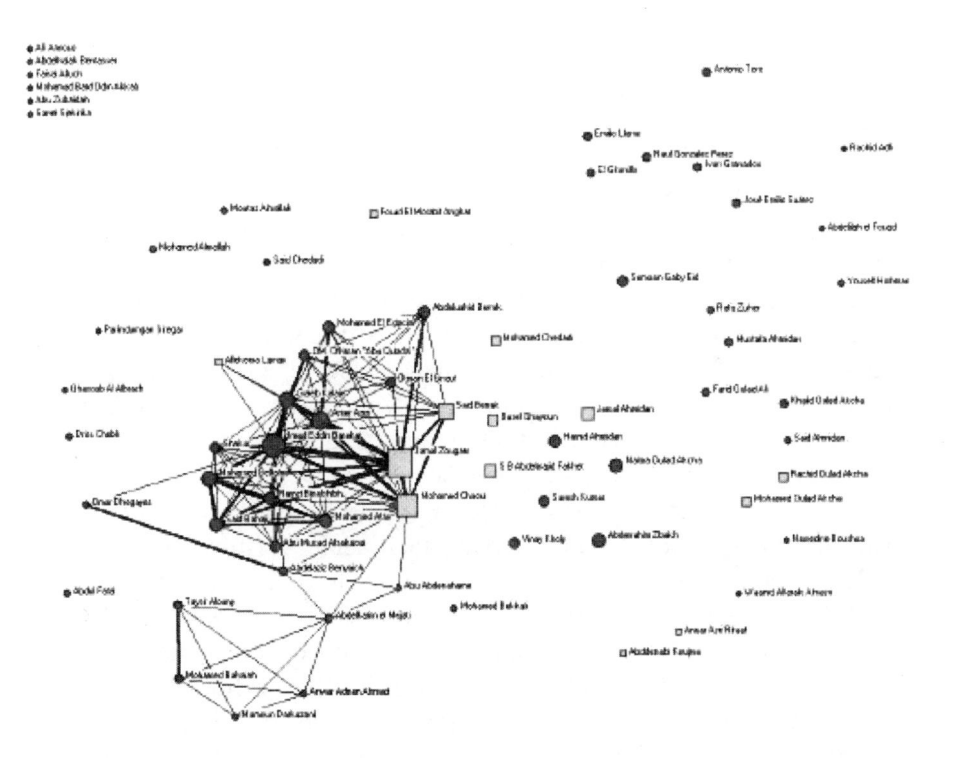

Figura 11. A rede completa e, nela, apenas as chamadas *reliability ties* dos membros do "núcleo duro" uns com os outros e com os vários agrupamentos que mais directamente participaram na organização e execução dos ataques.

É escusado sublinhar a utilidade descritiva deste tipo de grafos. Como é patente, representações como estas permitem-nos entrever a mecância relacional existente de maneira tão pormenorizada quão fascinante. Mas podemos ir mais longe e tirar daqui ilações que, de um ponto de vista mais analítico, se revelam muito interessantes. Vejamo-las.

No seu décimo segundo grafo, e num salto analítico qualitativo, J.A. Rodríguez decidiu isolar e representar apenas as "ligações não-fortes" (a que chamou *non-strong ties*) na rede maior. A razão para tanto foi a de pôr em evidência a importância destas conexões para conseguir levar a acção terrorista a bom porto. A ideia central de Rodríguez foi a de que os laços e as conexões *fracas* foram tão ou mais importantes do que as fortes, ou seja: tão ou mais fundamentais do que aquelas que tendemos, espontaneamente, a considerar como essenciais.

O ponto é fácil de explicar no contexto daquilo que antes escrevi no presente estudo. Uma das características distintivas mais marcantes das redes terroristas resulta do facto de que, nelas, doses fortes de coesão, estabilidade, e robustez serem conseguidas com uma estrutura relacional comparativamente pouco densa e conectada. O que é, obviamente, congruente com a sua dispersão e o seu carácter encoberto, bem como com o seu potencial de regeneração e reconstituição. Conseguem-no, (este é o *insight* que casos como este fornecem) dado que as redes deste tipo não dependem tanto como as hierarquias centralizadas, de conexões e ligações fortes que requerem um muitíssimo maior esforço social (entenda-se, *comunicacional*) de manutenção. Como se pode facilmente verificar, o caso da rede responsável pelos ataques em Madrid, tal como reconstruída por José A. Rodríguez, não constitui uma excepção a esta regra geral.

Tendo em vista uma melhor compreensão do ponto de vista de Rodríguez, vale a pena notar a densidade dos "laços fracos" (como o já citado M. Granovetter os apelidaria), sobretudo se e quando comparados – e comparados, de novo, de acordo com os três grandes critérios que desde o início Rodríguez arvorou como essenciais – com os laços "fortes" representados na *figura 13*, que se segue. Vejamo-las uma a uma:

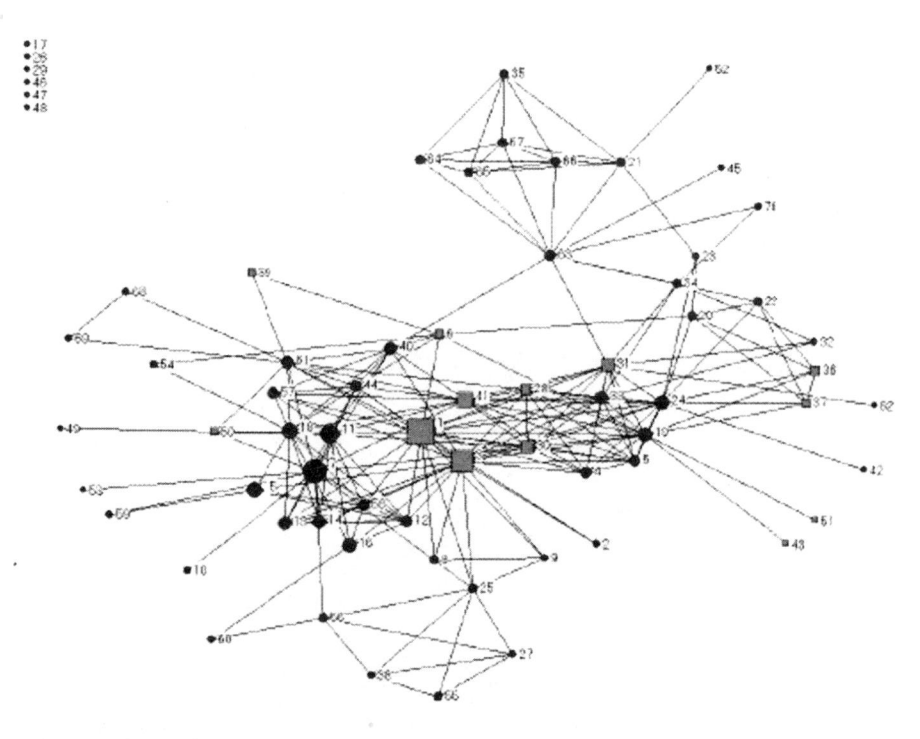

Figura 12. Aquilo a que José A. Rodríguez chama as *Non-Strong Ties* (ou seja, com intensidade relacional não maior do que 1 contacto).

A *Figura 13* e os seus relativamente *ralos* laços "fortes", que não representam senão uma parcela ínfima da rede (como Rodríguez notou, ligam apenas 26% dos acores e dão conta de tão-somente 12% das ligações existentes), embora de algum modo, neste caso, formem como que o "centro nevrálgico" dela: muitas das ligações mais densas (na imagem gráfica representadas de novo como mais espessas) são as que conectam o *cluster* de "vértices" centrais do "núcleo duro" dos operacionais a um outro *cluster*, este da al-Qaeda internacional.

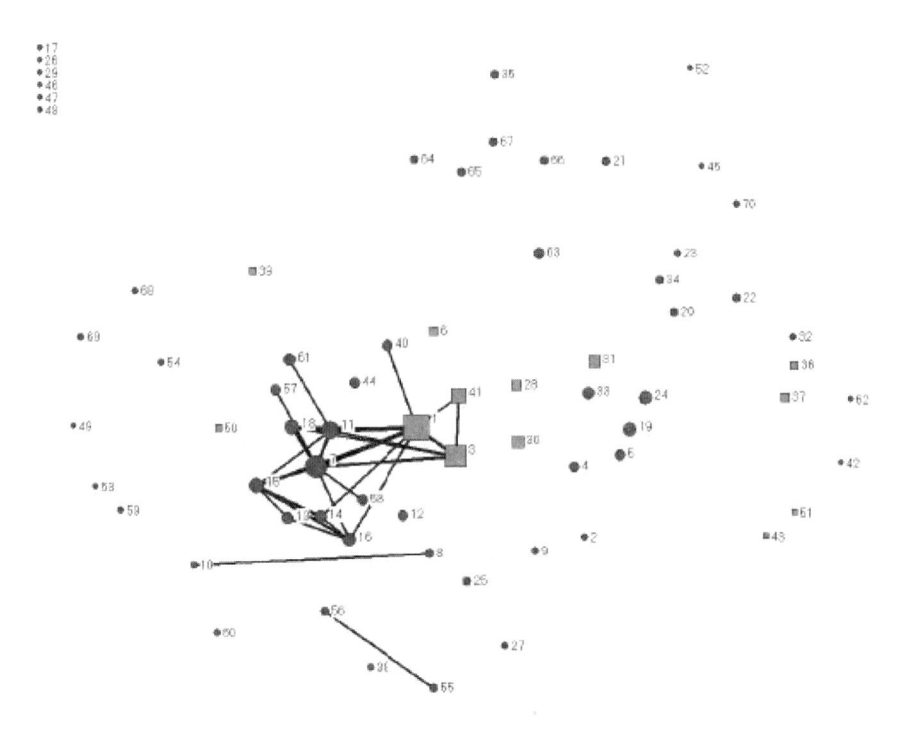

Figura 13. Aquilo a que J.A. Rodríguez chama as *Strong Ties* (ou seja, com intensidade relacional maior do que 1 contacto).

Os grafos 14, 15, e 16 falam por si próprios, sobretudo se começarmos por sublinhar que aquilo que mostram é a importância do que Rodríguez apelida de laços indirectos", ou seja conexões dependentes de *apenas um* passo intermédio dado entre membros do *cluster* central de operacionais e membros, também centrais, do *cluster* da al-Qaeda internacional. Aquilo que se verifica em consequência é, para todos os efeitos – embora José A. Rodríguez nunca utilize este termo no seu artigo – a constituição de uma rede *small world*: os actores centrais da rede vêm-se capazes de se conectar com a maioria dos outros membros da rede geral por meio de, apenas, dois ou três passos.

Mais ainda: tal como Granovetter notou há mais de trinta anos, aqueles membros da rede mais ampla que mais aumentam a conectividade genérica da rede – isto é, aqueles que são capazes de alargar a rede por meio das suas ligações a só um ou dois intermediários – *não são* os actores centrais na rede "normal": são, pelo contrário, actores "não-centrais" dela.

Figura 14. O tamanho dos nodos quando estes são representados numa escala proporcional ao seu número de contactos (ou seja, ao seu grau): o que J.A. Rodríguez chamou o *Loose Network of Indirect Ties.*

Mas continuemos. Os grafos representados nas *Figuras 15* e *16* – ou seja, os relativos, respectivamente às relações baseadas na interacção recíproca, e às relações baseadas nas conexões internacionais com a al-Qaeda – geram, 58% e 18% das relações "indirectas" patentes. A confiança recíproca (ou *trust*, na terminologia de Rodríguez), é o elemento mais importante na criação da rede (directa como indirectamente) e liga a esmagadora maior dos seus membros: 89% dos actores na rede directa e 85% na indirecta.

A comparação entre os dois grafos, o da *Figura 15* e o da *16*, é altamente reveladora do peso relativo dos factores de coesão actuantes:

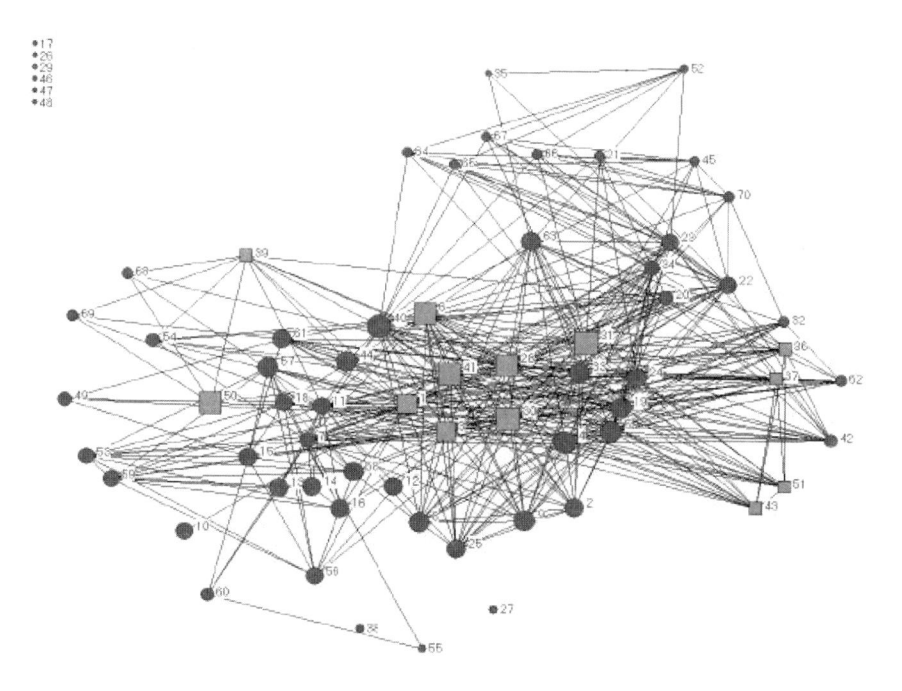

Figura 15. O mesmo *Loose Network of Indirect Ties*, mas estando agora representadas, nele, as interacções baseadas na confiança recíproca.

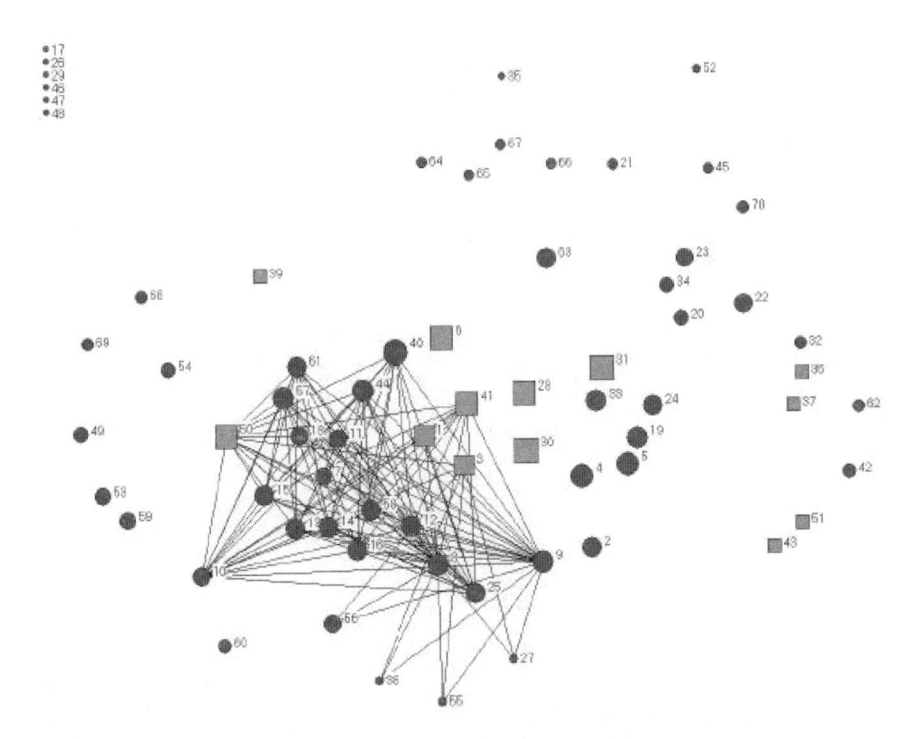

Figura 16. De novo o mesmo *Loose Network of Indirect Ties*, mas vendo-se desta feita representadas, nele, as interacções baseadas na *reliability* relacionada com a pertença às rede internacionais da al-Qaeda..

Podemos, porém, ir bastante mais longe com os dados disponíveis, e Rodríguez fê-lo. Na *figura 17*, o investigador catalão decidiu judiciosamente isolar a fluidez e o dinamismo da organização dos terroristas que actuaram em Madrid – um dinamismo e uma fluidez carcterísticas das organizações terroristas em geral, como insisti. Conexões "soltas" e ligações "fracas" são comparativamente mais adptativas e resilientes do que estruturas hieráquicas, como vimos, e são capazes de uma mais rápida e eficaz regeneração quando atacadas. O facto de se basearem em conexões fracas e soltas torna estas redes, para além de tudo o mais, relativamente invulneráveis a um "desencobrimento", e "decapitações" ou prisões aleatórias, desde que, acidentalemte, não destruam ligações e percursos relacionais-

-chave do ponto de vista da circulação de informações nem as estruturas – se as houver – de comando e controlo.

A *Figura 17* mostra assim a rede uma vez dela removidos os cinco terroristas que planearam e organizaram o ataque bem como os sete perpetradores suicidas que morreram em Leganes alguns dias mais tarde, ou seja, uma vez removida a *clique* central.

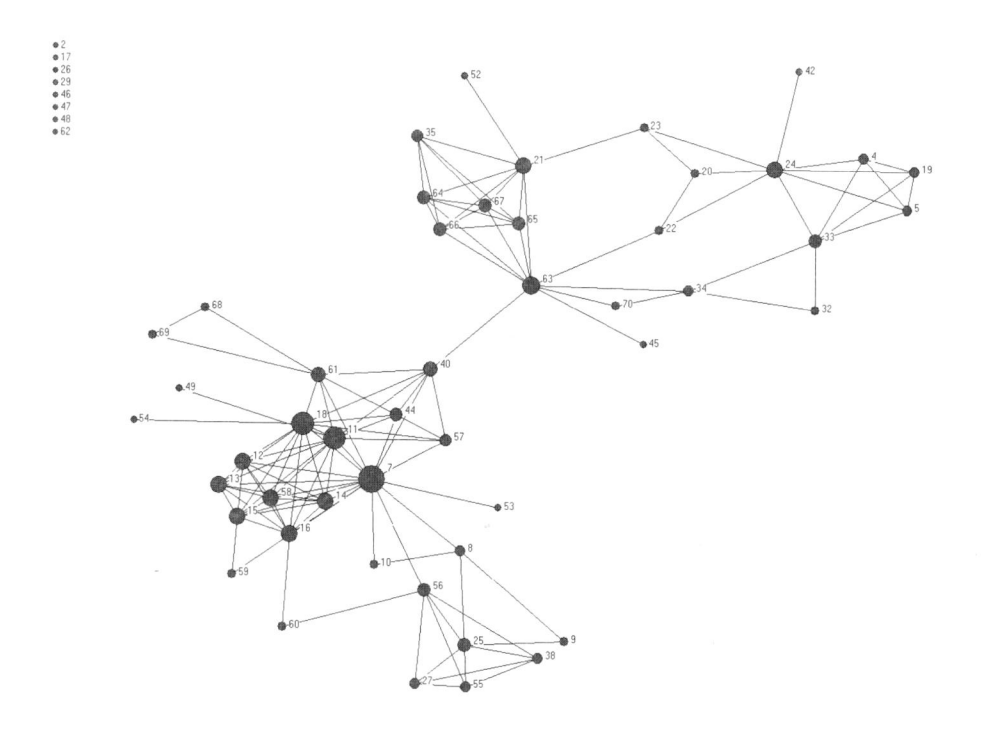

Figura 17. A rede, uma vez removido o FOG (o *field operational group*). O tamanho dos nodos está mais uma vez representado na proporção directa dos graus de conectividade conhecidos.

Apesar da densidade de conexões estar muito reduzida (não restam mais do que dois *clusters* com uma só ligação entre eles), o facto é que a rede continua a existir e, por isso, continua a poder operar. Em termos genéricos, há dois *clusters* remanescentes: um deles, representado na parte de cima da imagem, espelha os membros do "segundo círculo" de pessoas relacionadas com o grupo operacional mas não directamente envolvidas no ataque, bem como o agrupamento dos seus fornecedores espanhóis de explosivos. Este *cluster* de dois *clusters* foi enfraquecido pela prisão de dez dos seus vinte membros e as ligações entre os seus dois sub-*clusters* cortada, o que os neutralizou largamente.

Em contraste, e como escreveu Rodríguez[29], "*the cluster at the bottom of the Graph remains largely intact and still with a high level of cohesion. It includes the members of the Al-Qaeda international network, some of which occupy the new centrality roles. The removal of other parts of the terrorist network does not inflict significant damage on them. There are reasons to believe that the sparse interconnections between the Al-Qaeda structure and local operatives, and the fact that they were largely based on reputation (instead of direct interaction) made it more difficult for security forces to track down their activities and destabilize the cluster through the removal of individuals filling key roles*".

Se nos voltarmos agora para a *figura 18*, e nela distinguirmos os *clusterings* existentes, verificamos que estes correspondem a divisões funcionais na operação da rede para efeito dos ataques levados a cabo. Mas entrevemos também uma marcada vulnerabilidade da rede remanescente: a coesão global dela depende de uma só conexão, uma conexão cuja eventual amputação a fragmenta para lá das suas capacidades regenerativas. O mais importante é que se trata da *única* ligação existente entre os *clusters* locais da rede e o *cluster* internacional com que ela se articulou para efeito do ataque. Por isso, o seu corte, caso os terroristas não consigam substituir rapidamente a conexão uma vez esta amputada, significará uma desactivação efectiva da rede, uma vez que em resultado disso esta não poderá mais concertar actuações e levar a cabo acções concretas.

---

[29] *Op. cit.*: 29.

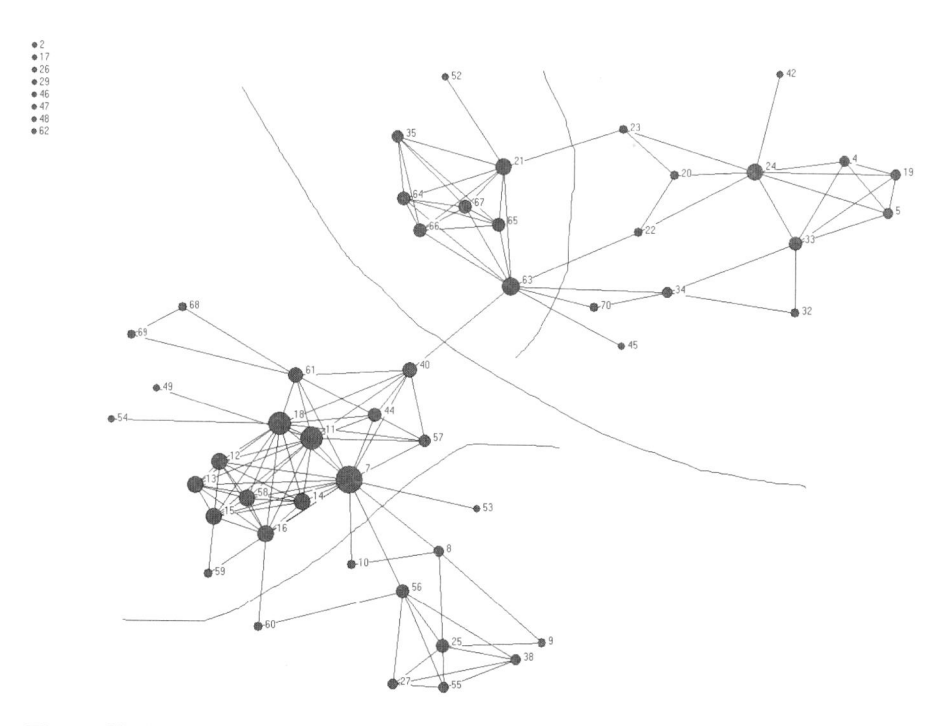

Figura 18. A acção na rede. As linhas curvas separam umas das outras as acções e as divisões funcionais existentes, agrupadas em termos dos *clusterings* que indicam a densidade e intensidade comparativas das relações mantidas. Note-se o carácter ténue e frágil da conexão entre estes vários *clusters*. As linhas representam, assim, frentes potenciais de "clivagem" e por isso desagregação terminal da rede como um todo, dividindo-a em fragmentos.

Note-se, para além disso, que é fácil, uma vez o grafo analisado em pormenor, causar o mesmo tipo de degradação e desmoronamento nos dois *clusters* – o do topo e o da base da imagem – cortando, com uma espécie de "tiros de precisão", os poucos *links* existentes entre eles (aquilo a que atrás chamei uma remoção selectiva, deliberada, sistemática e cirúrgica; note-se que tal é tão possível pela remoção de um dos nodos em conexão – ou seja, atacando os "vértices" – como pela criação de impedimentos à circulação de informação ou coisas entre os nodos em causa – atacando, em vez disso, as "arestas").

Por fim, na *figura 19*, o grafo que conclui a análise empreendida por J.A. Rodríguez. É o resultado, hipotético de uma intervenção mais robusta contra a rede remanescente do ataque perpetrado em Madrid, um resultado esse conseguido por uma "desconectação" judiciosa e sistemática da rede terrorista: uma fragmentação em pequenos grupos e indivíduos separados uns dos outros e, por isso, mais vulneráveis e menos capazes de quaisquer actuações concertadas.

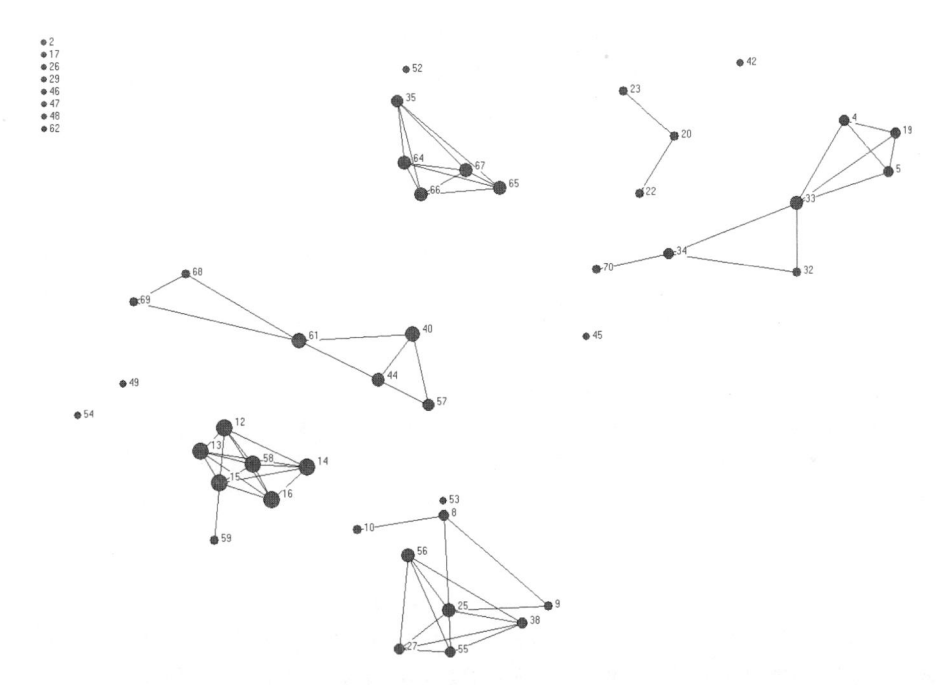

Figura 19. A figura final mostra a rede depois da remoção de 7 dos seus nodos "originais" (os 63, 24, 7, 11, 18, 21 e 60).

Para terminar, e como escreveu José A. Rodríguez[30] – e faço minhas as suas palavras: *"September 11th and March 11th terrorist attacks have shown the growing importance of networks as organizational forms for collective action, especially relevant in*

---

[30] *Op. cit.:* 33-34.

cases of secret societies and terrorism. They also point to a new network model not based on intense relations, tight cohesion, hierarchical structures or cells but rather on weak relationships. As a weak network it is less visible and more difficult to be detected as well as easier to reconstruct as it does not require strong, and costly, relationships. Therefore, in its weakness lies its strength". A comparação deste caso do 11 de Março em Madrid com o do 11 de Setembro em Nova Iorque é edificante. O essencial mantinha-se. Mas alguma coisa tinha mudado. Se é certo que *"efficiency continued to be traded for security",* também é indubitável que tudo se tornara mais descentrado, menos directo, e mais difuso.

A al-Qaeda, por outras palavras, tinha-se adaptado à crescente pressão dos serviços de informações que se tinham mobilizado para a tentar neutralizar. Tornara-se mais difusa e menos conectada. A maneira como o fez radicou na procura de laços mais ténues mas sem grandes perdas de coordenação, presumivelmente pela via de "consensos epistémicos" cada vez mais tácitos: uma resposta dada em formato de *assimetria aplicada,* numa formulação, lembremos, que retoma o título que Mark Granovetter deu ao seu artigo (intitulado, recordemo-lo, *the strenght of weak ties*)[31].

Antes de passar em frente, vale a pena citar aqui, mais longamente, os comentários finais de J.A. Rodríguez, no seu magnífico estudo: "[o]*ur analysis of the March 11 attacks discovers that the Field Operative Group (the network of direct perpetrators) is not a cohesive cell, as was expected, but rather a disconnected structure. This attacking network becomes structured within a much larger and diffuse network thanks to relations through non-operative people. The larger network is the social space which produces the attacking network and facilitates the communication between all its members. This larger network does not act, but it makes action possible.[...] The goal of protecting the network as a whole and ensuring the*

---

[31] Uma outra perspectivação fascinante é ancilar a esta, e foi mapeada em grafos por Scott Atrann e Marc Sageman. Ver o estudo de Scott Atrann e Marc Sageman (2006), uma apresentação em *PowerPoint* consultada e descarregada em 22 de Dezembro de 2006 em groups.csail.mit.edu/belief-dynamics/MURI/papers/AtranMuriOK(Jan30).ppt. Numa série de grafos, os dois autores mapearam a evolução diacrónica dos *clusters* e das *cliques* que participaram no atentado de Madrid.

viability of the attack is achieved by minimizing inter-cluster direct relations through a limited number of actors, fundamentally through the three central FOG (relembro, o *field operational group*, como o investigador catalão o intitulou) *figures. The rest of the FOG members remain loosely connected to the core group to reduce the danger of being tracked down. Our analysis also uncovers another interesting element: the power of loose and weak ties. Even though strong relations form the nerve center of the network and especially the link to the Al Qaeda's network, they are very uncommon and only account for 12% of the relations only linking one forth of the people in the entire structure. The network as a whole rises thanks to non-intense ties, which account for 88% of the relations and facilitate both the action of the FOG group and its support system. Indirect ties add and immense relational power to the standard direct ties network and raises the relational power of certain actors. The addition of weak ties triples the relational capability of the network as a whole. The network of "hidden" ties reveals the "hidden" centrality of previously peripheral actors, becoming potential key players. [Some few] people [...] increase their networking capacity and share potential centrality with the central actors of the standard network. Weak ties (indirect relationships) form a back-up network (a potential network) with new central key figures".*

Seria difícil ser-se mais preciso, quanto às diferenças descortinadas entre os formatos organizacionais a que o ataque Madrid deu corpo e aquilo que era comummente imaginado com base no que se passara em Nova Iorque. A imagem de marca da al-Qaeda, essa, estava lá.

5.

ACOMODAÇÕES, COORDENAÇÃO, E LIMITES: impedimentos

"How will we fight and win this war? We will direct every resource at our command — every means of diplomacy, every tool of intelligence, every instrument of law enforcement, every financial influence, and every necessary weapon of war — to the disruption and to the defeat of the global terror network".

GEORGE W. BUSH, *Address to Joint Session of Congress*, 20 de Setembro de 2001

Nesta quarta parte substantiva do presente trabalho monográfico, e tal como indicado contra o pano de fundo geral delineado logo de início, a minha intenção é a de começar a equacionar alguns dos constrangimentos que impõem limites ao funcionamento de processos eficazes de comunicação-coordenação, de aprendizagem e, por isso, de adaptação, em agrupamentos terroristas concretos, e neles induzem por conseguinte *modulações*. Ou seja, pretendo lançar alguma luz sobre as principais reconfigurações a que estes processos estão sujeitos no quadro de funcionamento de redes *scale-free* (muitas vezes, "redes encobertas") em ambiente hostil.

Um primeiro passo diz respeito aos tipos de dificuldades formais genéricas encontradas na operação, em redes, de tais processos. Dificuldades essas que tento sistematizar, enquadrando-as num esquema de arrumação tópico. Num segundo momento, detenho-me em exemplos paradigmáticos de formas de superação das dificuldades encontradas nos domínios identificados. Se se quiser, nos mecanismos de *aprendizagem organizacional* que são desencadeados e suas características mais importantes.

5.1. *Os constrangimentos-limite dos processos de comunicação, coordenação e aprendizagem em* scale-free networks *como a al-Qaeda. O que é aprender e quais os limites que circunstâncias especiais de "rarificação comunicacional" lhe impõem?*

> "We now have the terrorist as film director. One man taken hostage recently in Iraq described, once released, how carefully his own appearance on video was staged, with the terrorists animatedly framing the shot: where the guns would point, what the backdrop should be, where he should kneel, what he should be scripted to say.[...] The audience for this vileness is global. A Dutchman who runs a violent and sexually explicit Web site that posts beheadings notes, in his inimitable words, that 'during times of tragic events like beheadings', his site, which usually gets 200,000 visitors a day, gets up to 750,000 hits".
>
> MICHAEL IGNATIEFF (2004), "The Terrorist as Auteur", *paper,* John F. Kennedy School of Government, Harvard University.

Comecemos, então, desde logo, com uma arrumação por domínios de manifestação dos principais limites com que esbarram os processos a que aludi. O esforço é essencial, dada a complexidade patente do amplo *espaço de emergência* que está em causa. É ademais fundamental o traçar de fronteiras, tendo em vista as restrições muito concretas que tais limites de facto operam. Como teremos ocasião de verificar, tipos diferentes de constrangimentos induzem padrões configuracionais diferentes nas estruturas organizacionais que ajudam a fazer inflectir. Cabe aqui esquematizá-los, ainda que tão só indicativamente.

Há óbvias vantagens em encetar este segmento com uma definição-descrição daquilo a que nos referimos quando falamos em aprender. Logo à partida se torna evidente que é mais fácil fazê-lo relacionalmente, ou seja, ligando essa questão com outras, designadamente outras que se prendam, teleologicamente, com a capacidade efectiva de uma qualquer entidade em lograr atingir objectivos que se proponha. Esta ligação é essencial e outro tanto tem sido abundantemente notado pelos analistas que se debruçam sobre estas questões, já que implica redefinições (ou pelo menos definições mais precisas) dos termos que utilizamos. Como é nomeadamente afirmado com lucidez no Prefácio aos dois volumes da RAND sobre as características evolucionárias das redes terroristas modernas: *"learning is the link between what the group wants to do and its ability to gather the needed information and resources to actually do it"*[1]. Por outras palavras, aprender consiste na aquisição de meios, conceptuais e materiais, *que nos permitam melhor conseguir realizar as finalidades que tenhamos.*

Para dar alguma realidade a esta formulação, há, no entanto, que acrescentar mais qualquer coisa. A aprendizagem, para além da recolha de informações e recursos, implica por vezes, para ser eficaz, *uma re-organização*, uma mudança que responda a essa acumulação. Caso contrário trata-se de uma ideia com pouca *prise* na realidade ou (se calhar melhor), de uma noção que pode ser interessante mas que fica no ar.

É óbvio, porém, que nem todas as mudanças são indicativas de uma qualquer aprendizagem. Para que as mudanças *embutam*, ou *incorporem*, os resultados dos processos empreendidos, é imprescindível que redundem em *alterações efectivas no modo de fazer as coisas.* Ou seja, só se pode em boa verdade falar de aprendizagem quando elas têm *consequências práticas.* Vale a pena mais uma vez recorrer ao estudo publicado pela Rand Corporation[2]: *"[w]hile change in the way a group carries out its activities is frequently indicative of learning, the occurrence of change is not sufficient to indicate that organizational learning has occurred. Changes are not necessarily intentional; they can be made unintentionally or for exogenous reasons incidental to the behavior that is changed (e.g., a change may occur in one area simply as a result of a change made*

---

[1] Brian A. Jackson *et al.* (2005), *Aptitude for Destruction. Organizational Learning in Terrorist Groups and Its Implications for Combating Terrorism*, volume 1, p.3. Uma obra monumental, em dois volumes, em que é equacionada muito concreta e muito empiricamente a capacidade de aprendizagem organizacional de agrupamentos terroristas contemporâneos.

[2] Idem.

in another). In this study, we define learning as sustained changes that involve intentional action by or within a group at some point – such as one or more of the following: intentional seeking of new knowledge or new ways of doing things; intentional evaluation of behaviors, new or old, that leads to efforts to retain valuable behaviors and discard others; and/or intentional dissemination of knowledge within a group or among groups when such knowledge is deemed useful or beneficial"[3].

Para além da inclusão nesta maneira de perspectivar o problema segundo os termos de uma teoria da intencionalidade note-se o muito marcado realismo destas condicionantes: realismo cujo resultado é uma redefinição segundo a qual *aprender só é mesmo aprender se se tratar de um processo que tenha resultados concretos*. Ou seja, se se verificar uma aprendizagem organizacional que seja adaptativa.

Podemos no entanto ir ainda um pouco mais longe, aflorando em guisa de introdução algumas das formulações analíticas mais comuns sobre aprendizagem e a sua mecânica, formulações essas que tomam em boa linha de conta, em simultâneo, tanto a variação patente nas estratégias preferidas em contextos e por actores sociais diferentes, quanto o nível de indeterminação que aprender sempre contém. Uns breves comentários-quadro facilitam um melhor delineamento de questões.

Os analistas de sistemas que se têm debruçado sobre este tipo de problemas[4] por via de regra distinguem entre aquilo que chamam

---

[3] Note-se na insistência, do texto citado, da presença de uma "intencionalidade". Parece ser de notar, no entanto, que o pressuposto de intencionalidade se adequa melhor aos objectivos da RAND (de uma descrição empírica de casos de aprendizagem consciente e sistemática) do que daqueles que aqui tenho (os de equacionar *as condições de possibilidade formal de tais processos*, tendo em vista as características e limites próprios dos agrupamentos terroristas contemporâneos). É desnecessário que elas sejam *intencionais* para que modificações resultem de processos de aprendizagem: basta que sejam *adaptativos*. Na frase-citação a que aludo, talvez seja, por conseguinte, de substituir a palavra *ability* pela expressão mais neutra de *capacity*.

[4] Por todos, ver por exemplo, N. Hanaki, R. Sethi, I. Erev, and A. Peterhansl (2003), "Learning Strategies". Cabem aqui algumas referências bibliográficas genéricas, que facilitam um melhor equacionamento das questões abordadas nesta secção do presente trabalho. Para um mais longo e amplo estudo, que enquadra questões no âmbito da cooperação e adaptação, ver N. Hanaki, A. Peterhansl, P. S. Dodds, and D. J. Watts (2005), "Cooperation in Evolving Social Networks". Para uma modelização de uma "família" alternativa de modelos

belief-based models de aprendizagem e aquilo que intitulam de *reinforcement models*. A distinção é fácil de equacionar. Na *belief- -based learning*, os sujeitos usam as histórias de acções dos seus opositores, ou adversários, para prever futuros movimentos e respondem optimalmente a tais "crenças". No caso da *reinforcement learning*, pelo contrário, a modelização baseia-se na hipótese de que a propensão para seleccionar uma acção, ou um tipo de acção, aumenta ou diminui em resposta aos resultados obtidos em consequência da escolha de uma dada acção ou tipo de acção (aquilo que é muitas vezes apelidado de *payoff experience*)[5].

Com isto em mente, coloquemo-nos agora num patamar mais macro, para melhor os vislumbrar. Para equacionar distinções de fundo relativamente aos processos que queremos analisar, há que saber contrapor, logo à partida, dois grandes *tipos* de constrangimentos-limite que circunscrevem a actuação de processos de ensino-aprendizagem em grupos terroristas. Trata-se de dois tipos de mecanismos formatadores que se complementam entre si, mas que não se confundem um com o outro. Há, por um lado, aqueles que resultam da estrutura em rede em si mesma, quer dizer, como vimos, da adopção de uma estruturação não-hierárquica pelos agrupamentos

---

de aprendizagem, apelidada de *strategy-learning* e que contrasta com a *action-learning* por incluir *repeated game strategies* no conjunto daquelas estratégias que estão a ser aprendidas, ver N. Hanaki (2004), "Action Learning versus Strategy Learning". Para uma visão mais integrada, que põe na sua mira a adopção de inovações que dá corpo aos processos de aprendizagem e as radica não só no "contágio", mas também na observação de que um certo tipo de acção excede as expectativas dos actores socias, é útil a leitura de H. Peyton Young (2005), "The Spread of Innovations through Social Learning". Para um estudo sobre as propriedades relacionais que levam a uma maior disponibilidade para preferir uns *links* de aprendizagem em vez de outros numa rede social (designadamente conhecimento prévio, prestígio, acessiblidade, e custos de transacção) ver S.P. Borgatti and R. Cross (2003), "A Relational View of Information Seeking and Learning in Social Networks".

[5] Uma salvaguarda. Dois mecanismos formais alternativos, mas no plano empírico concreto nem sempre entre si inteiramente distinguíveis. Note-se, por exemplo, que tanto o *belief-based learning* como o *reinforcement learning* são variantes, ou casos especiais se se preferir, do que é muitas vezes caracterizado como *experience-weighted attraction learning*, um género de aprendizagem que permite um reforço-consolidação não só das acções empreendidas mas também das não-empreendidas, com base nos lucros [nos *payoffs*] imaginados que tais acções teriam tido. Como parece evidente que a aprendizagem por norma adopta estratégias compósitas que associam ambos os modelos que contrastámos.

dedicados ao terror. Este tipo de estrutura, é bom de ver, não pode ser *ex catedra*, para usar uma metáfora, não pode *percolar*, devendo, antes, de algum modo, *permear* a rede. O constrangimento-limite induzido é *estrutural*. O ensino-aprendizagem, em tais circunstâncias, não pode ser muito diferente daquilo que normalmente apelidamos de estratégia *informal*. O que tem implicações: significa, desde logo, que a sua eficácia irá depender, num sentido pleno, tanto da vontade e capacidade didáctica de quem ensina como da disponibilidade efectiva de quem aprende.

Mas, por outro lado, descortinam-se aqueles *outros* constrangimentos-limite, bem diferentes destes primeiros, outros constrangimentos-limite que resultam, por sua vez, das dificuldades muito *materiais* de comunicação que, dado o ambiente hostil em que operam as "células" terroristas, existem ou entre as várias componentes do grupo, ou entre os vários grupos que tentam uma coordenação "ostensiva" entre si. Ou seja, está presente uma condicionante que significa que os vários agrupamentos e elementos de agrupamentos *não podem* – ou pelo menos não podem por via de regra – comunicar de forma *directa* uns com os outros. Em tais circunstâncias, o ensino-aprendizagem não pode ser directo e linear, ou pelo menos não pode sê-lo por longos períodos. O que implica que o ensino--aprendizagem que ocorre tem de ser *oblíquo*. Tal exige, por sua vez, que todos eles estejam dispostos tanto a ensinar como a aprender. Note-se que, em circunstâncias como estas, o mais complicado, no que toca a mecanismos de aprendizagem, será o saber identificar e descrever os diversos meios utilizados para lograr uma coordenação dos esforços de actores que, na sua actuação, estão independentes (ou relativamente independentes) uns dos outros. Um problema que, por si só, não é de fácil solução.

As dificuldades ficam agravadas nos casos em que a essa ausência de hierarquias comunicacionais e de comando e controlo – esta é uma outra maneira, mais sintéctica, de contrastar os dois tipos de constrangimentos-limite que até aqui indiquei – se adicionam *outras*, que resultam de limitações encontradas, ou impostas, na *fluidez* da comunicação que lhes é exequível levar a cabo. Ou seja, quando, para além de independentes, os grupos não podem falar livremente entre si *e* não controlam minimamente a capacidade que tenham de o conseguir: não sabem nem como, nem quando, nem quanto o irão lograr. Em circunstâncias deste género, os diversos meios utilizados para conseguir uma boa coordenação de esforços, uma sincronização, ou mesmo uma simples sintonização, não podem senão operar de maneira *avulsa, irregular* (no sentido de aperiódica), e *indirecta*. O que, naturalmente, cria dificuldades suplementares no que toca à *passagem de testemunho* que tem lugar entre grupos e, num mesmo grupo, como que "emperra" as transições configuracionais adaptativas a que esse, como todos os agrupamentos congéneres, se vêem "evolucionariamente" sujeitos no meio hostil em que coalescem. O problema, a este terceiro nível, é *conjuntural*.

Não é, com efeito, preciso dispensar grande atenção ao tema para ter consciência de que a mistura de um imperativo de informalidade com a de um outro, de obliquidade, torna as coisas muitíssimo complicadas no que toca aos processos de ensino-aprendizagem que tão essenciais são em circunstâncias "evolucionárias". Em tais circunstâncias a solução encontrada para superar os constrangimentos existentes é tudo menos intuitiva.

Como então se logra, nestes agrupamentos, *aprender*? Como é possível fazê-lo e que significado tem o termo em situações como aquelas com que deparam estes grupos? Num meio em mudança em que a sobrevivência ela própria é aquilo que está em causa, muitíssimo melhor seria, sem dúvida, se as passagens de testemunho que ocorrem pudessem ser regulares, intensas, directas e quasi-ritualizadas, se se pudesse estabelecer *rotinas* e *formas canónicas de transmissão* de conhecimentos e experiências. Mas, como vimos, por via de regra tal não é possível. A hostilidade do meio não o permite. Quaisquer tentativas de comunicação, sobretudo se ela for intensiva, continuada e interactiva, como é hábito em processos de ensino-aprendizagem, fazem aumentar vertiginosamente as probabilidades de detecção das redes.

Com estes enquadramentos múltiplos em mente, prossigamos.

5.2. Estratégias de superação parcial de vários dos contrangimentos-limite encontrados: a comunicação e coordenação descentralizadas

> "*If the number of Americans killed is one tenth of the number of Russians killed in Afghanistan and Chechnya, they will flee, heedless of all else. That is because the current structure of the American and Western military is not the same as the structure of their military in the era of colonialism. They reached a stage of effeminacy which made them unable to sustain battles for a long period of time and they compensate for this with a deceptive media halo*".
>
> ABU BAKR NAJI (trad. 2006), *The Management of Savagery. The Most Critical Stage Through Which the Umma Will Pass*: 9.

Regressemos à nossa primeira questão de fundo nestas duas secções que encadeei uma na outra. Quais são, então, os meios de que dispõem agrupamentos terroristas para tentar garantir uma adaptação progressiva a circunstâncias sempre em mudança, quando esta é imprescindível para a sua sobrevivência e replicação? A questão é essencial, porque é evidente que os agrupamentos de facto *aprendem*, ou seja, efectivamente, dispõem de meios para superar as dificuldades com que defrontam.

Implícitos ou explícitos, directos e indirectos, oblíquos ou não, contínuos ou aos soluços, ostensivos ou encobertos, muitos são os dispositivos concebíveis que podem assegurar processos para a imprescindível circulação de informação útil que permitam convergências e complementaridades[6]. Têm um marcado denominador comum:

---

[6] O papel da comunicação e da partilha de informação, como antes insisti, é constitutivo. É também, pela via do que os analistas chamam um "contágio", um mecanismo central de emergência de comportamentos colectivos coordenados uns com os outros, com todos os impactos organizacionais que isso tem. Está hoje em dia a ser formalizado o seu estudo. Para uma modelização relativamente recente destes processos, ler P. S. Dodds and D.J. Watts (2004) "Universal Behavior in a Generalized Model of Contagion", que mostra apenas haver três classes de *collective dynamics* para "contágios" em redes, no que diz por exemplo respeito ao *spread of cultural fads*. Uma generalização muito interessante disso

trata-se, no essencial, de mecanismos apontados para um rastreio de formas *eficazes* (ainda que nalguns casos sejam formas oblíquas as formas utilizadas) de passagem, ou de transmissão, de informação em situações em que, por uma ou outra razão, há dificuldades em manter uma comunicação constante, directa e linear.

É bastante fácil enumerar alguns. Começo por um enquadramento geral. São conhecidos vários dispositivos de coordenação (e ensino-aprendizagem) desenhados para fazer face a impedimentos deste tipo. Tais mecanismos radicam *no que há*. Na ausência de verdadeiras coordenações centrais, por norma funcionam sobre a base de *consensos iniciais* de fundo e, bem assim, de *diagnósticos partilhados* quanto às forças e fraquezas dos adversários-alvo. Comungam, ainda que o façam de maneira largamente tácita, de um mínimo de *finalidades últimas*. Com o tempo, e muitas vezes *ab initio*, formam autênticos círculos epistémicos marcados por consensos aprofundados, em cujos termos *"everyone knows exactly what to do"*. Comungam também, de uma ou de outra forma, de *uma narrativa*, uma ideia com que já tinhamos atrás esbarrado. Assim, mesmo sem contactos sustidos e densos, os grupos em que estes dispositivos funcionam coincidem largamente na substância daquilo que levam a cabo ainda que o empreendam de maneiras independentes e personalizadas.

Mais ainda. Quando e enquanto tanto é possível, os mecanismos operantes convergem e são assim constituídas, quantas vezes por auto-organização e emergência, uma ou mais *open source communities* baseadas numa "troca" livre e constante de informações, no que redunda num autêntico *mercado*, uma espécie de *fora* abertos (abertos no sentido de públicos), e facilmente acessíveis, de ideias e tácticas. *Fora* esses que lhes permitem sobreposições regulares na ligação que criam e sedimentam entre as leituras que são empreendidas pelos vários participantes e as finalidades que estes ostentam.

Esses *fora* como que *sincronizam* a acção conjunta deles. São, nesses casos, mecanismos que de certo modo *segregam comunidades*.

---

mesmo, que foca muito em particular a tecla das trocas comunicacionais úteis (*information Exchange*) que tenham lugar numa rede, pode ser encontrada em P. S. Dodds, D. J. Watts, and C. F. Sabel (2003), "Information Exchange and Robustness in Organizational Networks".

Repare-se que, para tal, não são precisos mais do que consensos tácitos e minimalistas, desde que as "trocas" em causa sejam para todos *visíveis*.

Tal concertação-coordenação por via de uma sincronização de esforços e actividades pode ser conseguida frontal e deliberadamente, por meio da abertura de *logs* ou *blogs* na *Internet*, por exemplo, ou tão só pela via de uma publicitação contínua executada por terceiros; ou pode até ser induzida, em formatos mais densos e intensos, por intermédio de "pulsações" de transmissão concentrada de informações e de experiências, ou por via das técnicas de uma "publicitação em circuito restrito" que conseguem manter, e que vão de contactos directos e relâmpago a SMSs e telégrafos, passando pela feitura e circulação de "manuais tácticos de operações". Ou poderá, em alternativa, basear-se em respostas paralelas a consensos "epistémicos" mais tácitos, mas nem por isso mais difusos ou menos pormenorizados e "pró-activos", que lhes garantem uma invejável coordenação visto "todos saberem o que fazer". Seja qual for a modalidade preferida (ou a combinação delas) o *modus operandi* da coordenação-sincronização gizada é claro: partindo de consensos mínimos e quantas vezes "desfocados", os mecanismos adoptados tendem a dar-lhes substância e nitidez crescentes nos *fora* comunicacionais mais ou menos densos e directos que logram ir criando[7].

Mas, e a aprendizagem? A verdade é que não é necessário que haja uma troca livre e constante de informações para que a aprendizagem tenha lugar: mesmo um grau bastante baixo de coordenação explícita pode surtir efeitos surpreendentes. *Covert networks* têm aí o segredo da sua sobrevivência e da muitas vezes notável capacidade de adaptação evolucionária que demonstram.

---

[7] Processos deste tipo têm sido estudados noutros âmbitos. Dois exemplos, por todos. Para uma abordagem, bastante teórica mas com dados empíricos razoáveis, de alguns dos enquadramentos dos processos de aprendizagem em "comunidades virtuais" que se vão constituindo na *Internet*, é útil a leitura de Seungyeon Han e Janette Hill (2006), "Collaboration, Communication, and Learning in a Virtual Community", em Subhasish Dasgupta, *Encyclopedia of Virtual Communities and Technologies*: 29-36, Idea Group Reference. Um segundo exemplo é o da monografia de Anja Ebersbach, Markus Glaser e Richard Heigl (2006), *Wiki Web Collaboration*, sobre a mecânica *wiki* que, na *Internet*, tem presidido a inúmeros esforços colectivos de colaboração descentralizada, nomeadamente dando origem à famosa e polémica *Wikipedia*. Um estudo delicioso.

Como? Para o circunscrever, uma analogia bastará por todas, pelo menos enquanto *thought experiment*. Tal como para efeitos de coordenação (e numa extensão desta) dispositivos descentralizados conseguem comunicar uns com os outros e colaborar pela via de formatos subreptícios (mas não necessariamente menos eficazes) de ensino-aprendizagem, formatos que incluam a utilização mais ou menos sistemática, nos meios em que agem, de "marcadores ambientais" – chamemos-lhes assim, à imagem, aliás, do que fazem biólogos e ecologistas.

Na Natureza, processos de aprendizagem-coordenação deste tipo baseiam-se, muito característica e claramente, em verdadeiras baterias de instintos que resultam de progressivas adaptações evolucionárias (estas num sentido darwiniano "cego" e sem o benefício da herança de "*acquired traits*", um processo por isso muito mais lento e moroso) que podem demorar milhões de anos a ocorrer. Exemplos? A remissão mais óbvia é para os mecanismos de comunicação *implícita* (o que os biólogos e ecologistas chamam *estigmergia*) tão abundantemente utilizados no reino animal. Fala-se de estigmergia naqueles casos em que indivíduos ou grupos comunicam indirectamente, usando o ambiente como canal de comunicação. Os "marcadores" funcionam como uma mais ou menos implícita (mas para os membros da espécie fácil de decifrar) sinalização de alvos, ou de percursos (físicos ou simbólicos) a calcorrear para os atingir. Formam o que os analistas chamam "mapas cognitivos"[8].

Penso, designadamente, nas feromonas deixadas pelas formigas no trilho de um alimento ou inimigo, ou nas danças das abelhas que se deslocam para a sua colmeia. Seguindo regras simples, e sem uma verdadeira coordenação central, sem uma "inteligência" específica, *emerge*, por *auto-organização*, um padrão de complexidade[9]. Em

---

[8] A grande diferença entre tais mapas cognitivos e os dos humanos está porventura na sua localização: nos insectos são "escritos" no meio ambiente circundante, enquanto que nas pessoas se constituem no interior do cérebro, no hipocampo. Para uma boa discussão, ver Dante R. Chialvo and Mark M. Millonas (2005), "How Swarms Build Cognitive Maps", um *working paper* do *Sante Fe Institute*.

[9] Num outro tipo de *hidden hand explanation*. Não é, aliás, sempre óbvio qual o processo desencadeado: "emergência" ou "auto-organização"? Para uma proposta de distinção entre conceitos e mecanismos que tendemos a confundir, ver o fascinante artigo de T. De Wolf e T. Holvoet (2005), "Emergence Versus Self-Organisation. Different Concepts but

agrupamentos humanos, e no curto prazo, para que seja produzido o mesmo tipo de efeito, basta a criação, à partida ou a par e passo, de uma "cultura" adequada de aprendizagem e de transmissão de informações de agentes autónomos (ou quasi-autónomos, no sentido em que a comunicação que mantêm entre si é ténue ou inexistente), cada um deles com os seus próprios processos independentes de tomada de decisão, para que tal tenha lugar.

Para que passe informação por via indirecta e descontínua, por outras palavras, é suficiente que os actores sociais envolvidos – que em teoria da comunicação se chamam "agentes" – provenham de uma matriz comunicacional (no sentido muito limitado de uma *sinalética*) comum, ou nela se alicercem, por assim dizer. Basta, designadamente, que concordem num "léxico" adequado, uma sinalética partilhada, que "mantenham os olhos na bola", que o registem e incorporem no comportamento e na orgânica do grupo, e que depois, por "cissiparidade", por assim dizer, repliquem aquilo que observaram. Para tanto, note-se, chega que esteja presente uma "coesão epistémica" conjuntural razoável: isso é suficiente para que possamos metaforicamente considerar que, de algum modo, "todos falam a mesma língua". Por aqui se percebe a ligação estreita existente entre coordenação e ensino-aprendizagem[10].

Outros mecanismos há, para além destes, que têm consequências afins, como um pouco de reflexão mostra. Um ensino-aprendi-

---

Promising When Combined". Para uma melhor, mas mais técnica, fundamentação, ver, dos mesmos T. De Wolf e T. Holvoet (2006), "Decentralised Coordination Mechanisms as Design Patterns for Self-Organising Emergent Applications".

[10] Muito mais pode ser dito neste ponto, muito do qual não-intuitivo. Em John H. Miller e Scott Moser (2003), "Communication and Coordination", por exemplo, num artigo um "*adaptive model of strategically communicationg agents*", foi argumentado que embora *superior coordination points* sejam evidentemente atingidos com um aumento da comunicação entre "agentes", depressa um "limiar" (*strategic threshold* é o termo utilizado) é atingido no qual *inferior communication points* são evitados mesmo se não houver entre os "agentes" senão o que os dois autores chamam "a priori *meaningless messages*": apesar de intervalado, um *well-coordinated behavior* instala-se, resultando numa "*rich, and often robust, 'ecology' of behaviors*" que permitem, ou pelo menos estatisticamente, *superior outcomes*. O que os dois Autores apuraram foi que, uma vez atingido esse limiar, ou patamar, há a "*few critical pathways by which the system transitions from one coordination point to another*"; e num destes *pathways*, comunicar preenche um papel crítico ainda que de modo efémero.

zagem intenso e largamente *tácito* também pode ser logrado de maneira mais indirecta, e que é tanto "epistémica" como comunicacionalmente menos exigente. Pode ser conseguido, por exemplo, é bom de ver, por um encadear de demonstrações muito explícitas e inequívocas de vulnerabilidades do adversário, demonstrações essas conseguidas por ataques desde o início desenhados para serem diversificados – e com resultados consequentemente diferentes entre si, com todo o potencial "didáctico" que tal implica – com acções seleccionadas e empreendidas com o intuito de significar de maneira sonora *preferências* dos atacantes, ou *vulnerabilidades* dos atacados. Por outras palavras: desde que todos estejam disponíveis para observar com atenção aquilo que é feito e depois para se reorganizar em função disso, aprender pode resultar tão-só de um testar de águas levado a cabo de vários ângulos.

Note-se que, em contraste com o caso anterior, estamos, em cenários hipotéticos, de alguma forma a montante de um bom entendimento por parceiros que "falem uma língua comum": insisto, o mecanismo que acabei de descrever pode funcionar de maneira eficiente desde que nos encontremos perante agrupamentos que estejam atentos às acções uns dos outros, mesmo que os "agentes" envolvidos não possam, ou não queiram, arriscar uma grande comunicação *directa* entre si, nomeadamente dada a hostilidade e periculosidade do "ambiente adversarial" em que se encontram[11]. E repare-se que daqui podemos derivar interpretações macro interessantes sobre a progressão da comunicação entre grupos terroristas e sociedades que tenham como alvo. Se pusermos o acento tónico na *publicitação* isso torna-se evidente.

Durante o "período de vigência" da geração terrorista dos anos 60 a 80, a publicitação da autoria dos ataques era parte e parcela das acções desencadeadas: os agrupamentos competiam para reinvindicar "direitos de autor" e tipicamente choviam telefonemas para os *media* alegando paternidades alternativas. Hoje *não* é essa a tendência geral.

---

[11] Para este ponto, ver Stan Franklin (1996), "Coordination without Communication", bem como o longo trabalho monografo ainda não completado mas já disponível em versão incompleta de Cristiano Castelfranchi (2006), *When Doing Is Saying. The Theory of Behavioral Implicit Communication*, um trabalho de psicologia teórica em curso de elaboração em Roma.

Porventura com o intuito de significar uma ausência de quaisquer disponibilidades para o diálogo, ataques terroristas não só não são muitas vezes reivindicados, como é difícil, em muitos casos, apurar a autoria material dos ataques. A vontade de publicitar mantém-se, repare-se; mas mudou o ponto de aplicação. Aquilo que é publicitado são hoje as *características de pormenor dos ataques* – quantas vezes filmados pelos perpetradores e as gravações difundidas tão amplamente quanto possível; e não a sua autoria. A finalidade é didáctica; subalternizado ficou o "prestígio". Hoje publicita-se para coordenar, ensinar e aprender, não tanto para acumular prestígio.

Concluo este passo da minha monografia com um paralelo e uma série de consequências, no plano estrito da aprendizagem, do funcionamento em rede de organizações como as de que temos até aqui vindo a falar. Para tanto, vou dar um salto para um enquadramento mais amplo. Vou arriscar uma analogia, para depois a aplicar àquilo que disse. Aqui vai: tal como no que diz respeito ao desenvolvimento de *open source platforms*[12] (como os já referidos sistemas operativos da Linux), os segredos do sucesso das actividades e dos processos associados de aprendizagem podem ser encontrados numa série bastante simples de princípios, ou factores[13]. Quais são eles? O que há que fazer em tais casos para lograr uma aprendizagem adaptativa?

---

[12] Ver, quanto a este tema, o já citado trabalho de Eric S. Raymond (1998), intitulado "The Bazaar and the Open Source Platform", *First Monday*, 3 (3). Para uma crítica mordaz a Raymond, ver Nikolai Bezroukov (1999), "A Second Look at the Cathedral and Bazaar", também na *First Monday,* mas na número 4 (12). Para uma visão de conjunto mais recente e ponderada, ler o esplêndido artigo de Jill Coffin (2006), "Analysis of open source principles in diverse collaborative communities", *First Monday*, 11 (6). Uma analogia alternativa (mas menos directamente aplicável do que esta) é com os *peer to peer networks* [*p2p*] que se seguiram ao *Napster*, dos *Gnutella* aos famosos *bitTorrent*. Os *p2p* são, porém, um melhor exemplo de *covert networks* do que propriamente de aprendizagem.

[13] O exemplo clássico disto provém de análises do comportamento social das térmitas: "*termites, who use pheromones to build their very complex nests by following a simple decentralized rule set. Each insect scoops up a 'mudball' or similar material from its environment, invests the ball with pheromones, and deposits it on the ground. Termites are attracted to their nestmates' pheromones and are therefore more likely to drop their own mudballs near their neighbors'. Over time this leads to the construction of pillars, arches, tunnels and chambers*". O estudo germinal foi de um biológo francês, Pierre-Paul Grassé, e data de 1959. Para uma curta abordagem, ver H. Parunak, (2003). "Making

Vistas as coisas da perspectiva dos operacionais de uma rede, para garantir eficácia "educacional" a médio-longo prazo basta: (i) tentar circular cedo, e muitíssimas vezes, acções que dêem corpo a formatos que vão sendo gizados e escolhidos – tentar novas formas de ataque, com tanta variedade e rapidez quanto possível, em vez de esperar pelo "plano perfeito"; (ii) aprender a reconhecer as boas ideias uilizadas pelos "pares" envolvidos em processos de "co-desenvolvimento", neste caso, de tácticas operacionais; e (iii) por outro lado, os *co-developers*, ao actuarem como uma espécie de *beta testers* de novos formatos de ataque, são os melhores aliados, já que inovam nos planos gizados, convergem nas fraquezas identificadas e tornadas explícitas pelos nossos ataques, e criam um ruído genérico que é protector do sistema, no sentido em que torna difícil aos adversários identificar as fontes dos ataques.

Para *aplicar* isto, deixem então que regresse ao que antes disse. Relembremos a ideia que atrás introduzi na discussão de "comunidades" ou "círculos epistémicos" e do seu *modus operandi*, e tudo se tornará mais claro. De facto, basta que estejam presentes consensos mínimos iniciais e algumas finalidades últimas partilhadas para que seja desencadeada a emergência de formas organizacionais complexas e que estas se vejam cada vez mais "adaptadas" às conjunturas externas existentes. *Coeteris paribus*, mais cabeças pensam, sempre, melhor do que menos cabeças. Se houver uma *pool* suficientemente grande de *co-developers* capazes, afincados e atentos, é apenas uma questão de tempo até que alguém veja como óbvia a solução para um problema difícil e prontamente o resolva; basta depois, aos outros agrupamentos "similares" que observam calados nos bastidores, mimeticamente *copiar* o sistema utilizado, para que um novo patamar organizacional dotado de uma eficácia acrescida seja atingido. E o processo continuará *sine die* se as "células" ordenadas em rede

---

swarming happen". nos *Proceedings of Conference on Swarming and Network Enabled Command, Control, Communications, Computers, Intelligence, Surveillance and Reconnaissance (C4ISR)*, McLean, Virginia. Para uma monografia exaustiva de aplicações militares, é útil a leitura de Tony White (2005), *Expert Assessment of Stigmergy. A Report for the Department of National Defence*, um estudo encomendado pelo Ministério da Defesa do Canadá e nele elaborado.

impavidamente recomeçarem o processo de *beta testing* por via de experimentação tão diversificada e pública quanto possível[14].

É certo que, mais uma vez *coeteris paribus*, a aprendizagem "evolucionária" daí resultante será tanto maior quanto mais "epistemicamente coesa" fôr a rede em causa. Ou, por outras palavras, será tão mais intensa quanto mais os vários agrupamentos se articularem entre si numa rede ampla que os abarque a todos. Nem sempre, porém, tal é possível, designadamente em agrupamentos acossados como o são os de terroristas.

No entanto, como espero ter tornado óbvio, nem a autonomia, nem a ausência de planeamentos conjuntos de pormenor, nem as limitações nos canais comunicacionais disponíveis, constituem, em boa verdade, uma barreira efectiva para a operação eficaz de processos continuados de aprendizagem e adaptação. Tanto, aliás, parece evidente se pensarmos que, de qualquer maneira, a *coordenação* já existia, decerto, antes de a linguagem ter aparecido. Seguramente, uma coordenação diferente, porventura nalguns planos mais vaga e menos eficiente, como aquela que tem lugar entre os animais: mas, em qualquer caso, uma coordenação.

---

[14] No terrorismo "clássico" dos anos 60, 70, e 80, a publicitação era um *sine qua non* da eficácia: cada acção de terror era de imediato reinvindicada por numerosos agrupamentos dedicados ao terror, que tentavam assim ganhar dividendos políticos ao mobilizar descontentamento entre as suas vítimas e entusiasmo entre os seus aliados potenciais. Hoje, no grosso do terrorismo de nova geração, os ataques são silenciosos e raramente são assumidos por quem os perpetra. A situação mudou. Aquilo que os agrupamentos terroristas pretendem não é já uma propaganda institucional às suas acções (com toda a capacidade de "recrutamento e mobilização" que isso tinha) entre os seus adversários, mas antes a maior visibilidade possível entre os seus *compagnons de route*, a quem assim comunicam tacitamente tácticas de actuação eficazes e métodos condenados, uns, ao sucesso, e outros, ao fracasso. A transposição e métodos do Iraque para o Afeganistão, a que aludi, é disto exemplo.

5.3. *A coordenação e o comando e controlo revisitados em contextos organizacionais não-hierárquicos*

> "[I]t is worth holding the line that separates understanding from justification, the line that divides understanding from explanation. That is the work that the word 'evil' does. It holds th e line. [...] Al-Zarqawi is a cynic about these matters: the truths we hold to be self-evident are the ones he hopes to turn against us. He thinks that we would rather come home than fight evil. [...] If we succumb to this temptation, he will have won. He has, however, forgotten that the choice always remains ours, not his".
>
> MICHAEL IGNATIEFF (2004), "The Terrorist as Auteur", *paper*, John F. Kennedy School of Government, Harvard University

Passemos, então, à nossa segunda questão de fundo, a do comando e controlo em redes dispersas e descentralizadas: uma espécie de versão *hard* da coordenação, repare-se[15]. Notei atrás que, com as novas tecnologias de informação hoje em dia generalizadas e de fácil acesso e utilização, a pressão sistémica para a mudança empurra *na direcção de uma cada vez maior autonomia*. Esta é, como será fácil de compreender, uma situação que põe em jogo questões de fundo relativas aos mecanismos de conciliação de esforços para os articular entre si, à definição de objectivos parciais, e que aponta na direcção de um novo olhar que temos de lançar sobre a própria natureza (e para a urgência de uma redifinição do papel) tanto do *comando* como do *controlo* das acções militares.

Uma salvaguarda: repare-se que, embora nas páginas que se seguem me debruce sobre questões no essencial *militares*, a aplicabi-

---

[15] Um ponto interessante resulta, a meu ver, da constatação, que me parece evidente, de que a aprendizagem é concebível como uma extensão adaptativa, distributiva e policentrada, ao longo do eixo tempo, da coordenação - enquanto que o comando e controlo constituem uma intensificação sincrónica, centralista e concentrada dessa mesma coordenação. Ou seja, o comando e controlo redundam numa forma reforçada, condensada e por isso particularmente *hard* de ensino.

lidade de tudo isto a entidades com a al-Qaeda é, por demais, evidente.

O que será "comandar" ou "controlar" agentes comparativamente autónomos? Seria difícil realçar demasiado este ponto, tal a importância de que ele se reveste. Com efeito, basta refletir um momento para que nos apercebamos do alcance das mudanças que a universalização de redes induz a este nível, tanto no que diz respeito a alguns dos traços essenciais do comando e controlo militar "clássico" – que se vê profundamente reconfigurado – quanto na dissolução e na desarticulação sofridas, pelo menos ao nível superficial, naquilo que nos habituámos a conceber como uma "cadeia hierárquica de comando". Ecos e reverberações são assim sentidos em dois planos: no plano, se se quiser sociológico, do inevitável conjunto de reacções das chefias político-militares face aos reajustamentos exigidos, e no da conceptualização, em si mesma, do próprio acto de chefiar[16].

Para abordar em pormenor estas reconfigurações e mudanças, vale a pena começar por equacionar de maneira precisa o enquadramento geral dos problemas suscitados, embora por uma questão de clareza de exposição para já seja preferível que o façamos a traço grosso. Por razões de economia do texto, tendo em conta o tema que escolhi tratar, atenho-me ao segundo grupo de problemas que elenquei: os relativos ao acto de chefiar.

Começo por um enquadramento amplo das questões suscitadas. E equaciono as coisas com um só exemplo: como escreveu com lucidez Thomas Adams em 2000[17], com as Forças Armadas norte-americanas em mente, "*they* [é na *modern US military* que Adams está a pensar] *have the technology to move information down to the lowest level so that it is possible for the men inside tanks to have as much information as their commanders have... But once you give*

---

[16] Para visões alternativas, ambas de excelente qualidade, é útil a leitura dos estudos de David Alberts and Richard Hayes (2003), *Power t the Edge. Command and Control, in the Information Age* (o grande livro "clássico") e de John F. Schmitt (2004), "Command and (out of) Control. The Military Implications of Complexity Theory", um estupendo artigo. Mais enxutos e muito mais simples e sucintos são os estudos de Hank Kamradt (2003), "Informational Sufficiency and the Operational Commander", e o de George Franz (2004), "Decentralized Comand and Control of High-Tech Forces", ambos redigidos por oficiais do *Naval War College*, em Newport, Rhode Island.

[17] Thomas Adams (2000), *op. cit.*: 62.

that information to tank crews, and they start working for their own safety, their own victory, how are they going to respond to commands from above? And what happens to battle strategy? Is it in the head of the commander, or do you just train the crews and let them figure it out for themselves as the situation demands?". Como podemos verificar, Thomas Adams questiona a própria necessidade (bem como a legitimidade) de uma cadeia clássica de comando em situações de uma crescente uniformização e "democratização" comunicacional[18].

Prosseguindo, Adams a seguir especula no quadro de um teatro de guerra concreto com o intuito de dar realce a algumas das mais relevantes minudências do domínio dos problemas materiais desencadeados em cenários específicos: *"imagine an environment of rapidly shifting battlefields, probably in urban areas. Fighters are moving and operating with lightning fluidity responding to changes in the situation at the individual and squad level. Deadly accurate fire support is on call by the basic soldier or marine. Response times are too short for bureaucratic channels and formulaic calls for fire. Instead, the digitized soldiers are able to take instant advantage of fleeting opportunities – a misstep by the enemy, a sudden break. Decisionmaking power is forced downward; there are too many individual situations and too many variations for commanders to control. Deciding how to prioritize resources in such a situation is a real problem. To blindly follow a pre-set operations order – 'We will attack in this sector, preceded by a diversion here' – is to abandon most of the advantages gained by the panoply of sensors and information systems"*.

Segundo T. Adams, dá-se, portanto, em simultâneo, uma *descentralização* e uma *descida do nível hierárquico a que são*

---

[18] Ver também o livro-marco que foi o de James Moffat (2003), *Complexity Theory and Networkcentric Warfare*, uma publicação oficial do *Command and Control Research Program* do *Center for Advanced Concepts and Technology* do *Department of Defense* norte-americano. Para um *thought experiment*-simulação que põe em evidência os limites gravosos do *command and control* clássico, baseado na impossível articulação de um submarino no Estreito de Ormuz com outras forças norte-americanas face à iminência de um conflito nuclear, ver Charles D. Sykora (2006), "A Transformation Limited by Legacy Command and Control", *Naval War College Review*, vol. 59, no. 1: 41-62.

tomadas decisões tácticas, que redunda, como corolário, numa *fragmentação* do processo decisional no plano das operações. Um segundo corolário prende-se com a inevitável alteração *do papel* do comandante, que deixa de ter o monopólio do controlo, para passar a coordenar acções "dispersas" (como iremos ver, talvez a expressão "disseminadas" seja a mais adequada, visto que alguma coordenação permanece na actuação dos nodos do sistema) e a fazê-lo de maneira mais indirecta: mais do que um esbatimento, o comando e controlo apenas se deslocaria, assim, para um patamar muito alto de inclusividade. E continua a ser *imprescindível* para uma qualquer actuação militar eficaz[19]. Como? Um Coronel norte-americano, Alan Campen[20], por exemplo, escreveu, em 2001, que *"decentralized, self-synchronized network-centric warfare with sophisticated sensing and striking capabilities at the very tip of the combat spear demands far more of command and control than does the orchestration of a symphony with its centralized direction and well-rehearsed score. Widely dispersed combat units, which must necessarily act as one, will not benefit from centralized orchestration. Instead, they require the integrated flexibility described by musician Wynton Marsalis in explaining how innovative and individualistic jazz artists 'negotiate their agendas' in real-time pursuit of a common theme – in this case, commander's intent".*

Uma comparação notável. Generalizando num plano formal, Campen insistiu, neste contexto, no que considera serem as vantagens de uma sistemática *"decentralized, and self-synchronized,*

---

[19] Seria um erro pensar que esta posição de Thomas Adams é atípica, ou que representa uma qualquer hipotética postura obliquamente contestatária. Tudo isto é bem conhecido ao nível dos estrategas e especialistas militares naqueles Estados em que as chamadas *netwars* ["guerras em rede"] se tornaram objecto de estudo e até de doutrina. Uma doutrina e estudos em muitos sentidos ainda embrionários, dada a novidade das questões levantadas, e que por isso dão quantas vezes azo a pouco mais do que análises e teorizações metafóricas.

[20] Mais uma vez, uma citação que utilizei no meu trabalho de 2006. Alan Campen (2001), num artigo publicado na *Signal*. As ênfases são minhas. A. Campen é Professor na *School of Information Warfare and Strategy,* da prestigiada *National Defense University.* Para um bom enquadramento externo e genérico deste género de problemas, ver, por todos, (eds.) Donald Inbody *et al,* (2003), *Swarming, network enabled C4ISR*, Conference Proceedings, McLean, Virginia, uma publicação oficial do *Office* do *Secretary of State* norte-americano, que inclui artigos dos melhores especialistas norte-americanos e britânicos.

multidimensional orchestration *of military operations*", pelos menos no que diz respeito a Forças Armadas modernizadas. Embora explicações metafóricas produzam tão-só intuições e não desvendem, em boa verdade, muito na mecânica concreta daquilo a que se referem, alguma utilidade têm decerto, e aqui não custa ver qual é essa utilidade, pelo menos em termos genéricos. Em forças organizadas em rede, a coordenação e o controlo já não são o que eram e as mais simples das comparações demonstram-no em abundância.

O que podemos concluir? Mais uma vez, convém esclarecer em que domínio da problematização organizacional nos encontramos ao transpor concepções. Só assim poderemos aferir da aplicabilidade de tudo isto à al-Qaeda. Sem dúvida que o apuramento dos meios para uma efectiva coordenação (talvez a expressão 'orquestração', de Campen, equivalha a uma melhor metáfora) da acção de agentes autónomos, ou quasi-autónomos, cada um deles com os seus próprios processos de tomada de decisão, continua decerto a ser primordial se quisermos compreender o impasse em que se encontram as doutrinas militares "clássicas"[21]. Mas não é isso aquilo que nos interessa no presente trabalho.

O ponto focal que escolhi foi a aprendizagem organizacional em *networks*, e nesse domínio, podemos ir mais longe na destrinça das transformações a que o comando e controlo se tem visto sujeito em resultado das propriedades e virtualidades destas[22].

---

[21] Um impasse ameaçador, para dizer o mínimo. Da muita bibliografia existente, ver, por exemplo, o trabalho de Alan D. Campen (2001), "Swarming Attacks Challenge Western Way of War", publicado na revista periódica *Signal*, e o de Thomas X. Hammes (2005), "Insurgency. Modern Warfare Evolves into 4th Generation", *Strategic Forum* 214: 1-8,. Os numerosos artigos e livros de J. Arquilla e D. Ronfeldt são talvez os mais conhecidos e decerto os mais influentes destes estudos. Para defesas precoces de um novo tipo de *command* e *control* ver Thomas J. Czerwinski (1996), "Command and Control at the Crossroads", um estudo premonitório publicado na célebre revista militar *Parameters*, e James Kuhn (1998), "Network-Centric Warfare. The end of objective-oriented command and control?".

[22] Não é inteiramente pacífica esta opinião, apesar de ser de longe a mais comum. Para uma discussão pormenorizada das vantagens e desvantagens de uma centralização ou de uma descentralização na *network-centric warfare*, parcialmente favorável à primeira destas hipóteses, ou tendências, ver o estudo de George Franz (2004), "Decentralized Comand and Control of High-Tech Forces". Para uma crítica algo velada à Doutrina Rumsfeld de forças "leves" e "agéis", no que toca à operação *Iraqui Freedom*, insistindo nalguma impreparação e numa excessiva precipitação modernizante [a expressão é minha], ver Hank Kamradt (2003), "Informational Sufficiency and the Operational Commander: a cautionary tale".

Neste domínio as reconfigurações exigidas são algumas, mas não anulam a necessidade de um forte comando e controlo no que toca ao bom funcionamento operacional de redes como as que aqui nos ocupam. Repare-se, por exemplo, como de resto o notou Bryan Still[23], naquilo que acontece ao famoso *commander's intent* ["intenção do comandante" é a tradução portuguesa consagrada] em situações de auto-sincronização de forças equipadas e preparadas para uma *netwar* eficaz: ou seja, como se modulam, em cenários de guerra deste tipo, tanto a descrição pelo comandante do estádio final desejado, quanto a sua expressão dos objectivos últimos a atingir. B. Still começa por notar que uma *netwar* não torna um comandante prescindível, mas exige dele capacidades e um *know-how* (Still chamalhes *skills*) muito específicos. Efectivamente, a auto-sincronização de forças como que "põe de cabeça para baixo" noções tradicionais de liderança e comando – as forças organizam-se "de baixo para cima" e, uma vez uma acção desencadeada, não precisam de mais direcções. Tal não redunda, porém, numa real *autonomia*: para serem *eficazes*, as forças são *controladas*; as forças têm de compreender e saber decifrar as prioridades do seu comandante.

Repare-se, todavia, que o bom comandante, numa rede, não é o comandante típico dos sistemas hierárquicos. Para esse "controlo remoto", chame-se-lhe isso, assim *topsight*, o comandante precisa de saber delegar (ou seja, tem de saber aceitar a descentralização), de saber comunicar intenções claras e enxutas (por outras palavras: tem de lograr ser transparente e sucinto quanto a meios e fins últimos), e precisa de saber lidar com o risco e a incerteza (já que a "não-linearidade" resultante da lógica de actuações paralelas típica de *netwars* por norma adensa exponencialmente a "névoa da guerra" de que falou Clausewitz). O *tempo* e a complexidade das operações empreendidas por forças *networked*, com a *enhanced battle awareness* de que dispõem, exige-o[24]. Para se transformar num bom

---

[23] Bryan Still (2004), "The Role of Leadership in Self-Synchronized Operations – the implications for the US military", um trabalho produzido para um *Naval College* norte-americano sobre a operação *Allied Force* conduzida pela NATO no Kosovo.

[24] Um ideal ainda raramente logrado. No seu artigo, Still mostra a disparidade patente entre as *leadership skills* existentes nas forças norte-americanas que actuaram no Kosovo e as exigências de uma *netwar* eficaz. Para uma discussão detalhada mas rápida e compacta

comandante numa rede, um comandante "clássico" tem certamente
de se sujeitar a reconfigurações de monta, sob pena de não só não
conseguir beneficiar da enorme eficiência do sistema *networked* que
tem ao seu dispor, mas, pior, de incorrer no risco de, pela sua actuação
desajustada, poder vir a causar uma falha catastrófica na operação.

Sem querer, como antes disse, perder muito tempo com questões de natureza mais estritamente sociológica, não deixa de ser útil
esboçar um esquisso delas. De novo, um só exemplo, desta feita
relativo a uma espécie de modelização *a contrario*, como que de-
monstração implícita levada a cabo *ad absurdum*. Penso num estudo
notável de Kavon Hakimzadeh, um tenente-coronel norte-americano
que se preocupou com o que apelidou de *decision creep-up*, (literalmente, "o trepar da decisão") a tendência de muitos comandantes
para interferir, em tempo real e em moldes "clássicos", na actuação
táctica dos seus soldados no terreno, interferência que em condições
de "subsidiaridade informacional" pode ter efeitos desastrosos[25].
Num curto artigo[26], Hakimzadeh deu vários exemplos das consequências nefastas desse *decision creep-up*, numa defesa implícita das
vantagens de uma descentralização nos métodos de comando e controlo[27]. Todas elas se prendem com a coordenação sincrónica de
esforços que numa rede é mais fácil de levar a cabo de baixo para
cima. Como Hakimzadeh insiste[28], "[w]*hile it is the commander's
prerogative to make decisions for any level of the force, the problem*

---

das tensões existentes entre operações levadas a cabo no quadro da "*maneuvre warfare
doctrine*" e as *netwars* modernas, ver, por todos, Donald K. Hansen (2004), "Can
Decentralized Command and Control Complement Network-Centric Warfare?".

[25] Segundo K. Hakimzadeh há várias razões para essa tendência e há que
compreendê-las bem para melhor as neutralizar, já que o resultado é um esbatimento das
vantagens existentes à partida, para a parte do lado mais "digitalizado", na sua condução de
uma *netwar*.

[26] Kavon Hakimzadeh (2003), "The Issue of Decision Up-Creep in Network Centric
Warfare", *Naval War College*, Newport, Rhode Island.

[27] Um estudo fascinante é o contido no extenso trabalho comparativo apresentado
como uma tese de Mestrado em Fort Leavenworth, no Kansas, por Kevin Leahy (2005),
*The Impact of Technology on the Command, Control, and Organizational Structure of
Insurgent Groups*. Leahy trata, no essencial, a evolução da "insurgência" no Iraque contemporâneo (pós-invasão), contra o pano de fundo comparativo amplo, considerando-a como
uma forma "incipiente" que tende para uma hierarquização do *command and control* clássico.

[28] Kavon Hakimzadeh (2003), *op. cit.*: conclusões.

of decision up-creep could undermine synchronization on the tactical level and undo many of the war fighting benefits derived from a fully netted force".

Escusado será certamente voltar atrás naquilo que disse para bem o compreender.

6.

LIMITES, DESMORONAMENTOS, E SOBREVIVÊNCIA: expedientes

"*We agree with arguments that contend that network-based threats are difficult to defeat and pose a long-term challenge to security, especially at the individual level. But the resilience of networks is not limited to terrorists and criminals; it is a prominent feature of contemporary states and gives them considerable protection as well. Moreover, most networks face significant collective action problems that limit what they can achieve. These characteristics make it extraordinarily unlikely that terrorists or other such actors will be able to undermine the national or homeland security of countries or, indeed, achieve any long-term strategic goals. Consequently, even though terrorism poses a grave and persistent threat to personal security and a wide range of devastating attacks are possible, we argue that its threat to national security is at times poorly characterized and, hence, misrepresented. The West is never likely to win a global war against terrorism or other network-based threats, but, like terrorists, nation states can impose large costs on individuals or groups within the network. Their organizational structures enable them to do so with a greater efficiency and a greater degree of coordination over a longer period of time than their network based adversaries. If diffuse terrorist groups succeed in overcoming the collective action problems of networks, their institutionalization will generate new preferences and vulnerabilities that may make them easier to control*".

RICHARD MATTHEW and GEORGE SHAMBAUGH (2005), "The Limits of Terrorism: A Network Perspective", *International Studies Review* (2005) 7, 617–627: 617.

Podemos agora juntar, ou puxar, todas estas linhas interpreta-
tivas que percorri *à vol d'oiseau* e como resultado subir de patamar,
vendo mais longe. Conseguiremos desse modo reperspectivar, na
presente monografia, as questões de fundo que aqui decidi tomar
directa e indirectamente por tema, nomeadamente a conectividade, a
coordenação, e a aprendizagem. E levá-lo a cabo, se não redefinido-as
para efeitos de uma interpretação da al-Qaeda, pelo menos re-enqua-
drando de maneira mais densa e complexa o porquê da transformação de entidades como esse agrupamento terrorista – entidades que
passaram de uma estrutura hierárquica com muitas *características
modernas* "tradicionais" para uma rede social *scale-free* mais "pós-
-moderna", e hoje em dia a caminho de se mudar em *random* ou em
all-channel networks ou, porventura, numa entidade mais ténue do
tipo apelidado de *leaderless resistance*. Um ponto que já aflorei e a
que me proponho regressar.

6.1. *A lógica das tranformações ocorridas na al-Qaeda se elas forem vistas num enquadramento ao mesmo tempo relacional e dinâmico*

> "*An organization that maximizes return on
> investment, builds up the world's most recognizable brand
> name overnight, creates synergy between PR message and
> HR recruiting, attracts motivated loyal employees who
> make the ultimate sacrifice to extend the mission into new
> markets and keeps expanding despite the world's most
> hostile environment is every manager's dream. One
> manager turned this dream into a reality: Osama bin
> Laden*".
>
> HANS VAN DER WEIJDEN (2005), "Al-Qaida, The Business
> Model." *Interface*, February: 14, 15. http://www.sviib.nl/
> interface/magazine/pdf/21_3_alquada.pdf.

> "*Our response involves far more than instant
> retaliation and isolated strikes. Americans should not
> expect one battle, but a lengthy campaign, unlike any
> other we have ever seen. It may include dramatic strikes,*

visible on TV, and covert operations, secret even in success... From this day forward, any nation that continues to harbor or support terrorism will be regarded by the United States as a hostile regime".

GEORGE W. BUSH, discurso-marco pronunciado a 20 de Setembro de 2001, num *Address* a uma *Joint Session of Congress*.

Sem que por isso repita o que afirmei logo de início, vou voltar um pouco atrás, de maneira agora, mais específica e mais avançada, por assim dizer. Quero regressar por uns momentos à tipologia das redes com que abri a presente monografia, mas desta feita com o ponto focal nas propriedades e virtualidades que lhes advêm das respectivas estruturas organizacionais, designadamente no que diz respeito ao comando e controlo, ao par ordenado conectividade- -coordenação, e à eficácia adaptativa genérica que as caracteriza: termino assim com um regresso ao princípio, embora se trate de regresso modulado pelo percurso percorrido.

Os analistas de *social networks* habitualmente distinguem três tipos do curioso género de redes de que a al-Qaeda será uma espécie contemporânea – vimo-lo logo de início. É porém possível ir mais além pela via de contraposições. Para apurar quais as vantagens adaptativas específicas de cada um destes três tipos de redes sociais, comparêmo-los de um duplo ponto de vista: o das virtualidades e propriedades que patenteiam. Revisitêmo-los, a estes três tipos de redes, um a um, sempre com os olhos postos em comparações siste-máticas entre eles.

Comecemos, regressando ao início, mas de um outro ângulo. Uma "cadeia" (uma *chain network*) transporta informação, coisas, ou pessoas, ao longo de uma linha de ligações, de tal modo que uma comunicação atravessa uma série de nodos – no sentido de que passa por eles – quando a percorre de um extremo ao outro. Estes nodos podem consistir, naturalmente, de gente, agrupamentos, ou organiza-ções. Um segundo tipo de *social networks* é o organizado como um sistema composto por um *hub* e "raios" (traduzo *spokes*) os quais como que dele irradiam (um chamado *hub and spoke system*) – tal como, por exemplo, é o caso, na economia, de uma *franchise* ou um *cartel* – estruturas nas quais os "raios" comunicam uns com os outros por meio do nodo que constitui o *hub*. Note-se que temos aqui um bom exemplo concreto do que é aquilo que atrás apelidei de "centralidade": o *hub* pode ser central e ter acesso a mais informação do que os nodos que existam nos extremos dos raios, mas na prática o *hub* não comanda (ou pode não comandar) a sua acção. Como terceiro modelo, os analistas falam muitas vezes num *all-channel*, ou *full-matrix network*, em que, como sabemos, cada um dos nodos está ligado a cada um dos outros. Este terceiro caso é, designadamente, o da *Internet*, e está mais adequado do que qualquer um dos outros à coordenação rápida e eficaz de redes abertas, multi-organizacionais e geograficamente dispersas.

Retomando, ou melhor, revisitando, num patamar algo mais includente, aquilo que atrás foi esmiuçado: quais são então as vantagens adaptativas de cada um destes três tipos de rede, e como as podemos seriar nesses termos, quando nos ocupamos do seu funcionamento em situações conflituais? A cadeia ou as *hub networks*, os nossos dois primeiros exemplos de *social networks*, são mais seguras do que as *all-channel networks*, as do nosso terceiro tipo, mas também se mostram mais lentas na sua operação.

Estes três tipos de redes sociais, note-se em todo o caso, não redundam na criação de entidades estanques: muitas formas organizacionais híbridas, ou compósitas, são com efeito concebíveis, formas essas nas quais são logrados compromissos entre, por um lado, velocidade e eficiência na comunicação e, por outro lado, segurança no sentido de robustez e capacidade regenerativa de reconstituição. Tais formas híbridas podem ser criativamente desenhadas com um *hub* central para um *topsight* de coordenação eficaz, ou até mesmo uma fatia, ou componente, hierárquica dedicada a *uma direcção e controlo estratégicos,* associados a uma "*Internet*" circundante para efeitos de *operações tácticas* – ou podem, espontaneamente, as estruturas organizacionais vocacionadas para lidar com conflitos "evoluir", espontaneamente, para tanto.

Depois de tudo aquilo que atrás disse, é fácil agora entender porquê. Sejam quais forem as suas minudências, uma *all-channel network* com um núcleo duro *scale-free* associado oferece as enormes vantagens que advêm de conglomerar colaborações rapidamente desencadeadas e tomadas de decisão descentralizadas e tácitas, na condição simples de ter nela havido comunicações intensas anteriores às tomadas de decisão ou ao desencadear de acções bélicas. Tal é possível, já que uma série extensa e intensa de consultas mútuas pode gerar consensos sólidos ao criar uma "comunidade epistémica", ou um esboço de "círculo hermenêutico", seja qual for a dispersão geográfica dos nodos envolvidos.

Mais ainda. Esses consensos prévios, quando estão agregados a finalidades partilhadas, podem gerar convergências constitutivas de estruturas organizacionais altamente coordenadas, estruturas essas que logram concertar esforços sem qualquer tipo de liderança ou comando e controlos directos. Mais: apesar de dispersas e descentradas conseguem-no sem que deixemos de poder falar de uma *doutrina*, embora tenhamos para o efeito de proceder a uma redefinição minimalista do termo. Como escreveu o já citado Barry Cooper[1] "[g]*iven the flexibility of networks, particularly open, all-channel networks, it may seem questionable to speak of a 'doctrine' to which network operations adhere. In this context, however, a doctrine is not a rigid set of procedures to be followed under all circumstances but a set of guiding principles and practices that enable members of a network to operate strategically and tactically without a commander issuing orders. Indeed, 'leaderlessness', or the principle that any particular leader (or so-called leader) can be replaced easily and quickly by anyone else is a major constituent of netwar doctrine*". Vimo-lo nos exemplos de Kathleen M. Carley, e sublinhei então algumas das implicações disso.

Vale a pena aqui generalizar de algum modo tudo aquilo que tenho vindo a sublinhar, alargando-lhe o âmbito de aplicação. A expressão que tenho utilizado, o de "revolução da informação" ou "comunicacional", ou até "digital", alude a avanços que têm sido efectuados em equipamento informático ligado à informação e à comunicação. Mas, em boa verdade, a expressão alude também (embora o faça apenas de maneira implícita), às muitas mudanças verificadas nas teorias da organização e do *management*. Esta dimensão organizacional tem tido enormes implicações no modo de encarar o Mundo, e muito concretamente no que diz respeito ao lugar estrutural nele atribuído à informação.

---

[1] Barry Cooper, *op. cit.*.

Como disse mais acima, a revolução comunicacional tem tendido a privilegiar redes sobre hierarquias, as quais ao contrário destas últimas se coadunam bem com um fluir vertical, (e vertical de cima para baixo), da informação. Muito longe estamos hoje desta curiosa mistura histórica de concentração e verticalidade com a emergência contemporânea de horizontalidades mais dispersas, ou disseminadas.

O resultado é de longo alcance: os avanços em *networking* e na respectiva conceptualização permitem-nos hoje pensar em pessoas, tal como aliás em processadores e bases de dados, por exemplo, como *recursos* de uma rede[2]. Vistas as coisas desta perspectiva, não faz muito sentido dizer que as pessoas dão ordens quando se trata de mobilizar recursos, como quando, por exemplo, um oficial superior solta a sua cavalaria, ou um empresário avança com uma nova estratégia: empresários e generais, para só dar dois exemplos, tal como aliás todas as outras pessoas integradas numa organização, são eles próprios recursos que estão *networked* (no sentido de "relacionados em rede"), e é assim que parece ser preferível concebê-los.

Na guerra como na paz, e em particular no *swarming* de que falei no início do presente estudo monográfico, a informação e a descentralização organizacional permitem vantagens gigantescas. Na formulação feliz de John Arquilla e David Ronfeldt[3]: *"netwar differs from traditional modes of conflict and crime in which the protagonists prefer to use hierarchical organizations, doctrines, and strategies, as in past efforts to foster large, centralized mass movements along Leninist lines. In short, netwar is about Hamas more than the PLO, Mexico's Zapatistas more than Cuba's*

---

[2] O que pode decerto ser encarado como uma fascinante refracção durkheimiana, no plano da teoria, das ligações em rede. Apenas algumas alusões bibliográficas: Barry Wellman (1988), "Structural Analysis. From Method and Metaphor to Theory and Substance", em Barry Wellman e S.D. Berkowitz, *Social Structures: A Network Approach*, Cambridge University Press: 19-61; um trabalho mais recente deste autor em Barry Wellman (1999), "Living connected on and offline", *Contemporary Sociology*, vol. 28, no. 6: 648-654. Mais ambicioso, mas menos técnico, o estudo de Manuel Castells (1996, segunda edição 2000), *The Rise of the Network Society*, Oxford, Blackwell, não pode ser ignorado. Dos numerosos textos de John Law, o mais explícito nesta linha "relacional" e anti-essencialista, ver, por todos, John Law (1992),"Notes on the Theory of the Actor-Network. Ordering, Strategy and Heterogeneity", *working paper*, Center for Science Studies, Lancaster University.

[3] J. Arquilla e D. Ronfeldt (2004), *Swarming and the future of conflict*, Rand.

Fidelistas, the Christian Identity Movement more than the Ku Klux Klan, the Asian Triads more than the Sicilian Mafia, and Chicago's Gangsta Disciples more than the Al Capone Gang". Colecções de nexos parecem ser a nova regra do jogo organizacional que as contendas modernas exigem.

Não admira, por isso, que face a pressões militares (sobretudo norte-americanas), a al-Qaeda se tenha vindo a re-ordenar. Vimos qual era de início, segundo documentação capturada, o organigrama da al-Qaeda "de matriz". E constatámos que mudou. Mas mudou em que sentido, para que formato? Adaptou-se evolucionariamente; mas como? Diminuiu, degradou-se, abriu, deslassou ou tornou-se mais complexa e sofisticada, ainda que natural e defensivamente seja hoje em dia mais encoberta (*covert*) e por isso a conheçamos pior?

A verdade é que não temos resposta para estas questões, embora não nos faltem hipóteses para tanto que talvez sejam testáveis. Com efeito, a estrutura organizacional contemporânea da al-Qaeda tem sido objecto de inúmeras especulações[4], nuns casos melhor fundamentadas, noutros menos.

O curioso é verificar que, quase sem excepção, todos os analistas assentam na ideia de que se tratará de uma rede hoje em processo de "enredamento" acelerado. É certo que para alguns – poucos – analistas, a al-Qaeda continua a ser uma entidade hierárquica, mas que se encontra agora quase integralmente encoberta. Mas as diferentes hipóteses divergem tão-só na intensidade e nas minudências (por muito importantes, no sentido de organizacional e operacionalmente consequentes, que elas possam ser) desse processo. A maioria dos especialistas considera-a como uma entidade em transição para outra dinamicamente difusa e cada vez mais disseminada. Abundam os modelos relacionados com *o formato* dessa difusão: de uma rede *tout court* a uma espécie de *holding* financeira mais ténue e lassa, e com as suas *franchises*, a uma simples *chatroom*, a uma mera entidade virtual mítica sem qualquer materialidade palpável. A al-Qaeda

---

[4] Alguns títulos úteis: Chuck Lutes (2002), "Al-Qaida in Action and Learning. A Systems Approach", A.K. Cronin (2003), *Al-Qaeda after the Iraqi Conflict*, CRS Report to Congress, e auma obra colectiva já citada da *US Military Academy* em West Point (2006), intitulada *Harmony and Disharmony. Exploiting Al-Qa'ida's Organizational Vulnerabilities.*

ter-se-ia assim mudado, é talvez a hipótese mais interessante, de uma hierarquia numa rede, de seguida num conjunto de redes, e depois numa *rede de redes* até se tornar numa *brand* (uma "marca") global. Nem todos os analistas, como vimos, convergem quanto a esta versão maximalista das transformações ocorridas. Todos os estudiosos concordam, no entanto, que o agrupamento tem sofrido modificações adaptativas. Eis um modelo possível do seu estado actual, gizado por um analista de sistemas por via de regra atento e capaz, John Robb:

Al Qaeda's Structure

Strategic Planning Core	Courier Network	Portfolio managers, Internet communications nodes, and CFOs	Entrepreneurs, Finance admin, Intelligence, Operations	Foot soldiers and Administrative support	Family and Sympathetic supporters
Small, dispersed	Singletons	Bounded super cells	Sparse cells	Ad hoc pool	Ad hoc pool
←→		←→	←→	←→	←→
		Depth of Connectivity			
Mild redundancy	High redundancy	Moderate redundancy	High redundancy	Unlimited redundancy	Unlimited redundancy

Figura. A estrutura organizacional da al-Qaeda, em 2004, segundo John Robb no seu *blog* intitulado *Global Guerillas*[5]. Em vez do diagrama de uma rede, Robb decidiu, avisadamente, tentar usar as "caixas" tipicamente utilizadas para cartografar estruturas organizacionais hierárquicas. De notar a deficiente adequação de representações gráficas deste tipo, e o caber mal a entidade no "organigrama".

Quer concordemos quer não com alguns dos seus pormenores, está patente neste quadro patente a deriva para uma colecção de nexos como nova regra do jogo organizacional da al-Qaeda. Seria decerto no campo superior esquerdo, na caixa relativa ao que Robb

---

[5] http://globalguerrillas.typepad.com/

apelida de *strategic planning core*, que Osama bin Laden estaria "organigramaticamente" localizado, caso ainda seja mais do que um simples símbolo-guia. É nítido o "deslassamento" estrutural, resultante de uma rápida aprendizagem organizacional, neste "organigrama". Para sobreviver, a al-Qaeda teve de se reconfigurar. Uma reconfiguração morfológica e fisiológica de reajustamento às funções que preenche e à hostilidade do ambiente em que se vê imersa. Uma autêntica mutação evolucionária[6]. Seria ainda de considerer a hipótese, maximalista, de a al-Qaeda se ter transformado, de organização, num mero chamariz mediático, que como tal se limita a induzir a emergência de "aliados objectivos".

Mas não fiquemos por aqui. Olhemos, por um segundo, *a contrapartida* que esta "evolução" teve e está ainda a ter. Ou seja, tomemos em linha de conta a totalidade do par "acção-reacção" em causa, no fundo encarando aquilo que apelidei da *arms race* evolucionário-adaptativa – marcada por um "momento lamarkiano" e por uma "dinâmica macro de carácter darwinista" – em que as reconfigurações verificadas fazem sentido. Qual a reacção de acomodação-resposta da Administração norte-americana às reconfigurações na estrutura organizacional de entidades que, como a al-Qaeda, representam hoje "novas ameaças"? Que adaptação burocrática foi induzida pela "corrida aos armamentos organizacionais"?

---

[6] Para avaliar a viabilidade *formal* desta hipótese, que me parece excessiva, ver trabalhos como o de Jochen Fromm (2003), "Types and Forms of Emergence", o de Brian Skyrms e Robin Pemantle (2004), "A Dynamic Model of Social Network Formation", ou o de Fabio Boschetti, Mikhail Prokopenko, Ian Macreadie e Anne-Marie Grisogono (2005), "Defining and detecting emergence in complex networks". Formalmente, trata-se de hipótese a não descontar. Nessa eventualidade, bin Laden não será mais do que um simples símbolo de recrutamento e mobilização.

Eis o percurso da transformação, representado passo a passo:

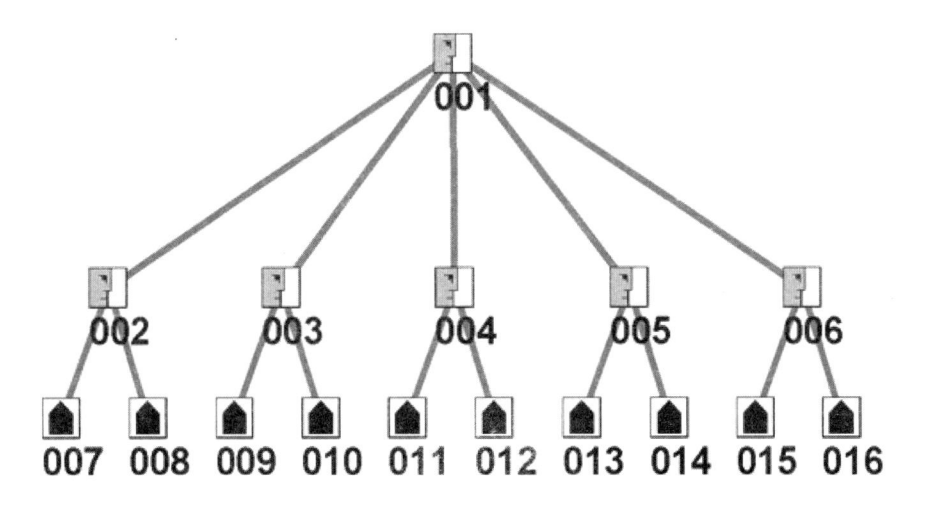

Figura 1. Uma hierarquia "clássica", num organigrama genérico típico. Neste caso, uma representação da *intelligence community* norte-americana até 2001. Como 001 está o Presidente dos EUA. De 007 a 016, as várias agências do sistema. De 002 a 006 estão os responsáveis por cada uma destas agências.

Depois do 11 de Setembro, os problemas de precisão e agilidade tornaram-se incontornáveis e foi criada a figura do *Intelligence Czar*:

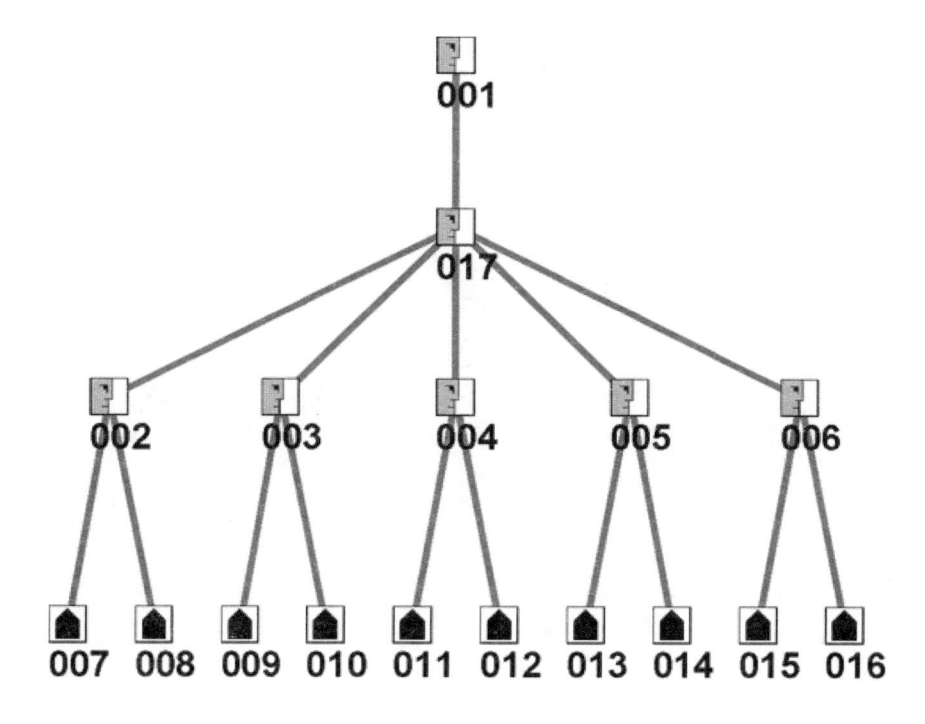

Figura 2. O *Intelligence Czar* foi adicionado à hierarquia como 017. Esta é a representação organigramática da nova estrutura organizacional.

Apesar do aparente reforço das características hierárquicas da macro-estrutura organizacional, depressa, naturalmente, se fez sentir a necessidade de coordenação e partilha de informações entre as várias agências, agora de alguma forma (pelo menos em termos hierárquico-formais), integradas num todo uno maior.

Eis uma representação gráfica do resultado:

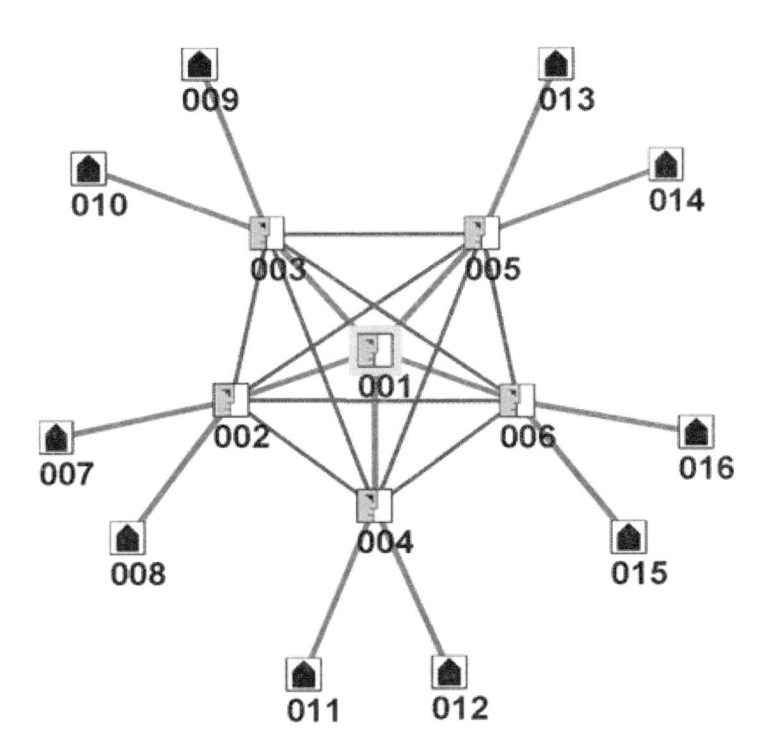

Figura 3. Representação do processo de articulação-enredamento desencadeado pelos imperativos de agilidade e eficácia. O reposicionamento dos nodos 002 a 006 responde apenas à necessidade de tornar visíveis todas as conexões, aqui marcadas a verde.

Talvez o mais patente nesta série de representações seja o aumento crescente da "distância" (tanto no que diz respeito ao "diâmetro" da rede de ligações, como no que toca à presença de nodos intermédios, com tudo o que isso significa em termos de eficácia e agilidade) entre o Presidente e as várias agências e serviços de informações, a caminho de uma verdadeira *Homeland Security*. Eis uma melhor solução, óbvia, que encurta a distância percorrida pela informação recolhida, acelerando o tempo de resposta, que diminui o inevitável "ruído" causado pela acumulação de passos intermédios, reduzindo o risco de distorções, e aumenta a amplitude do "horizonte de visibilidade" da rede, permitindo "ressonâncias epistémicas" entre os vários actores envolvidos:

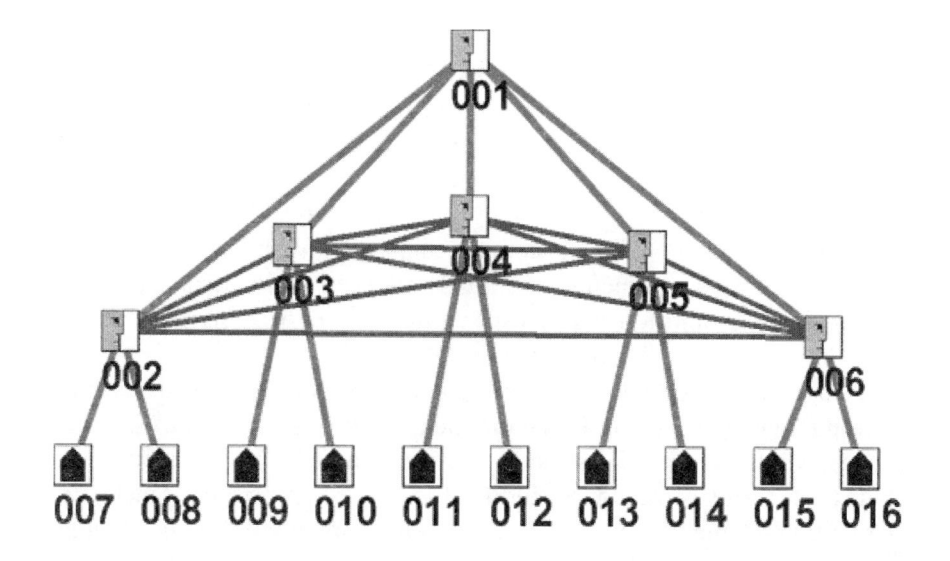

Figura 4. A vitória das conexões, de novo a verde, sobre os nodos.

É este o retrato final, que corresponde à melhor resposta às exigências impostas pelo 11 de Setembro. São prescindíveis, por demasiado evidentes, alusões às dificuldades político-administrativas – e por isso às resistências burocráticas – com que depara uma solução deste tipo. Não é ainda claro, por isso, que vá resultar. Mas trata-se seguramente de um passo compreensível, nos termos que tenho vindo a discutir; e é curioso verificar o paralelismo adaptativo entre a solução "encontrada" pelos norte-americanos e a equacionada pelos adversários islamistas da al-Qaeda.

Aprendizagem organizacional e evolução adaptativa, então. Mas qual é a genealogia de tais processos? Concluo esta secção com um exemplo e algumas considerações de fundo. Começo pelo exemplo que escolhi, o da recente reacção de Israel, no Verão de 2006, aos ataques e raptos levados a cabo pelo Hezbollah a partir do Líbano. Porei a tónica, naturalmente, em questões organizacionais e não nas políticas ou jurídicas.

Um pouco de *background data*, em primeiro lugar. No plano organizacional militar, como em tantos outros domínios, Israel andou durante muito tempo na linha da frente. Uma estratégia organizacional nova – melhor, uma reorganização inovadora – foi a seguida pelas autoridades israelitas no rescaldo do massacre perpetrado por uma facção da OLP, a Setembro Vermelho, contra os atletas olímpicos que em 1972 representavam Israel em Munique. A reacção ao massacre foi edificante. O Estado israelita começou por anunciar que iria assassinar selectivamente todos os membros das brigadas terroristas Setembro Vermelho, directa e indirectamente envolvidos na chacina. E assim fez: pela primeira vez, um Estado soberano criou ostensivamente equipas anti-terroristas especializadas, em vez de se limitar a constituir grupos policiais e militares.

O mais importante, todavia, foram as inovações organizacionais introduzidas por Israel. Cada um dos vários agrupamentos-equipas de especialistas em assassinatos operou em total independência de todos os outros – desconhecendo, aliás, até a própria existência deles. Segundo um Autor que escreveu uma monografia sobre o tema, George Jonas[7], e também de acordo com Alexander B. Calahan[8], um dos grupos israelitas utilizou os "métodos operacionais convencionais" da Mossad, os serviços de informação do Estado judaico – enquanto que os outros actuaram em completo anonimato, fora de quaisquer estruturas governamentais e com um oficial apenas de ligação na Mossad. As operações foram bem sucedidas. Mas não de maneira uniforme – as equipas mais eficazes foram aquelas que operaram inteiramente *fora* de todas as cadeias de comando, incluindo as do Governo.

A razão última para tanto, segundo o já citado Calahan, é simples: essas equipas eram na prática as únicas que estavam insuladas relativamente a pressões político-burocráticas da hierarquia estadual, designadamente as exercidas no sentido de calendarizar, "em tempo útil", as acções levadas a cabo. A regra organizacional de fundo para

---

[7] George Jonas, *Vengeance,* Simon and Schuster, New York.

[8] A narrativa e os pormenores foram extraídos de uma tese de Mestrado defendida no *Marine Corps Command and Staff College* por ele (1995), intitulada *Countering Terrorism: The Israeli Response to the 1972 Munich Olympic Massacre and the Development of independent Covert Action Teams.* Um trabalho fascinante.

as equipas de maior sucesso (em termos de eficácia e sem que esta qualificação implique quaisquer julgamentos de valor) foi a da flexibilidade total, uma *"soft rank structure"* (a expressão é de Calahan) maleável, e uma ausência integral de quaisquer "doutrinas operacionais" rígidas. Hoje diríamos, por outras palavras, que as equipas de maior eficácia "técnica" foram as que funcionaram em rede. Os sucessos operacionais conseguidos foram retumbantes.

Olhando para o que uma geração mais tarde tanto a al-Qaeda como os *network-centric swarmers* norte-americanos têm preferido, o modelo parece ter indicado o caminho do futuro. Seja como for, o exemplo israelita foi rapidamente seguido pelas forças especiais americanas, britânicas, e australianas, para só listar alguns casos. A transformação encetada foi enorme.

Mas porque ocorreu? Talvez não seja exagerada a asserção de que uma abordagem baseada na nova visão das coisas, disponibilizada pelos avanços na revolução comunicacional, está para os teatros de guerra contemporâneos da Idade da Informação como o *Blitzkrieg* estava, na primeira metade do século XX, para a Revolução Industrial. Em todo o caso, as mudanças que temos testemunhado são mudanças qualitativas, portanto alterações de fundo que exigem adaptações estruturais, e não apenas acomodações de conjuntura. E não é particularmente árduo identificar o "lugares estruturais" – tanto *a sensu* quanto *a contrario* – das transformações ocorridas. Ainda segundo J. Arquilla e D. Ronfeldt[9], o sucesso nas Guerras do Golfo e nas guerras do futuro não se devem, no essencial – e ao invés do que até aí fora o caso – a vantagens em termos de capital, trabalho, e tecnologia, mas sim ao facto de se possuir mais informação sobre o campo de batalha, maior *battle awareness*. A analogia que os dois autores sugeriram é reveladora: as Guerras do Golfo foram como um jogo de xadrez em que os Estados Unidos viam todo o tabuleiro, enquanto que, do outro lado, os iraquianos jogavam *Kriegsspiel*, um jogo derivado do xadrez em que o jogador só pode ver a sua própria posição. O jogador de xadrez ganha sempre, mesmo se ao jogador de *Kriegsspiel* forem dadas duas Rainhas. Uma posição preferível.

---

[9] J. Arquilla e D. Ronfeldt (1993), "Cyberwar is coming", em *Comparative Strategy* 12: 141-165, um artigo germinal várias vezes republicado.

Quero exemplificar isto mesmo com uma ilustração relativa às recentes incursões de Israel no sul do Líbano, com o objectivo de daí desalojar de uma vez por todas o agrupamento terrorista Hezbollah. Apesar da paternidade histórica sobre formatos organizacionais ágeis e descentrados que vimos pertencer a Israel, e ao contrário do Hezbollah, as *Israeli Defense Forces* (IDF) não foram, durante os anos 90 do século XX, organizacionalmente re-estruturadas como redes *scale-free*. No Verão de 2006, o resultado ficou à vista: incapaz de desferir golpes decisivos nas redes flexíveis das milícias shiitas, as forças israelitas, apesar da sua esmagadora superioridade técnica em equipamentos clássicos, viram-se relegadas para uma posição estratégica difícil, que muito possivelmente conduzirá a novas escaladas e mais guerras de atrição e desgaste tão inconclusivas como esta foi.

Pior: a não-limpidez de uma vitória israelita, se por um lado lesou seriamente o mito de invencibilidade que tanto protegia o Estado judaico no Médio Oriente, levou a que, por outro, as tácticas operacionais das *networks* agéis do Hezbollah viessem com rapidez a ser aprendidas, e seguramente a curto trecho copiadas, por Estados e entidades não-estaduais por esse Mundo fora. Seguindo um figurino tradicional, Israel e as IDF apostaram em movimentações maciças de tanques, em manobras de infantaria pesada apoiadas por um apoio aéreo invejável, e na demolição sistemática de infraestruturas militares e civis de suporte a forças armadas regulares. Previsivelmente, ou em todo o caso previsivelmente para quem usufrua dos benefícios da retrospecção, tudo isso de pouco serviu, em termos decisivos, no confronto com agrupamentos versados em conflitos de 4ª geração. Apesar da paternidade genealógica, em Israel a balança parece ter pendido em favor da inércia institucional[10] em detrimento da eficácia operacional. Reacções e demissões em série ocorreram já em resposta. Esperemos para ver se as lições aprendidas (as *lessons learned* de que falam os militares anglo-saxónicos) vão ter o eco interno merecido.

---

[10] Nos Estados Unidos foram levados a cabo vários estudos de fundo sobre as resistências suscitadas pelo oficialato norte-americano relativamente a muitas das *lessons learned* a que aludi. A viscosidade comparativa das "mentalidades", como os historiadores bem sabem, é por vezes surpreendente. Para *insights*, ver o notável Thomas G. Mahnken e James R., FitzSimonds (2003), *The limits of Transformation. Officer Attitudes toward the Revolution in Military Affairs*, publicado pelo já abundantemente referido *Naval War College*, de Newport, Rhode Island.

Se esse vier a ser o resultado, um passo longo terá sido dado: um salto em termos da aprendizagem organizacional exigida para uma melhor adaptação à já levada a cabo pelos adversários regionais das IDF. É fácil enunciar quais elas são. Em todos estes casos, pese embora as diferenças entre eles sejam imensas, a resposta a dar parece ser óbvia e é a desfiada ao longo do meu presente estudo (ainda que tão só indicativamente) num plano teórico-metodológico. Infelizmente, não é todavia aquilo que tem sido feito: a boa estratégia, no sentido de as "boas práticas" (*best practices*), não tem sido a escolhida. E elas não são difíceis de identificar, como tenho tentado mostrar. Para citar mais uma vez B. Cooper[11], "[t]*he military theory of counternetwar is straightforward identify the critical nodes in the network and attack them simultaneously along with the nearest boundaries between the network and the rest of the world. Because terrorist organizations depend on sources of supplies from outside much more than do armies, the first objective must be to cut these sources of and then seek out not the highest leadership cadre but the 'middle management'. That is, in a netwar [...] the highest level of leadership exercises 'topsight' rather than control. The strategy is akin to that used against organized crime: the mafia don is the last to be arrested because of the benefits arising from monitoring intelligence that the don receives. Moreover, if supply lines and money sources are degraded, one can anticipate an increase in communication between the operational nodes and the higher leadership*". Logo uma maior vulnerabilidade. Tal como em vários outros casos semelhantes, irá ser esta, é de prever, a direcção das mudanças organizacionais israelitas. O que dará azo a respostas mais cirúrgicas do que aquelas que vimos ter sido as dadas, e respostas muitíssimo mais eficazes.

Não quero terminar esta monografia sem sugerir *como*, não enquanto mera opinião mas antes nos termos muito precisos daquilo que tenho vindo a expor. Faço-o em dois grandes passos. Primeiro, dedicando alguma atenção aos constrangimentos impostos pelos chamados "números de Dunbar". Num segundo passo, voltando-me para estratégias de desestabilização de redes. Tentarei, num terceiro e último momento, reunir os fios da meada.

---

[11] Barry Cooper (2004), *op. cit.*: 177. Para um estudo geral sobre o tema desta citação, ver Carl L. Staten (1999), "The Evolution and Devolution of Terrorism; The Coming Challenge for Emergency and National Security Forces", publicado no *Journal of Counterterrorism and Security International*, vol. 5 (4).

6.2. *Os constrangimentos materiais existentes a montante dos agrupamentos humanos*

"*One corpse in a [suit] jacket is always worth more than twenty in uniform*".

RAMDANE ABANE, Senior FLN Terrorist Leader, Argélia

"*Between now and 2015 terrorist tactics will become increasingly sophisticated and designed to achieve mass casualties.*"

National Intelligence Council (2000), "Global Trends 2015: A Dialogue About the Future With Nongovernment Experts"

"*We have the right to kill four million Americans – two million of them children*".

SULEIMAN ABU GHAITH, porta-voz da Al Qaeda

Num esforço de análise como aquele a que aqui me proponho, seria impossível não fazer alusão aos números de Dunbar. Robin Dunbar é um primatologista britânico famoso, um especialista de grande renome e um investigador que redigiu em 1993 um artigo notável sobre os limites materiais do tamanho dos agrupamentos humanos "naturais"; limite esse que fixou em cerca de 150 pessoas, aventando que agrupamentos de cerca de 60 indivíduos constituiriam o tamanho médio para grupos. A razão para tanto, segundo R. Dunbar, relevaria da estruturação física do nosso neocortex cerebral, e exprimir-se-ia como uma limitação "cognitiva": esses seriam os constrangimentos efectivos que temos quanto ao número de entidades com quem conseguimos manter e processar relacionamentos *estáveis* e uma *comunicação face a face continuada*.[12]

---

[12] Eis a referência bibliográfica completa, repetindo aquilo que já forneci em nota anterior: R. I. M. Dunbar (1993), "Coevolution of neocortical size, group size and language in humans" *Behavioral and Brain Sciences* 16 (4): 681-735.

R. Dunbar, a quem fiz já referência, argumentou, mais precisamente, com base em estudos comparativos de 36 espécies de primatas, que o número 147,8 constitui o tamanho limite médio dos agrupamentos sociais humanos, e para o efeito de o justificar nos termos do enquadramento teórico que indiquei escreveu que *"there is a cognitive limit to the number of individuals with whom any one person can maintain stable relationships, that this limit is a direct function of relative neocortex size, and that this in turn limits group size* [...] *the limit imposed by neocortical processing capacity is simply on the number of individuals with whom a stable interpersonal relationship can be maintained"*. Observacionalmente, R. I. Dunbar insistiu, por recurso a comparações de numerosos exemplos provenientes das mais variadas culturas, que os factos empíricos confirmam – ou pelo menos corroboram – a sua extrapolação. De uma maneira que é difícil não encarar como fascinante, Dunbar viu na linguagem humana (ou melhor: na comunicação reforçada que ela viabiliza) um mecanismo estruturalmente equivalente ao de *"grooming"*, ou seja um dispositivo "gregário" que permite uma ampliação do número de interacções que são cognitivamente geríveis.

As implicações desta constatação-teorização são importantes. O limite e a média aventada por Dunbar podem e devem ser aplicados a vários tipos de grupos, e têm-no efetivamente sido, visto que o primatologista conseguiu a façanha de ver o seu trabalho reconhecido em meios académicos muito diferentes uns dos outros: de círculos e clubes de amigos no "mundo real" a comunidades virtuais na *Internet*, a grupos políticos mais ou menos permanentes ou agrupamentos mais ou menos efémeros, a organizações e células terroristas, etc., os hoje em dia famosos "números de Dunbar" têm feito um percurso analítico invejável.

Podemos, porém, ir muito mais longe do que estabelecer médias e limites, e o próprio Dunbar o propôs nos seus estudos. Deixem-me tentar mostrar como o podemos fazer e sugerir a utilidade disso para o presente estudo, aplicando a modelização dunbariana ao caso do terrorismo global de fonte islamista, designadamente no caso da al-Qaeda.

Como indiquei, Robin Dunbar calculou em cerca de cento e cinquenta pessoas o número-limite médio no tamanho demográfico dos agrupamentos humanos "naturais". Com a finalidade de tornar claro o que os números de Dunbar significam no que toca aos objectivos do presente trabalho, comecemos por uma primeira constatação. Para redes vivas e distribuídas no espaço nem todos os tamanhos demográficos são possíveis, ao contrário do que se passa com grupos hierárquicos, que na prática podem ter a escala que queiramos dar-lhes. O facto é bem conhecido por sociólogos, antropólogos, ou psicólogos preocupados com dinâmicas de grupo. O mesmíssimo desenho em rede que as torna tão resistentes a decapitações e erosões impõe constrangimentos e limites máximos absolutos na escala que podem ter, criando descontinuidades na série dos seus tamanhos *possíveis*. Quais, como e porquê?

No seu estudo comparativo inicial, Dunbar começou por constatar a existência de limites e constrangimentos, remetendo a explicação deles para considerações quanto à capacidade cortical característica dos primatas. Mas outras explicações são possíveis. As análises comparativas mais finas mostram que a eficácia vai desaparecendo quando as redes atingem 80 membros, chegando a uma quebra radical por volta dos 150 membros, o limite *máximo* para uma interação minimamente coesa e eficaz a que já aludi. Não é particularmente difícil aventar razões para tanto, acrescentando hipóteses às encaradas por Robin Dunbar. Segundo, por exemplo, Chris Allen[13], um analista britânico, o enfraquecimento inicial de uma rede que ultrapasse tal limiar mínimo deve-se aos esforços crescentes que começam a ser exigidos para que continue a ser possível manter a imprescindível coesão grupal. A quebra torna-se inevitável quando as redes crescem para cerca de 150 pessoas, o limiar máximo, já que por essa altura a interacção directa e pessoal (face a face) se esbate, ao ponto de deixar de se conseguir dirimir insatisfações e tensões, o que leva o

---

[13] Em http://www.lifewithalacrity.com/2004/03/the_dunbar_numb.html [que consultei a 17 de Novembro de 2005] pode ser encontrado o fascinante artigo de Chris Allen (2004), intitulado "The Dunbar number as a limit to group sizes", *Social Software, Web/Tech*, um *permalink* datado de 10 de Março que consultei no endereço acima a 20 de Novembro de 2005. Concordando no essencial com Dunbar, C. Allen verifica que as comunidades *on line* (e o autor britânico estuda e quantifica várias), ampliam e subdividem a escala inicialmente proposta (Allen denota os limites entre as subdivisões que sugere como *break points*), postulando que as especificidades da *net*, no plano comunicacional, o tornam possível. Mais do que uma crítica, trata-se de um refinamento das hipóteses de Dunbar, um refinamento equacionado num quadro empírico mais amplo.

já excessivamente grande agrupamento a uma fragmentação em agrupamentos mais pequenos e coesos, que podem ou não reter ligações entre si. O número de 150 formaria, por conseguinte, uma espécie de *limite material efectivo* no tamanho destes grupos: constitui, por isso mesmo, o dito número de Dunbar.

O que nos leva a dois tipos de tamanhos estáveis, no sentido de temporalmente exequíveis: seguindo Chris Allen podemos denominá--los de agrupamentos de *pequena* e agrupamentos de *média* escala. Pensemos neles como dois *magic,* ou *gold, numbers*[14], dois "pontos de acumulação", se quiserem. Retratêmo-los.

Agrupamentos (ou células, se preferirmos) que sejam pequenos, e que se mostrem viáveis no que diz respeito ao preenchimento de tarefas concretas, atingem por via de regra tamanho optimizado aos 7-8 membros. Um limiar mínimo andará próximo dos 5, número abaixo do qual se torna impossível mobilizar recursos que garantam eficácia óptima no preenchimento de funções. O limiar máximo andará próximo dos 9 membros.

Mas continuemos. Agrupamentos de tamanho médio, por seu turno, rondarão os 45-50 membros, como escala óptima, exibindo um limiar inferior de cerca de 25 pessoas e um superior de umas 80. Quando em razão do crescimento verificado o tamanho do grupo está entre o par 9-10 e o 45-50 membros dá-se uma travessia de deserto. Tanto parece dever-se ao facto de que, em entidades com mais de 9-10 membros, se tornar imperativo garantir alguma especialização funcional dos mesmos; especialização que requer um número de início demasiado grande (demasiado grande em proporção) de "gestores" e controladores. Ao que indicam vários dos estudos empreendidos, o agrupamento só começa a conseguir retornos positivos do *investimento em gestão* ao atingir o patamar superior que indiquei: até esse momento vê-se ocupado com a gestão do processo de alargamento em si mesmo. O número 25 parece ser o ponto médio ideal – uma espécie de *Idealtype* numérico, ou de *break-even*, por assim dizer.

---

[14] Estas eram as expressões tradicionalmente utilizadas, nos anos 70 e 80 do século passado, pelos antropólogos que se dedicaram ao estudo dos agrupamentos nómadas de caçadores recolectores.

Ao contrário do que talvez possa parecer, isto é tudo menos irrelevante, porque a travessia do deserto a que fiz alusão corresponde a um período de fraqueza nos grupos. A descontinuidade entre a escala dos 9-10 e a dos 45-50 membros, gera e coincide com um período que é por um lado preocupante e por outro problemático, um intervalo de tempo bem conhecido dos estudiosos do crescimento e desenvolvimento das redes terroristas. Não é nada difícil compreender porquê. A pequenez dos efeitos que um agrupamento pequeno de 7-8 membros consegue causar confina-o a um espaço geográfico exíguo, e por isso não representa uma grande ameaça. Uma vez que a rede cresça para 45-50 membros, o grupo torna-se capaz de montar acções (por exemplo de caça e recolecção, ou ataques) em espaços geográficos muito mais amplos.

Todavia, *durante a transição do primeiro para o segundo destes tamanhos a rede passa por uma fase de grande vulnerabilidade.* No decurso de um intervalo de tempo que pode ser estimado com alguma precisão, a coesão interna da rede como que "deslassa" e, durante dias, semanas, ou meses, aquilo que era uma rede re-ordena-se, pelo menos parcialmente (para efeitos da execução prática e expedita da mudança de escala) como uma estrutura hierarquizada. O que, naturalmente, cria uma esplêndida janela de oportunidade para acções anti-terroristas eficazes, que a podem então decapitar se se souber ser suficientemente rápido no explorar do intervalo de tempo durante o qual a rede se encontra em *transição de escala.*

Podemos agora regressar ao tema do presente estudo monográfico, recordando aquilo que antes referi quanto à história organizacional dos esforços terroristas de Osama bin Laden. Com toda a probabilidade, a al-Qaeda conseguia manter unos e íntegros grupos maiores quando tinha campos de treino no Afeganistão, como o conseguirá ainda noutros lugares onde os tenha ou venha a tê-los. A razão para isso parece bastante clara: a proximidade e intimidade permitiria à al-Qaeda, ou aos membros dela que coexistam nesses campos, a operar como uma entidade militar hierárquica clássica. Uma vez tais campos de treino destruídos – como o foram na maior parte dos casos – factores como aqueles a que fiz alusão decerto terão causado a fragmentação-atomização da al-Qaeda que hoje de facto observamos. O que, por seu turno, coloca seguramente os subgrupos em que a organização se fragmentou em transições de escala, que os terão tornado mais vulneráveis, coisa que, tanto quanto sabemos, não foi inteiramente aproveitado pelos seus adversários.

Note-se que não é assim somente em agrupamentos terroristas. Porque a aplicabilidade dos números de Dunbar é, evidentemente, universal, e quaisquer outros grupos humanos estão, naturalmente, condicionados por limites deste tipo ao seu tamanho e apresentam, em resultado, vulnerabilidades semelhantes. Ofereço um só exemplo: segundo números fidedignos do FBI[15], entre 2002 e 2003, na Mafia nova-iorquina os Genoveses eram a maior das cinco famílias da cidade: depois de em 2002 recrutarem 9 novos peões de brega, os Genoveses lograram ter em campo um contingente geral de 152 mafiosos. Os Gambinos pelo seu lado, ao que parece, tiveram um *annus horribilis* em 2000-2001 já que então perderam 33 "militantes", entre escaramuças e deserções, conseguindo no entanto manter 130 membros, o que fez deles a segunda família, em termos quantitativos. Ao mesmo tempo, os Luchese, mais fracos, terão conseguido *quand même* recrutar e "adoptar" 3 novos membros na respectiva família durante o mesmo intervalo de tempo, ainda de acordo com as fontes policiais federais; e por isso passaram ao terceiro posto, com um total de 113 facínoras presentes nas ruas da cidade. Seguiam-se, em 2002, as famílias Colombo e Bonnano, que contavam com, respectivamente, 90 e 85 capangas. Como curiosidade, é de registar que os muito mais pequenos DeCavalcante (com apenas 36 membros), acreditados (sabe Deus porquê) como o modelo para a famosa série de televisão *The Sopranos*, entraram na berra e, nesse ano, seduziram em razão disso mesmo 8 novos recrutas, contabilizando assim um total de 42 "soldados".

Antes de avançar, um rápido comentário genérico final no que a este exemplo diz respeito. Note-se que, mesmo em casos como estes, os limites materiais concretos no tamanho dos grupos, os limites dunbarianos a que já aludi se mantêm, ainda que com números ligeiramente inflacionados, dado que é sempre possível, pelo menos em regime de contrato temporário, de "avença", ou à tarefa, recrutar

---

[15] Para o levantamento de onde provêem estes dados, ver "NYC Mafia families hold", *BBC News, Americas,* 20 de Maio de 2002, um trabalho muitíssimo curioso, facilmente acessível (pelo menos estava-o a 16 de Novembro de 2005) em http://news.bbc.co.uk/1/hi/world/americas/1998026.stm.

"pistoleiros de aluguer" como operacionais ou guarda-costas. Como o FBI bem sabe, a fragilidade aumenta nos períodos de transição de escala a que, mais tarde ou mais cedo, se vêem expostos.

Outras corroborações quanto a uma aplicabilidade geral dos "números de Dunbar" abundam[16]. Talvez a mais óbvia seja a militar. Não é por acaso que uma companhia militar tem à roda de 150 membros e uma divisão 150 sargentos. Mantendo em mente o que foi dito, vale a pena detalhar em maior pormenor este ponto. Com efeito, há muito que os militares chegaram, empiricamente, aos números de Dunbar. Há milénios que as chefias militares sabem só poder controlar directamente e em simultâneo, no máximo, 5 "pedras", embora as dificuldades inerentes ao combate aconselhem um númer inferior, normalmente 3 ou 4. É assim que um pelotão tem 3 secções, uma companhia 3 pelotões, um batalhão 3 companhias, uma brigada 3 batalhões e assim por adiante. Trata-se de controlo directo, já que o conhecimento pessoal que favorece a "comunidade epistémica", segue outra regra que está, julgo eu, relacionada com o tamanho histórico do "bando", ou do "acampamento", dos caçadores-recolectores. Assim, desde tempos imemoriais, existem unidades militares que contam com um total de entre 100 e 150 homens. O seu nome tem variado, mas os seus tamanhos têm-se mantido, e não são aleatórios: hoje chamamos-lhes "companhias" e é normal que o capitão que comanda directamente 3 ou 4 subalternos, conheça *pelo nome,* todos os seus soldados. De igual forma, o comandante de um batalhão, comanda directamente 4 ou 5 capitães, conhece pessoalmente todos os seus oficiais e sargentos (mais uma vez, cerca de 150), e por aí adiante. É difícil imaginar, face a regularidades quantitativas deste género, que estaremos no reino da mera coincidência.

Limites e constrangimentos, então, e sobretudo limites e constrangimentos muitíssimo concretos, operam como factores que se

---

[16] Vale a pena consultar, por exemplo, o já antes citado R.I.M. Dunbar (2002), "Are There Cognitive Constraints on an E-World", sobre estes limites e constrangimentos nos agrupamentos virtuais constituídos *online* na *Internet.* Um melhor enquadramento teórico das hipóteses de Dunbar quanto ao papel da linguagem e da comunicação em geral podem ser encontrados, reitero-o, no magnífico artigo que já citei, R.I.M. Dunbar (1993), "Co-evolution of neocortex size, group size and language in humans" publicado em *Behavioral and Brain Sciences* 16 (4): 681-735, e no curioso R.I.M. Dunbar (1993), "What's in a Classification", um capítulo de um livro de Etologia sobre *the great apes.*

encontram a montante da composição organizacional de redes humanas e por isso de *social networks* como as da al-Qaeda. Trata-se de pontos a reter, evidentemente, pontos que podem e devem ser ponderados em conjugação com outros, obtidos por outras vias, relativos às estruturas organizacionais das redes terroristas, à sua progressão "evolucionária", e às suas características de robustez e fragilidade. Num passo subsequente, quero dedicar agora alguma atenção a outras vulnerabilidades de redes *scale-free*. Depois disso, tentarei integrar uma ponderação dessas vulnerabilidades e o "tabuleiro" que aqui defini, num esforço de mudança, por alargamento e aprofundamento de patamar analítico.

6.3. *Como desestabilizar redes* scale-free *por meio de uma estratégia concertada de ataques*

> *"I read a story about a pilot in World War I who had in one of his flight missions noticed a strange object moving alongside the plane, right near the cockpit. The cockpits could easily be opened in those times, so the pilot just stretched out his arm and grabbed the object. He saw that what he had caught was ... a bullet. It had been fired at his plane and was at the final stage of its flight when it caught up with the plane and was caught itself.* [...] *The story shows that you really can catch a flying bullet.* [More:] *the pilot may have noticed that the bullet he had caught was made of lead and coated with steel, and the mass ratio of lead and steel in it is 24:1. This property of the bullet is absolute because it is true for anyone independently of one's state of motion. The gunner who had fired the bullet will agree with the pilot on the ratio 24:1 characterizing its composition. But he will disagree on its velocity. He will hold that the bullet moves with high speed whereas it is obviously at rest for the pilot".*
>
> MOSES FAYNGOLD (2002), *Special Relativity and Motions Faster than Light*: 1, WILEY-VCH Verlag GmbH, Weinheim.

O que até aqui equacionei dá de facto azo a respostas mais cirúrgicas do que aquelas que vimos terem sido as por via de regra gizadas. E viabiliza respostas muitíssimo mais procedentes do que estas últimas. Um só exemplo de quais: um trabalho de fundo sobre a eficácia comparativa de vários tipos de ataques e defesas em *covert scale-free social networks* (redes sociais sem-escala encobertas) foi empreendido há pouco mais de um ano, na Universidade de Cambridge, por dois investigadores, Shishir Nagaraja e Ross Anderson. Trata-se de um artigo notável, no qual os dois Autores se basearam em vários estudos essenciais produzidos nos últimos anos[17], que mostram uma série de vulnerabilidades a que atrás fiz alusão. Estudos esses que trazem novidades interessantes. A saber: (i) que, apesar dos exemplos que dei, citando Kathleen M. Carley, de uma capacidade quase "viral" de regeneração e "metastização" das redes sob ataque, o preço a pagar pela alta conectividade de alguns dos nodos das redes *scale-free* é grande, já que uma remoção-deca-pitação desses nodos, pelo menos a partir de um certo limiar, causa uma desconexão geral da rede; (ii) que se forem desferidos ataques, não aos nodos mas às ligações existentes entre eles (na terminologia dos Autores, não aos "vértices" mas antes às "arestas" que os ligam), o mesmo "falhanço em cascata" ocorre quando um número crítico de conexões entre *hubs* for atingido; e (iii) talvez o ponto mais interes-sante, os Autores mostram por via de uma modelização simples quais as circunstâncias de pormenor em que um efeito destrutivo de cascata

---

[17] Respectivamente os curtos artigos de R. Albert, H. Jeong e A.L. Barabàsi (2000), "Error and Attack Tolerance of Complex Networks", *Nature* 406: 387 e 482; Petter Holme, B.J. Kim, C.N. Yoon e S.K. Han (2002), "Attack Vulnerability of Complex Networks", *Physical Review* E 65.018101; e L.A. Zhao, K.H. Park e Y.C. Lai (2004), "Attack Vulnerability of Scale-Free Networks due to Cascading Breakdowns", *Physical Review* E 70.035101 (R). O trabalho de Shishir Nagaraja e Ross Anderson (2005), foi aptamente intitulado "The topology of covert conflict". Neste estudo curto mas incisivo, os Autores, nas sua próprias palavras, *"build a bridge between network analysis and evolutionary game theory, and provide a framework for analysing defence and attack in networks where topology matters"*. Mais ainda, sugerem uma definição de *"efficiency of attack and defence"* e tentam explicar *"the evolution of insurgent organisations from networks of cells to a more virtual leadership that facilitates operations rather than directing them"*.

se segue à remoção sequencial dos *hubs* mais conectados de uma rede *scale-free*[18].

Sem quaisquer intuitos normativos, mas por uma questão de completude, gostaria de aqui desenvolver um pouco estes e outros pontos a eles ligados. Começo por um rápido *rewind* do que até aqui asseverei, no quadro de uma recapitulação em banda larga por assim dizer.

Como tive a oportunidade de ir sublinhando a par e passo, o estudo de redes complexas tem em anos recentes vindo a afirmar-se em várias áreas da investigação científica, e tem-no muitas vezes feito em formatos saudavelmente pluridisciplinares. Na maioria dos casos, os trabalhos empreendidos tentam simular os comportamentos de redes existentes no Mundo real (as chamadas *real-world networks*), pondo em operação "algoritmos generativos". Muitas das modelizações – e fui-lhes fazendo alusão em notas sucessivas – têm dito respeito à emergência de distribuições *scale-free* quanto a graus de conectividade das nossas redes. Outras têm-se debruçado, mais especificamente, sobre os tipos de conectividade patente num sub-conjunto destas, as chamadas *social networks*. Frequentemente, como também foi sendo referido a par e passo, as análises empreendidas ensaiaram descrições e explicações de várias das questões dinâmicas típicas da topologia destas redes. Nalguns casos – aqueles que mais nos irão aqui e agora interessar – os estudos publicados põem o acento tónico nos formatos e nas consequências de constrangimentos "impostos" a redes de vários tipos, e na maneira como tais constrangimentos afectam tanto as características quanto os desempenhos (as *performances*) delas. Este último grupo de estudos, repito, é aquele que mais nos interessará nas páginas que se seguem, no sentido de que irei colocar o meu ponto focal na *robustez* de redes sujeitas a estratégias concertadas e sustidas de ataque.

Quero começar por dar realce ao facto de que investigações deste tipo não são raras. Por norma reflectindo preocupações como a estabilidade, a segurança, e a funcionalidade de sistemas informá-

---

[18] Cabe aqui uma alusão à velha doutrina militar soviética, segundo a qual para destruir um sistema inimigo bastava remover-lhe um terço das redes e interferir nas comunicações de outro terço: a última terça parte auto-destruir-se-ia pela sobrecarga (*overload*) de tráfego resultante.

ticos – este constitui o exemplo de eleição – muitíssimos trabalhos têm vindo desde há muitos anos a dedicar atenção a questões como as das "*attack vulnerabilities*" de que os diversos tipos de redes sofrem, as relativas à sua "*robustness*", as referentes à "*stability*" que exibem, ou às respectivas margens de "*error tolerance*" – margens estas que lhes asseguram a manutenção de alguma *integridade*[19]. Importa ser explícito quanto ao campo semântico de aplicação destes vários termos. "Vulnerabilidade a ataques" denota, nos estudos em causa, tão-somente o decréscimo verificado na *performance* de uma rede em consequência da remoção selectiva de nodos ou conexões ou, se se preferir, de "vértices" e "arestas". Os ataques em causa são por norma aquilo que os analistas apelidam de "ataques maliciosos" ou "*sinister attacks*"[20].

A primeira coisa a notar neste contexto é o tão surpreendentemente alto grau de *tolerância* em relação a erros que tem sido manifestado por inúmeras redes complexas. A surpresa resulta, em grande parte, do carácter não-intuitivo dessa tolerância: o que espontaneamente tendemos a considerar, com efeito, é que *quaisquer* quebras numa rede soletram o seu fim. Ora tal não se verifica, bem pelo contrário. São disso um contra-exemplo o crescimento, sobrevivência, e reprodução de organismos vivos, apesar de mudanças drásticas nos seus meios internos e externos. Um outro bom contra-exemplo dessa resiliência é o da notável robustez patente em redes comunicacionais, redes essas que apesar de sofrerem falhas regulares em componentes essenciais, na prática raramente vêem comprometidas as suas capacidades de transportar informação. Tais graus de tolerância são comumment atribuídos a redundâncias avisadamente criadas nas conexões que ligam uns aos outros os elementos do sistema.

---

[19] Por motivos fáceis de esclarecer, e que irei querer pôr em evidência, as redes *scale-free* são as mais estudadas. No entanto, a aplicabilidade destes estudos às *social networks*, por motivos intrinsecamente interessantes, não são evidentes – relacionamentos sociais são altamente subjectivos e variáveis no tempo, e por conseguinte quando uma rede social está sob ataque as suas dinâmicas internas tendem a acelerar o passo na medida em que a organização se tente proteger a si própria.

[20] Têm uma afinidade electiva evidente aqueles outros trabalhos que estudam a "*percolation*" ou a "*contagion*": no primeiro caso, trata-se, caracteristicamente, de estudos focados em *random failures* em redes; no segundo, de disseminações de doenças epidémicas.

Mas, em boa verdade, esta justificação, embora seja comum, é bastante fraca, já que a tolerância exibida não é homogénea em todos os sistemas: restringe-se, largamente, às *scale-free networks*.

Uma segunda constatação empírica fascinante é a de que, enquanto as redes *scale-free* manifestam uma inesperada *robustez* em relação a falhas aleatórias (as apesar de tudo tão temidas *random failures*), é também enorme a sua *fragilidade* simultânea, perante ataques concertados. Ou seja: as redes "sem-escala", embora sejam entidades robustas, sobrevivem mal à remoção selectiva dos poucos nodos que garantem a sua conectividade genérica. Assim, em *scale-free networks* observa-se uma mistura de robustez e tolerância *em relação a erros*, e associa-se-lhes, de uma maneira que não podemos senão considerar como surpreendente e curiosa, uma marcada fragilidade e vulnerabilidade *no que toca a ataques*. Estas associações negativas parecem ser uma espécie de propriedades genéricas de tais redes. Tendo em vista um melhor esclarecimento de uma constatação tão interessante, parece-me apropriado aprofundar um pouco a tão clara ambivalência das nossas *scale-free networks* que ela regista.

Mais uma ilustração, desta feita múltipla e muito rica em informação relevante para o ponto que estou a tentar tornar claro:

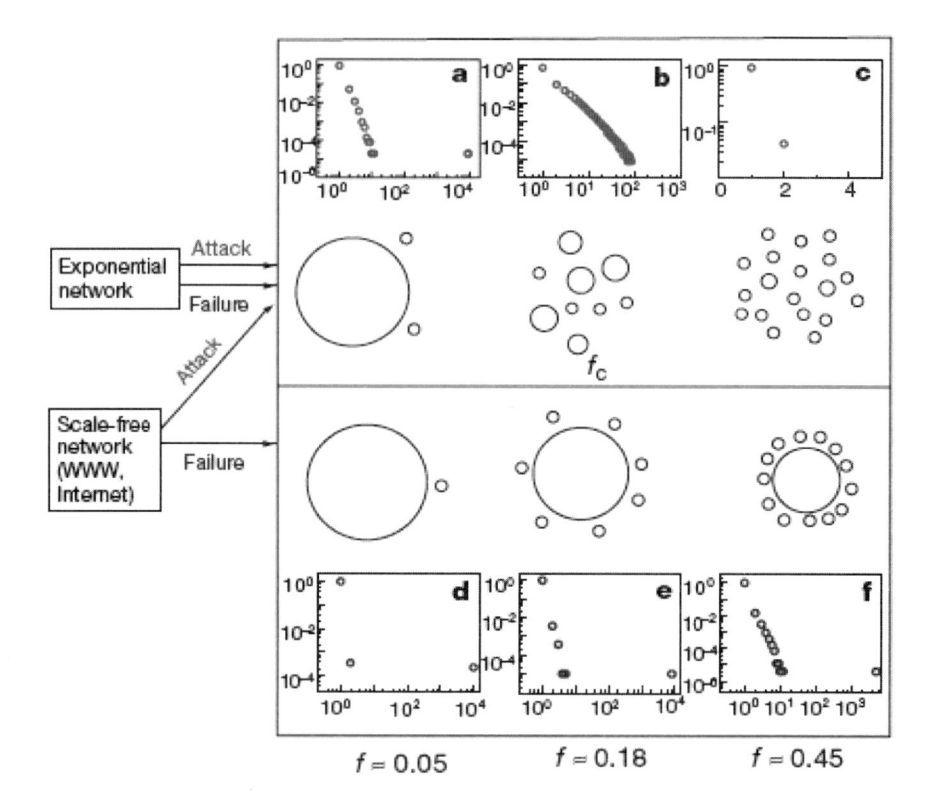

Figura. Representação sumarizada [extraída de Réka Albert, H. Jeong e A.-L. Barabási (2000)], das respostas de redes a falhas ou ataques. Atendo-nos a apenas alguns detalhes mais relevantes: as imagens na base e no topo mostram as variações exibidas nas fragmentações resultantes de ataques (a vermelho) e de falhas (a azul), respectivamente em *exponential networks* e em *scale-free networks*. As duas séries de grafos ao centro são mais intuitivas. Note-se que a fragmentação induzida em *random networks* tem um limiar inferior muitíssimo mais baixo do que aquela existente em *scale-free networks*. Mais ainda, note-se que enquanto no primeiro grupo de redes as fragmentações estilhaçam a rede, no segundo – o das redes *scale-free* – uma percentagem ínfima é fragmentada, o grosso da rede mantendo a sua integridade.

É fácil fornecer um sumário ponderado do que acabei de ilustrar[21] com este diagrama. As redes *scale-free* exibem uma tolerância surpreendente face a falhas aleatórias, uma propriedade, repare-se, que não é partilhada pelas *random networks* em sentido estrito. É fácil compreender que assim seja, ainda que por mera intuição, visto que as redes *scale-free* incluem alguns nodos aptos a transportar "cargas" maiores do que outros (como vimos é precisamente isso que as caracteriza e distingue), e tendem por conseguinte a ser capazes de reconexões sem grandes turbulências, o que evidentemente se não verifica tanto nessas mais *random networks*. A aptidão para enfrentar reconexões tem, contudo, custos altos: a tolerância face a erros que daí resulta está, como vimos, acoplada a uma enorme vulnerabilidade face a ataques que tenham por alvo precisamente os nodos mais conectados das redes *scale-free*. Nesses casos a capacidade de sobrevivência destas redes cai em flecha, na medida em que o seu "diâmetro"[22] então aumenta rapidamente e elas, em consequência, se esboroam em vários fragmentos isolados uns dos outros.

Por outras palavras e agora em termos pragmáticos: a não-homogeneidade das conexões existentes em redes *scale-free* diminui enormemente a capacidade de sobrevivência delas face a ataques concertados. O que pode ser explorado por adversários maliciosos, apostados na sua destruição.

Podemos mesmo ir bastante mais longe. Como se processa, *em pormenor*, a destruição causada por ataques deliberados, e o que é que essa mecânica nos ensina?

Uma maior resolução das imagens destes processos é bastante reveladora. Voltemos ao exemplo que acabei de dar. Repare-se que a propriedade de serem robustas-mas-frágeis das redes *scale-free* apenas se torna sensível quanto é alvejado um número pequeno, mas ainda assim apreciável, de nodos altamente conectados. Ou seja: um ataque *num só*, ou *num pequeno número* de nodos, de uma dessas redes em princípio *não* causa a sua desintegração. Repare-se, ainda,

---

[21] Nestes últimos pontos, pouco mais fiz do que reproduzir, de maneira tão fidedigna quanto possível, a linha de argumentação de Réka Albert, H. Jeong, and A.-L. Barabási (2000), "Error and attack tolerance of complex networks", *Nature* 406, 378–482.

[22] Um conceito cuja adequação metafórica é evidente e que, portanto, me escuso de aqui esmiuçar com maior detalhe.

que os resultados obtidos no plano do binómio robustez-fragilidade dependem *apenas* da arquitectura *scale-free* das redes em causa: para os apurar, a *dinâmica da rede*, a maneira como nela a "carga" – a carga de informação ou outra – está distribuída, *não precisam* de ser tomadas em linha de conta[23].

Mas, e se o fizermos (ou seja: se ponderarmos essa dinâmica distributiva), a que outras conclusões podemos chegar?

Para as equacionar, regresso a um processo a que fiz já alusão por diversas vezes: *o efeito de cascata*. Permita-se-me que encete o meu raciocínio com um novo excurso intuitivo, desta vez um excurso um pouco mais longo do que o anterior. Voltemos atrás. Um raciocínio baseado na *carga* (ou seja, na quantidade e densidade de ligações) dos nodos de uma rede *scale-free*, torna claro que não é de descontar a hipótese de que um desmoronamento generalizado da rede *pode* – ainda que tal só possa acontecer *em casos limite* – ser causado por *uma única* falha ou *um único* ataque.

Como e porquê? Nodos com muitas conexões "transportam", por definição, uma carga maior do que aquela que constitui a média na rede. Contudo *a capacidade* de um nodo – no sentido de a sua aptidão para transportar informações ou coisas – é sempre *limitada*, isto é, é sempre inevitavelmente *finita*: o que equivale a dizer que se essa capacidade for excedida o nodo falha, não tolerando a nova carga a que se vê sujeito. Em tais circunstâncias, a conectividade redundante própria das redes *scale-free* leva a que a sua carga seja de imediato redirigida para outros nodos; ou seja, por via das conexões existentes a ocorrência de uma sobrecarga (ou a eventualidade dela) leva a uma redistribuição da carga pela rede como um todo.

Reside aqui o risco maior. Se a carga a redistribuir for pequena, tal re-afectação não causa verdadeiros problemas, já que outros nodos a agregarão às cargas que antes tinham, sem dificuldades de maior. Esta é a situação típica em *random networks* mais aleatórios, nos quais os nodos têm poucos "graus". Em *scale-free networks*, no entanto, vários dos nodos são nodos altamente conectados, e nesses casos as "cargas" a redistribuir podem ser enormes e a sua redistri-

---

[23] A argumentação que aqui apresento reproduz agora, *tant bien que mal*, a de Liang Zhao, Kwangho Park e Ying-Cheng Lai (2004), "Attack Vulnerability of Scale-Free Networks due to Cascading Breakdown", *Physical Review* E 70, 035101 (R).

buição pode por isso levar a que a capacidade dos nodos que a recebem seja ultrapassada – caso em que, em resultado, estes falharão também: falhas por *overload* podem então seguir-se umas às outras, em catadupa. O que se pode propagar *a toda* a estrutura da rede, numa espécie de espiral ascendente e em aceleração, com consequências destrutivas exponenciais. Eis o chamado *efeito de cascata*, um efeito dramático porque catastrófico para a integridade da rede como um todo.

Ilustrações empíricas desta dinâmica de destruição? Liang Zhao, Kwangho Park e Ying-Cheng Lai[24] ofereceram exemplos destas *cascading failures* induzidas pela redistribuição de cargas por redes: no dia 14 de Agosto de 2003 deu-se um *blackout* eléctrico generalizado e inesperado no nordeste dos Estados Unidos e do Canadá, afectando 50 milhões de pessoas em 8 Estados e 2 Províncias[25], um apagão que se julga ter tido as características de um *cascading breakdown*. Acontecimentos aparentemente não relacionados entre si terão causado *overloads* em série, com resultados drásticos e massivos. Colapsos parciais na e da *Internet* também têm sido registados, colapsos estes induzidos por quebras em servidores centrais e reconduções consequentes excessivas para outros servidores que se vêm em consequência como que *assoberbados*.

Na larga maioria dos casos, nada disto é preocupante. A robustez das redes, uma robustez a que fiz já abundante alusão, *salvaguarda-as*. Com efeito, e tal como insistiram os mesmos L. Zhao, K. Park e Y.-C. Lai[26], a maior parte dos nodos em redes *scale-*

---

[24] Liang Zhao, Kwangho Park and Ying-Cheng Lai (2004), *op. cit.*, primeira página. O primeiro e o último destes três autores trabalhavam então no Arizona; o segundo em S. Paulo, no Brasil.

[25] Ian Dobson et al. (2004), "Complex Systems Analysis of Series of Blackouts Cascading Failure, Criticality, and Self-Organization", em *Bulk Power and System Dynamics and Control* IV: 22-27, Italy.

[26] Em grande parte recapitulando um estudo publicado dois anos antes, em 2002, no qual o último destes três Autores contava como segundo autor; ver Adilson Motter e Y.-C. Lai (2002), "Cascade Based Attack on Complex Networks", *Physical Review* E 66, 065102 (R). Note-se que, num artigo recente, Damon Centola *et al.* (2006), "Cascade dynamics of complex propagation", *Physica A*, foi demonstrado que em casos de uma *multiple propagation* (isto é, uma propagação com várias fontes de ataque), a eficácia da indução de um efeito de cascata pode ser *diminuído* por uma espécie de "interferência recíproca" das agressões.

-free não têm cargas muito grandes, e por isso mesmo os riscos de uma cascata *acidental* são pequenos; Mas, como os três Autores sublinharam de imediato[27] e regressando àquilo que antes disse, *"this, of course, will not be the case of* intentional *attacks that usually target one or a few of the most heavily linked nodes"* (sublinhado meu). Apesar da robustez que exibe, um fracasso global e catastrófico da rede pode assim acontecer no quadro da operação *dinâmica* dela, e o risco é tanto maior quanto mais deliberados e "precisos" (e o significado, no sentido da alçada, deste termo tem de ser apurado com a maior exactidão possível, dada a importância que tem) forem os ataques que lhe sejam desferidos.

Comecemos, porém, por uma questão prévia, visto que se trata de circunscrever o âmbito de aplicação, nestes tipos de contextos de "enredamento", da ideia de "precisão": a qual tipo concreto de ataques estamos a fazer alusão? Quais o seus alvos? Até este momento, tenho vindo apenas a aludir a ataques a nodos. No entanto, desde há algum tempo (pelo menos desde 2002) que a hipótese de um outro tipo de ataques, a um outro tipo de alvos, designadamente ataques levados a cabo contra as *conexões* existentes entre nodos, é conhecida e está bem estudada: designadamente, a hipótese de um desencadeamento de ataques que redundem em destruições, ou neutralizações, de "arestas", e não de "vértices". Um tipo diferente de ataques que, como iremos ver – e embora tal possa não ser imediatamente evidente – logra por via de regra ser muitíssimo mais eficaz enquanto estratégia.

Para mais intuitivamente vislumbrar a diferença em causa entre um e outro tipo de ataque (a "vértices" ou a "arestas"), imaginemos, por exemplo, uma rede informática. Para melhor o compreender, regressemos ao concreto, exemplificando. Um ataque a "arestas" pode corresponder a um corte material dos cabos de comunicação, enquanto que um ataque que tenha por alvo os "vértices" pode ser constituído por uma neutralização de um ou mais servidores por *hackers* maliciosos; ou, ao invés, um ou vários servidores podem ser fisicamente destruídos, e uma ou mais comunicações podem ser obstruídas por acções levadas a cabo ao nível do *software*.

---

[27] Idem, Liang Zhao, Kwangho Park and Ying-Cheng Lai (2004), *ibid.*.

Ataques a nodos e ataques a ligações como decisões táctico-estratégicas hipotéticas, então. Muito bem; mas como poderemos arrumar conceptualmente a multiplicidade de frentes alternativas, por assim dizer, que daí advêm? E o que é que fazê-lo nos ensina? Qual a decisão mais eficaz, num qualquer caso? Varia conjunturalmente, de cenário para cenário?

Vou aqui reproduzir uma linha de argumentação que me parece convincente, e cuja eficácia foi bem testada em simulações. Preocupados, no essencial com a vulnerabilidade de redes informáticas a ataques maliciosos, em 2002 o sueco Petter Holme e um grupo de três co-Autores[28] equacionaram em grande pormenor uma tipologia dos tipos de ataque a que são susceptíveis redes *scale-free*. Subdividiram-nos em quatro grandes sub-grupos de estratégias de ataque, duas delas "locais" (que os nossos três investigadores apelidaram de *ID removal* e o *IB removal*, e que correspondem, respectivamente, a *initial degree removal attacks* e *initial betweenness removal attacks*), e as duas outras delas "globais" (as quais, por sua vez, intitularam de *RD removal* e de *RB removal*, e que, ao invés, correspondem aos resultados dos *recalculated degree removal attacks* e dos *recalculated betweenness removal* attacks).

Soa a complicado, mas em boa verdade a modelização de Holme e dos seus colegas e co-Autores é muito mais simples do que pode à primeira vista parecer. Como vamos ver, a diferença proposta para distinguir entre os dois primeiros tipos de ataque e os dois segundos radica *na informação* utilizada pelos atacantes para os gizar e efectuar: nas agressões ditas "locais", as remoções baseiam-se em dados relativos ao *estado inicial* da rede, e apenas a esse – enquanto que, nos casos que dizem respeito a agressões "globais" (e de maneira que diríamos mais sofisticada) os agressores *recalculam*, depois de cada um de uma série de ataques sucessivos, o estado da rede no que toca à sua "distribuição", o que é vantajoso, apesar de mais árduo, pois que, como é óbvio, à medida que "vértices" vão sendo removidos a estrutura da rede vai mudando, emergindo distribuições diferentes das iniciais, e isto no que respeita tanto ao nível

---

[28] Petter Holme, B.J. Kim, C.N. Yoon e S.K. Han (2002), "Attack Vulnerability of Complex Networks", *Physical Review* E 65, 018101

dos "graus" como ao nível das *"betweennesses"* exibidas. Uma outra maneira de caracterizar a diferença entre uma e outra solução de ataque: o primeiro grupo de actuações, circunscrito por Holme e pelos seus colegas, corresponde a estratégias de ataque mais "estáticas" do que o segundo, em que as estratégias prosseguidas são marcadamente "dinâmicas"[29].

Para melhor compreender as diferenças entre as quatro grandes estratégias de ataque dos nossos três investigadores, vou levar a cabo uma série de descrições e apresento um grafo.

Primeiro, as descrições, seguindo de perto Holme e os seus colegas.

Mantendo em mente as caracterizações distintivas patentes nas estruturas organizacionais das redes *small-world* a que fiz alusão na primeira parte deste trabalho, olhemos então agora, concretamente, para a tipologia dos tipos de ataque a que são susceptíveis redes *scale-free* elaborada por Holme, Kim, Yoon e Han e tentemos avaliar, observando-as, as consequências que ataques maliciosos e sistemáticos têm sobre a sua robustez. Ou seja: sobre a integridade e coesão delas. Holme e a sua equipa simularam com cuidado os processos de destruição desencadeados e apresentaram-no-los diagramática e muito sistematicamente.

Eis o grafo comparativo e sequencial dos progressivos "desmoronamentos" de redes vítimas dos diversos tipos de ataque que os autores enumeram e distinguem uns dos outros. Em larga medida podemos prescindir de comentários, visto que as imagens de algum modo falam por si. Observe-se a degradação crescente das diversas redes representadas em diagrama, ordenadas pelo tipo de ataque a que foram sujeitas, ou seja pela remoção deliberada, sistemática e cirúrgica, ora de arestas, ora de vértices:

---

[29] Por outro lado, note-se que para além disso outras diferenças há, mais transversais aos dois sub-grupos. Com efeito, um segundo de atenção mostra-nos de imediato que as *degree-based strategies* (as denotadas por um *D*) e as *betweenness-based strategies* (as denotadas por um *B*) diferem também entre si, já que as primeiras se concentram em tentar remover tão rapidamente quanto possível o número total de nodos (ou "vértices") da rede, enquanto que as segundas se concentram em destruir tantas "geodésicas" (ou "arestas") quanto consigam. Voltarei a estes pontos de modo a explicá-los em pormenor, com uma representação gráfica que os torna muito mais transparentes, por assim dizer.

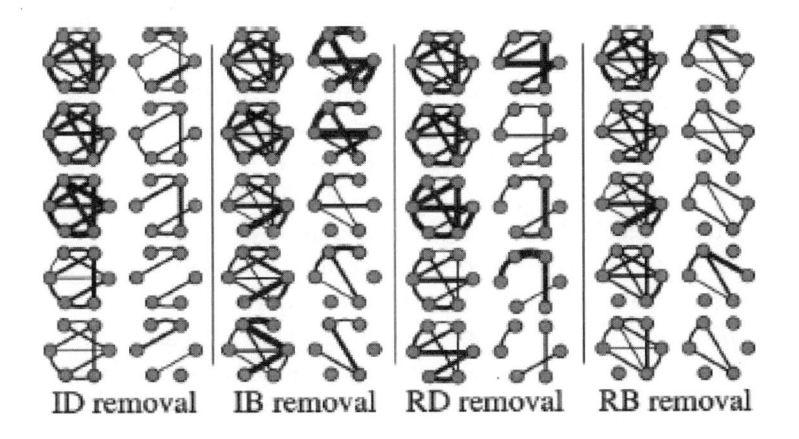

ID removal   IB removal   RD removal   RB removal

Figura. Os resultados (vistos como realização do algoritmo generativo do modelo Watts-Strogatz de *small-world networks*) da remoção de "vértices" por via de ataques maliciosos, aqui ordenados segundo os tipos de estratégias de ataque contrastadas por P. Holme *et al.* (2004). Tal como indiquei no corpo do texto os *I* e os *R* significam, nesta ordem, *initial* e *recalculated*, enquanto que os *D* e os *B*, por sua vez, se referem a *degree* e *betweenness*. Todos estes termos foram explicados. O *ID removal* e o *IB removal* correspondem assim, respectivamente, a *initial degree removal* e *initial betweenness removal attacks*: os dois tipos "locais" de ataque a que aludi, que não tomam em consideração senão o estado inicial da rede vitimizada. O *RD removal* e o *RB removal*, ao invés, correspondem, por sua vez, aos resultados dos *recalculated degree removal attacks* e dos *recalculated betweenness removal attacks*, os dois tipos-"globais" a que fiz referência. Os grafos devem ser lidos de cima para baixo e da esquerda para a direita. As linhas são nas imagens apresentadas traçadas a mais espesso, em proporção directa com a *betweenness* dos "vértices" correspondentes.

Fascinante, seguramente, e bastante revelador. Olhemos, com efeito, *sequencialmente*, para as quatro séries representadas.

Repare-se nas diferenças de ritmo, eficácia e incidência das quebras que vão tendo lugar em cada um dos casos. Note-se, para além disso, que os "desmoronamentos" observáveis nos grafos que acabei de apresentar *não são* contínuos: há *momentos* de aparente ruptura em que o processo como que acelera mais do que seria de esperar numa cascata exponencial normal. A questão não pode ser evitada: porquê?

Quero por alguns momentos regressar ao trabalho, de que já falei, de Liang Zhao, Kwangho Park e Ying-Cheng Lai. Nesse estudo, Zhao e os seus colaboradores e co-Autores descobriram e calcularam os parâmetros precisos daquilo que chamaram "*a phase-transition phenomenon*" na capacidade dos nodos cuja sobrecarga (ou *overload)* conduz a falhas e a destruições em cascata de redes *scale- -free*. Por outras palavras, estes três outros investigadores lograram criar um método quantitativo[30] que permite calcular, para cada rede, aquilo que intitularam "*the network tolerance parameter characte- rizing the node capacity*" dessa mesma rede. Tal "parâmetro de tole- rância", note-se, deixa-nos medir como que a capacidade *global* da rede. Daí as transições comparativamente abruptas. E os nossos Au- tores elaboraram um método para as calcular com exactidão.

Escusado será decerto sublinhar a importância deste método que desenvolveram: caso a caso, permite-nos distinguir duas fases na "vida" de uma rede que se encontre em risco, por estar a ser vítima de agressão deliberada. Uma primeira, na qual a rede sob ataque permanece por um determinado período, amplamente integrada, em- bora aqui e ali vá sendo "mutilada"; e, uma segunda, em que a rede atacada se desintegra com rapidez crescente, por via de um falhanço em cascata. O método desenvolvido por Zhao, Park e Lai permite calcular com exactidão infalível qual é *o limiar superior de robustez.*

O que não é uma conclusão trivial. Para reiterar o que asseverei no início desta última secção deste meu estudo, com precisões deste tipo são muito mais fáceis intervenções cirúrgicas, como as apelidei.

Podemos ainda dar um passo suplementar, também ele não- trivial. Quero concluir com o estudo a que atrás aludi, levado a cabo em 2005 em Cambridge, no Reino Unido, pelos dois investigadores que também referi, Shishir Nagaraja e Ross Anderson[31]. No segui- mento dos trabalhos anteriores, estes dois outros Autores ensaiaram uma perspectivação dinâmica. Mas foram de novo mais longe do que os seus antecessores; juntaram uma dimensão temporal aos ataques, repetindo-os (ou seja, evitando, por meio de ataques sucessivos,

---

[30] Cuja tradução não-matemática seria complicada, para dizer o mínimo. Ver Liang Zhao, Kwangho Park e Ying-Cheng Lai (2004), *ibid.*.

[31] Shishir Nagaraja, Ross Anderson (2005), "The topology of covert conflict", *Technical Report* 637, *Computer Laboratory*, University of Cambridge.

ficar-se por aquilo que em teoria de jogos se chama "*a single-round game*"). Por outras palavras, apostaram em recalculações dinâmicas e progressivas deles.

Para além de recalcular e "repetir" ataques, entrou em cena a questão do seu *ritmo*. S. Nagaraja e R. Anderson testaram laboriosamente hipóteses múltiplas e fizeram no seu artigo propostas pormenorizadas e muitíssimo concretas sobre como provocar um colapso catastrófico rápido e terminal numa rede *scale-free*. Os princípios a seguir são simples: os atacantes escolhem, como alvos, os pontos e as conexões identificados como essenciais das redes que visam. Conexões e pontos esses que são variados, como é evidente. Mas mais: os atacantes agem, nos ataques, não dando oportunidade às redes sob assédio para actuar em tempo útil num, ou ambos os processos envolvidos em regenerações-reconstituições das ligações que lhes dão corpo (i.e., *substituições* por "migração" por um lado, e *adaptações* por outro): atancando-a em vários *rounds*.

Nesse enquadramento conceptual maior, então, qual a melhor estratégia a seguir? Quais os pontos e conexões a seleccionar e como organizar os ataques? Com simulações sistemáticas, Nagaraja e Anderson identificaram algumas.

Trabalhando sobre os *acquis* anteriores a que fiz referência, os dois analistas foram bastante além do que alguma vez se tinha ido, e sobretudo fizeram-no em termos muito práticos. Compilaram uma "espécie de livro de receitas" de ataque e defesa. Alinharam alternativas, em termos da sua eficácia comparativa. E estabeleceram limites para essa eficácia comparativa. Nas palavras dos dois Autores[32]: "[w]e show, first, that naïve defences don't work against vertex-order attack; second, that defences based on simple redundancy don't work much better, but that defences based on clique work well; third, that attacks based on centrality work better against clique defences than vertex-order attacks do; and fourth, that defences based on complex strategies such as delegation plus clique resist

---

[32] Shishir Nagaraja e Ross Anderson (2005), *op. cit.*, 2005: p.2. Um verdadeiro livro de receitas. Uma posição, ao que julgo algo parecida com a que aqui assumo, pelo menos ao nível da estratégia anti-terrorista global e da re-estruturação do comando e controlo, é a recente de Thomas X. Hammes (2006), "Countering Evolved Insurgent Networks", *Military Review*: 18-26.

centrality better than simple clique defences". Como é bom de ver, Nagaraja e Anderson alinharam nessa compilação um conjunto de regras básicas, bem testadas, e de relativamente fácil aplicação caso a caso. Segue-se-lhe, se fizeram as escolhas acertadas tanto no que toca a *alvos* como no que diz respeito a *ritmos*, o efeito de desmoronamento em série procurado, a "quebra em cascata" – o *cascade breakdown* catastrófico pretendido – e, em consequência, o que era desejado: um colapso efectivo e terminal da rede adversária.

Antes de passarmos a um balanço genérico daquilo que acabei de expor, cabe no entanto formular uma pergunta: será correcta a impressão intutiva que temos, segundo a qual o facto de redes como as terroristas serem *encobertas* as tornar impossíveis de "decifrar"? Talvez não, ou pelo menos não inteiramente. Três Autores, Stephen P. Borgatti, Kathleen M. Carley e David Krackhard[33], por exemplo, demonstraram recentemente que margens de erro da ordem dos 10% têm um impacto, se não negligenciável, pelo menos bastante menor do que se tende a imaginar, na caracterização que se faça da rede envolvida – o que de maneira analítico-descritiva, apelidaram de *measurement of centrality robustness under conditions of imperfect data*.

Vale a pena que nos detenhamos neste e noutros pontos conexos, tendo em vista as eventuais dificuldades acrescidas com que se depara, funcionalmente pelo menos, quando se está perante *covert networks*, redes total ou parcialmente encobertas como é o caso das que integram aquilo que apelidamos de al-Qaeda. As fundamentações apresentadas por Borgatti, Carley e Krackhard são simples e bastante fáceis de compreender. Mas não correspondem às representações espontâneas que tendemos a sustentar, e por isso o entendê-las requer alguma atenção. Talvez o melhor seja expor, a partir de algumas das conclusões a que chegaram, o raciocínio que construíram os três investigadores citados.

---

[33] Stephen P. Borgatti, Kathleen M. Carley e David Krackhard (2006), "On the robustness of centrality measures under conditions of imperfect data", *Social Networks* 28: 124-136, Ver, também, o exemplar e já citado Kathleen M. Carley (2005), "Estimating Vulnerabilities in Large Covert Networks", um artigo relativo à al-Qaeda e ao Hamas. Ver, ainda, o muito genérico artigo recente de Steve Ressler (2006), "Social Network Analysis as an Approach to Combat Terrorism Past, Present, and Future Research", *Homeland Security Affairs* II (2).

O método seguido foi o de simulações, nas quais eram removidos sistematicamente ora nodos, ora ligações entre eles, em percentagens crescentes; e isto ao mesmo tempo que se iam adicionando conexões e nodos à rede sob estudo de maneira aleatória. A presunção, naturalmente, foi a de que tanto a adição de vértices como a de arestas são equivalentes a amostragens da rede em causa, já que aquilo que fica após uma remoção é uma amostragem aleatória do que se encontra sob escrutínio analítico. Seguiram-se combinações de vários actos de remoção sistemática. Todas as simulações assim levadas a cabo foram depois ponderadas e comparadas umas com as outras, tendo em vista *medir a centralidade da rede* face a erros de medida que iam sendo introduzidos; e, em paralelo, as margens de erro em que as amostragens fazem incorrer o observador.

As conclusões a que os três investigadores chegaram são fascinantes. Em primeiro lugar, foi por eles apurado que, como porventura seria de esperar, o grau de precisão nas medidas não só diminui com a aumento dos erros, mas que o faz de maneira contínua, monótona, e por isso previsível. A implicação desta primeira conclusão é óbvia, e é a de que – pelo menos em princípio – se conhecermos a percentagem e o tipo de erros envolvidos no processo de recolha de dados, é fácil calcular os limites máximos e mínimos dos cálculos que foram feitos.

A segunda conclusão, esta menos evidente, é a de que as as consequências dos erros induzidos ao nível das quatro medidas de centralidade utilizadas (que foram "*degree, closeness, betweenness, and eigenvector centralities*"[34]) pelos vários tipos e intensidades de remoções, são surpreendentemente semelhantes umas às outras no que diz respeito tanto ao seu respectivo padrão quanto ao nível de robustez; mais ainda, no que toca a este último critério (o nível de robustez), as medidas são no essencial *idênticas* nos quatro casos. Ao contrário do que seria intuitivamente de esperar, com o aumento de erros a *betweenness* passou a ser mensurável *apenas um pouco* menos precisamente do que os outros três critérios.

---

[34] Stephen P. Borgatti, Kathleen M. Carley e David Krackhard (2006), *op. cit.*, na secção, não numerada, de "*methodology*".

Um outro resultado surpreendente foi o de que *tipos diferentes* de erros induzidos têm sistematicamente *os mesmos* efeitos no plano específico da *robustez* das medidas de centralidade[35]. Inversa e complementarmente, a densidade de uma rede tende a reduzir a precisão de *todas* as medidas de erro, excepto no caso de adição de vértices, em que a precisão conseguida se vê *aumentada* – talvez posto que uma maior densidade implica que haja mais conexões que podem ser removidas, o que causa mais mudanças na rede como um todo.

Com base nestes resultados, foi então possível aos três investigadores formular aquilo a que chamaram *"the practical bottom-line"*. E esta e a resposta que a investagação levada a cabo logrou dar-lhe foram as seguintes, em muitos sentidos deveras surpreendentes: *"is it reasonable to compute centrality indices when we know that the data contain errors? Based on our results, the answer would seem to be 'yes', as the measures of centrality tested were quite robust under small amounts of error (such as 10% and under). Of course, whether the levels of accuracy are sufficient for any given purpose is difficult to assess since it depends on external factors such as the consequences of error. For example, the results suggest that if our data collection method misses 5% of ties, then the correlation between true and observed centrality will be in the .90s. By social science research standards, the observed score is clearly a superb proxy for the true score. On the other hand, for some applications even this level accuracy may not be sufficient. At that error rate, the probability of correctly identifying the most central node is around*

---

[35] Como explicam os nossos três Autores, tal deve-se muito provavelmente ao facto de que a regra é a de que, num grafo, haja mais vértices do que arestas: "[w]*e might have expected a priori that node perturbations would create greater problems for measuring centrality than edge perturbations, because the loss of a node necessarily entails the loss of edges as well. But the results show that type of error makes relatively little difference, and what difference there is runs in the opposite direction: edge perturbation makes more difference. We believe the reason is that most graphs contain many more edges than nodes, so that eliminating a fixed percentage of ties will typically create a larger Hamming distance between the true and observed networks than dropping the same percentage of nodes. For example, when the density of a network of 100 nodes is 10%, losing 10% of edges will mean removing almost 500 edges. But losing 10% of nodes would typically eliminate just 100 or so edges*", idem.

90%, and the expected overlap in the top 10% is just 67%"[36].

Ou seja, quando a margem de erro na análise de um agrupamento encoberto organizado em rede for da ordem dos 5%, o grau de precisão com o qual se pode calcular a centralidade da rede é de cerca de 90 em 100; mas a probabilidade de acertar nos 10% superiores é apenas de 67%. O gradiente é íngreme. Afinal, as margens de erro induzidas pelo facto de apenas estarmos a recolher informações quanto a *uma parcela* de uma rede encoberta podem não ser tão grandes quanto, intuitivamente, poderíamos, em termos espontâneos, imaginar[37].

---

[36] Stephen P. Borgatti, Kathleen M. Carley e David Krackhard (2006), *ibid.*, parte final de balanço e conclusões , que aqui repito com fidelidade.

[37] Ver também o artigo de Kathleen M. Carley (2003). "Dynamic network analysis". em, (eds.) R. Breiger, K. Carley, & P. Pattison, *Dynamic Social Networ Modeling and Analysis: Workshop Summary and Papers*: 133-145, Committee on Human Factors, National Research Council.

7.

A CONJUNTURA ACTUAL
E O SEU ENQUADRAMENTO: variações sobre o tema

> *"The al-Qaida of September 2001 no longer exists. As a result of the war on terrorism, it has evolved into an increasingly diffuse network of affiliated groups, driven by the worldview that al-Qaida represents. In deciding in 1996 to be, essentially, a 'visible' organization, running training camps and occupying territory in Afghanistan, al-Qaida may have made an important tactical error; this, in part, explains the immediate success of the U.S.-led coalition's war in Afghanistan. Since then, it has begun to resemble more closely a 'global jihad movement', increasingly consisting of web-directed and cyber-linked groups and ad hoc cells. In its evolution, al-Qaida has demonstrated an unusual resilience and international reach. It has become, in the words of Porter Goss, 'only one facet of the threat from a broader Sunni jihadist movement'. No previous terrorist organization has exhibited the complexity, agility, and global reach of al-Qaida, with its fluid operational style based increasingly on a common mission statement and objectives, rather than on standard operating procedures and an organizational structure".*
>
> A.K.. Cronin (2006), "How al-Qaida Ends: the decline and demise of terrorist groups", *International Security*: 31, (1): 35-36.

Mais do que tentar apresentar quaisquer conclusões, quero puxar os fios à meada que teci, retomando temas que antes abordei, num contexto novo e em simultâneo mais amplo e mais geral. Mantenho os olhos postos nas formas e estruturas organizacionais que foram sendo assumidas pelos agrupamentos terroristas, reiterando, logo à partida, a salvaguarda de que pretendo apenas gizar a traço carregado as linhas por que se tem cosido a sua progressão: não tento, de maneira nenhuma, fazer um historial dela. Debruço-me sobre a lógica dos enredamentos exibidos e vasculho o que considero serem as suas implicações e consequências, bem como as regularidades e ressonâncias internas que essa progressão exibe. A minha preocupação mantém-se mais analítica do que descritiva. Tento recuperar uma dimensão diacrónica – evito o termo *histórica* – para essa progressão, e ensaio uma ponderação, nesses termos, dos impactos que o terrorismo contemporâneo teve e pode vir a ter. A minha finalidade é a de re-inserir nos palcos modernos o fenómeno terrorista, equacionando uma sua eventual compreensão no quadro, também ele organizacional, do sistema internacional de hoje – e fazer derivar daí o reconhecimento dos seus limites enquanto ameaça. Em consonância com aquilo que até ao momento apresentei e discuti, faço-o por comparação sistemática do que considero como constituindo configurações significativas.

Como atrás escrevi, nos anos 80 do século XIX assistimos ao surgimento de um movimento terrorista de amplitude "global", lassamente conectado, igualitarista por convicção e princípio, um movimento cujo objectivo último consistia na eliminação pura, simples, e definitiva, do poder dos Estados e do do capital internacional. Como vimos, tudo começou na Europa – em França, na Itália, na Áustria-Hungria, em Espanha, na Rússia – e depois propagou-se para a América do Norte. Fiz já alusão pormenorizada aos assassinatos levados a cabo, às autênticas façanhas logradas a esse nível. Mas quero começar por sublinhar que não se passou o mesmo quanto aos efeitos conseguidos, que foram poucos e por via de regra temporários. Mesmo assim, entre meados dos anos 90 do século XIX e o primeiro decénio do século XX, a então chamada "Comunidade das Nações" considerou o anarquismo e o seu parente próximo, o anarco--sindicalismo, como a maior ameaça tanto para a ordem interna política e económica como para a estabilidade internacional[1].

---

[1] Para uma boa análise de conjunto da reacção norte-americana e europeia à ameaça anarquista durante este período, ver Richard Bach Jensen (2001), "The United States, International Policing and the War against Anarchist Terrorism, 1900–1914", *Terrorism and Political Violence*, vol. 13, no. 1: 15-36.

À partida, não era caso para menos. Para termos uma ideia da escala *político-simbólica* das actuações em causa, vale a pena reiterar a lista daqueles assassinatos que podemos, porventura, considerar como tendo sido os mais significativos de uma muitíssimo mais longa litania. Em 1881 foi morto o Czar Alexandre II, da Rússia, em 1894 foi-o o Presidente da República francesa, Sadi Carnot, em 1897 foi a vez da Imperatriz Elizabeth da Áustria-Hungria, nesse mesmo ano, a do Primeiro-Ministro espanhol, Antonio Canovas, em 1900 a do Rei italiano, Umberto I, em 1901, a de William McKinley, Presidente dos Estados Unidos, em 1903 tombaram o Rei e a Rainha da Sérvia, Aleksandar I e Draga, em 1908 foram assassinados o Rei de Portugal, D. Carlos e o Príncipe da Beira, o seu herdeiro D. Luís Filipe, em 1912 foi liquidado um segundo Primeiro-Ministro espanhol, José Canalejas, em 1913, foi morto o Rei da Grécia, Jorge I e, finalmente, em 1914, foi a vez do futuro Imperador austro-húngaro Franz Ferdinand e a Mulher, Sophie, Princesa de Hohenberg. Num curto intervalo de tempo, tratou-se de uma verdadeira hecatombe, até então sem paralelos.

Não deixaram de soar alarmes e alarmes muito estridentes. O terrorismo transformou-se numa preocupação central da época. As reacções dos Estados – mais ou menos concertadas umas com as outras – foram essenciais na intrincação e consolidação dos sistemas nacionais de Polícia e de informações. A Scotland Yard britânica, o FBI norte-americano[2], e a Okhrana[3] russa, são três exemplos do cresci-

---

[2] Ver o artigo de Richard Bach Jensen (2001), *op. cit.*: últimas páginas. Jensen mostra como o embrião do que viria a tornar-se no FBI começou por uma tentativa gorada de combater o *white slave trade* de prostitutas forçadas através de um acto de criação de um grupo de *Special Agents*, levado a cabo em 1908 pelo *Attorney General* Charles Joseph Bonaparte, durante a presidência de Theodore Roosevelt, com o nome de *Bureau of Investigation* (BOI). A instituição foi depois reciclada para efeitos transformação numa entidade de luta anti-anarquista. Eis três referências bibliográficas úteis para o que acabou por ser uma reacção pouco eficaz: David Williams (1981), "The Bureau of Investigation and Its Critics, 1919-1921: o rico estudo de The Origins of Federal Political Surveillance", *The Journal of American History*, vol. 68, no. 3: 560-579; o curto mas vivo trabalho de Athan G. Theoharis (1990), "Dissent and the State: Unleashing the FBI, 1917-1985", *The History Teacher*, vol. 24, no. 1: 41-52; e, finalmente, a muito reveladora investigação de Michal R. Belknap (1982), "Uncooperative Federalism: The Failure of the Bureau of Investigation's Intergovernmental Attack on Radicalism", *Publius*, vol. 12, no. 2: 25-47.

[3] O seu nome completo era *Okhrannoye otdeleniye*, literalmente "Secção de Segurança"; tratava-se de uma força policial secreta, criada e integrada, nos anos 80 do século XIX,

mento explosivo *interno* que teve lugar. Mas, em boa verdade, a espectacularidade dos feitos – os assassinatos em série de Reis, Imperadores, Príncipes, Grão-Duques, Presidentes, Primeiros-Ministros e numerosíssimos outros líderes políticos nacionais menores[4] – não teve verdadeiras contrapartidas, contrapartidas à altura, no plano das consequências.

A convicção geral, em todo caso, era a de que não bastava um crescimento das Polícias nacionais: o imprescindível seria um aumento da sua cooperação além fronteiras. A razão para tal tomada de posição é fácil de compreender. As políticas estaduais europeias e

no Ministério dos Assuntos Internos (o MVD) do Império Russo. Estava apoiada por um Corpo Especial de *Gendarmes*, e foi constituída, depois das primeiras tentativas de liquidar Alexandre II, com o objectivo explícito de proteger o Czar e a sua família de eventuais ataques de anarquistas, socialistas e outros revolucionários. A temida *Okhrana* estava sediada em S. Petersburgo e tinha extensões por todo o Império, bem como no estrangeiro, designadamente em Paris, de modo a melhor controlar e reprimir os anarquistas domésticos e os expatriados. Dos muitos trabalhos de qualidade relativos à evolução das polícias russas, polícias essas largamente apostadas em neutralizar as ameaças "esquerdistas" – cuja caracterização ia variando – sugiro a consulta e leitura atenta de diversos artigos: para uma introdução geral das estruturas policiais criadas para fazer frente às novas ameaças políticas, convém a leitura de Fredric S. Zuckerman (1992), "Political Police and Revolution. The Impact of the 1905 Revolution on the Tsarist Secret Police", *Journal of Contemporary History*, vol. 27, no. 2: 279-300, e de Fredric S. Zuckerman (1977), "Vladimir Burtsev and the Tsarist Political Police in Conflict, 1907-14", *Journal of Contemporary History*,vol. 12, no. 1, pp. 193-219, este ultimo relative às dissessões internas de que o sistema policial czarista foi ele próprio vítima; para a actuação policial externa, e muitas vezes robusta, levada a cabo entre comunidades exiladas, ver Richard J. Johnson (1972), "*Zagranichnaia Agentura*: The Tsarist Political Police in Europe", *Journal of Contemporary History*, vol. 7, no. 1-2: 221-242; caso se pretenda conseguir uma contextualização mais ampla, que abarque a operação simultânea de polícias russas "normais", ler Neil Weissman (1985), "Regular Police in Tsarist Russia, 1900-1914", *Russian Review*, vol. 44, no. 1, pp. 45-68, e ainda Robert W. Thurston (1980), "Police and People in Moscow, 1906-1914", *Russian Review*, vol. 39, no. 3: 320-338. Para intervenções em parte afins, já que também visavam a infiltração de grupos organizados de resistência interna nas forças armadas czaristas envolvidas na Grande Guerra, com as consequências ao nível de deserções que conhecemos, ver J.F.N. Bradley (1968), "The Russian Secret Service in the First World War", *Soviet Studies*, vol. 20, no. 2., pp. 242-248.

[4] Apenas um outro exemplo: os notórios *Wall Street Bombings* de 16 de Setembro de 1920 mataram 33 pessoas e feriram 400 no célebre *Manhattan Financial District*. Anarquistas associados com Luigi Galleani, um famoso *insurrectionary anarchist* americano de origem italiana, foram considerados responsáveis pela generalidade dos analistas, embora o caso nunca tenha sido oficialmente resolvido.

norte-americana de combate ao terrorismo anarco-sindicalista radica-
vam por norma na convicção – ou, pelo menos na presunção – de
que defrontavam um inimigo, senão unitário (cujo nome, corria, seria
o de *Internacional Negra*), em todo o caso bem organizado numa
rede internacional robusta, coesa, e sincronizada. De qualquer modo,
um forte grau de "internacionalização" – ou, em todo o caso, de
cosmopolitismo – imprimia uma marca nítida aos acontecimentos.
Uma enorme percentagem dos agressores, por exemplo, era de origem sul-europeia ou eslava. E tanto as ideologias propaladas quanto
as tácticas utilizadas manifestavam evidentes semelhanças de família
umas com as outras.

No plano da tão ambicionada coordenação intergovernamental
da luta contra o terrorismo anarquista, no entanto, não se conseguiu
ir muito longe. Não que se não tenham esboçado condições para o
lograr; muito pouco, porém, se concretizou do muito que fôra esboçado. Um rápido par de exemplos. Numa magna Conferência Internacional Anti-Anarquista que abriu em Roma a 24 de Novembro de
1898[5], no Palazzo Corsino – e que contou com a participação de 21
Estados – foi decidido por unanimidade que o anarquismo não era
"uma doutrina política *bona fide*": mais do que actos políticos, argu-
mentou-se, o que estava em jogo eram "ofensas criminais", e os
anarquistas capturados seriam por isso extraditáveis. Mas na prática
tal raramente chegou a acontecer: a cooperação policial de início
ansiada aumentou, de facto, mas sem que cada Estado tivesse abdi-
cado do direito de decidir por si se lhe convinha ou não proceder a
uma extradição, fossem quais fossem os motivos para tanto. E a
resistência estadual, como depressa se tornou claro, não era avulsa
nem um simples fenómeno de conjuntura. Uma segunda tentativa,

---

[5] Para uma discussão muitíssimo pormenorizada desta tentative gorada, ver Richard
Bach Jensen (1981), "The International Anti-Anarchist Conference of 1898 and the Origins
of Interpol", *Journal of Contemporary History*, vol. 16, no. 2: 323-347. Um estudo teórico
weberiano sobre as condições de possibilidade deste difícil tipo de cooperação entre entidades muito ligadas ao núcleo duro da soberania dos Estados – que assevera que foi apenas
quando os Estados consideraram que as caracterísitcas de "racionalidade burocrática" das
polícias estrangeiras as tornavam em interlocutores técnicos "aceitávéis" e não corpos estranhos ameaçadores – é o de Mathieu Deflem (2000), "Bureaucratization and Social Control:
Historical Foundations of International Police Cooperation", *Law & Society Review*, vol. 34,
no. 3: 739-778.

preparada durante dois anos, e ensaiada em 14 de Março de 1904 em S. Petersburgo – a da celebração do intitulado Protocolo de S. Petersburgo – falhou de novo redondamente, desta feita na tentativa de criar uma "Interpol" anti-anarquista, dada a recusa de dois dos participantes, os Estados Unidos e a Itália (ambos dos Estados mais envolvidos na questão) em assinar o acordo arduamente negociado por dez Estados do Norte, Centro, e Leste da Europa.

É curioso notar que, do mesmo modo que se revelou impossível conseguir coordenar esforços intergovernamentais para uma luta anti-anarquista mais eficaz, também os anarquistas, eles próprios, pese embora não estivessem atidos a fronteiras físicas ou a inércias e resistências "soberanistas" patentes, não conseguiram articular-se uns com os outros. Tudo se passou como se o âmbito do cosmopolitismo possível – nos Estados e fora deles – fosse limitado.

A verdade era que, entre os agrupamentos terroristas, *não* existiam *quaisquer* formas eficazes de planeamento ou coordenação internacional ou centralizada e, mesmo ao nível nacional – no qual as organizações tendiam por norma a ser bastante mais densas – os ataques anarquistas viam-se por via de regra levados a cabo por pequenas *cliques* e *peer groups* (muitas vezes círculos de amigos, correlegionários, por vezes parentes), entidades diminutas em que essas poucas pessoas tipicamente colaboravam umas com as outras em células operacionais exíguas[6]. A colaboração táctica e até estratégica

---

[6] As *petites histoires* por trás destes assassinatos são muitas vezes edificantes quanto ao carácter *sui generis* do simbolismo da época e quanto a alguns dos mecanismos comunicacionais utilizados para ajudar na criação de uma comunidade epistémica pan-anarquista. O papel das "palavras de ordem", por exemplo, era fundamental. Um só caso exemplar: Sadi Carnot, foi esfaqueado por Jeronimo Caserio, um padeiro italiano anarquista exilado em França, enquanto proferia um discurso em Lyon. Ao espetar a sua faca em Carnot, perfurando-lhe o fígado, Caserio terá exclamado *"Vive la Révolution!"*. Ao ser condenado à morte gritou com fervor *"Vive la révolution sociale!"*. No dia seguinte ao da morte do Presidente Carnot, a sua Mulher recebeu uma fotografia de Ravachol (um outro anarquista famoso, também guilhotinado durante o consulado do seu marido), expedida um ou dois dias antes pelos correios por Caserio, com as palavras: *"Il est bien vengé"*. Sadi Carnot era odiado pelos anarquistas por ter apoiado a promulgação das *lois scélérates*, que restringiam severamente a liberdade de imprensa, e por ter recusado o perdão presidencial a um deles, Auguste Vaillant, que tinha perpetrado um ataque à *Chambre des Deputés*, lançando uma bomba artesanal das tribunas para o hemiciclo. Apesar de não ter conseguido fazer vítimas mortais nesse ataque, Vaillant foi condenado à guilhotina e, antes de morrer,

conseguida era, aí, de geometria variável, e seria decerto muitas vezes intensa; mas a coordenação *entre* tais grupos era muitas mais difusa e indirecta, e em muitos casos mesmo inexistente. Mais ainda, um recuo revela-nos que o padrão era uniforme: à medida que se alargava o âmbito de inclusividade, com efeito, o crescendo de esbatimento organizacional mantinha-se: as ligações entre os "meta-grupos" era ainda mais ténue e, por norma, menos directa.

Embora a existência de uma conspiração mundial fizesse parte integrante da retórica dos Estados, na realidade não havia nenhum *complot* organizado no sentido clássico do termo, nem no plano interno de cada agrupamento nem, no externo, entre eles. Em boa verdade, aliás, apesar da propagação cosmopolita de ideias e convicções político-revolucionárias, muitas vezes só por abuso de linguagem se poderia alegar existir uma qualquer ideologia, ou tradição organizacional anarquista genérica, e em resultado tanto as ideologias quanto as formas organizacionais tendiam em muitos casos a parasitar organizações e aspirações étnicas e nacionalistas locais e a nelas se incrustar. A tão famosa quão infame "Mão Negra" sérvia, a que fiz já alusão – que depois de matar o Rei Alexandre a a Rainha Draga da Sérvia planeou e executou o assassinato do futuro Arquiduque Ferdinando da Áustria, que desencadeou a I Guerra Mundial – ou o *Narodnya Volya* ("a vontade do povo"), o já referido grupo revolucionário russo, serão disso decerto os exemplos mais paradigmáticos[7].

---

gritou *"Vive l'anarchie, ma mort sera vengée!"*. Para mais pormenores, ver rebellyon.info/article609.html. Escuso-me de relatar em detalhe eventos paralelos quanto ao assassinato do Presidente norte-americano William McKinley. Para aprofundar semelhanças e diferenças (e são notáveis umas tanto quanto são significativas as outras, no plano da acção simbólica e das suas implicações) vale, no entanto, a pena a leitura atenta do curto e gráfico relato de John Milton Cooper Jr. (2004) "Murdering McKinley The Making of Theodore Roosevelt's America", *The Journal of American History*, 91, 2: 657-659, a do vívido artigo Richard Cavendish (2001), "Assassination of President McKinley. September 6th, 1901", *History Today*, 51, 9: 52-53, de Wyatt Kingseed (2001), "The assassination of William McKinley", *American History* 36, 4: 22-29, e a do muito bem gizado Sidney Fine (1955), "Anarchism and the Assassination of McKinley", *The American Historical Review*, vol. 60, no. 4: 777-799.

[7] Para uma curta introdução aos alvores do terrorismo moderno, ver o já referido artigo de um analista da *New Scotlamd Yard*, Lindsay Clutterbuck (2004), "The Progenitors of Terrorism: Russian Revolutionaries or Extreme Irish Republicans", *Terrorism and*

Na sua generalidade, é certo, a motivação política que os agrupamentos anarquistas tinham era patente. Mas a inépcia que manifestaram, na prosecussão dos objectivos que arvoraram ter a esse nível, também o era. Em todo o caso, porventura a maioria dos anarquistas professos exprimiam-se regular e vocalmente *contra* o uso político da violência, indiciando assim divisões internas que claramente militavam contra uma qualquer unidade geral deste autêntico *conglomerado* de movimentos.

Uma maior resolução de imagens – sem ir ao pormenor de estudos avulsos de caso, que seriam aqui descabidos – demonstra bem esse gradiente decrescente. Quaisquer sincronizações, coordenações e até articulações, só com dificuldade são congruentes com clivagens; e não raramente clivagens profundas foi o que na prática se verificou, de maneira persistente e intensa, nos relacionamentos dos movimentos anarquistas uns com os outros. Frequentemente, tais clivagens resultaram mesmo em fracturas violentas, que revelaram não-miscibilidades radicais. Muitas vezes, também, longe de se poder falar de quaisquer concertações (cuja existência seria fundamental para se fazer alusão, sequer, a uma eventual co-optação), o que se iam verificando foram dissonâncias e "arritmias funcionais" que as inviabilizaram de forma irreversível. Se para reconciliações teria sido imprescindível que houvesse consensos mínimos em que elas pudessem radicar – ainda que tão-somente consensos negativos e parcimoniosos – a verdade é que mesmo esses brilharam pela sua ausência. Apesar de diversas tentativas, os agrupamentos anarquistas nunca souberam lidar com a sua própria diversidade.

A conclusão é iniludível. O que parecia reinar entre os grupos anarquistas, na volta do século XIX para o XX, era a anarquia organizacional. Temores de que haveria conluios submersos e clandestinos redundavam em puras fantasias, que ora reflectiam erros de perspectiva, ora exprimiam posturas tácticas instrumentais – ambas respostas compreensíveis num Mundo em mudança acelerada. Os anarquistas tinham projectos de modificações sociopolíticas profundas. Mais ainda, estavam muitas vezes dispostos a actuar, dando o

Political Violence, vol.16, no.1: *op. cit.*. Para um quadro geral ver o muito útil e lúcido artigo histórico de D. Novak (1958), "The Place of Anarchism in the History of Political Thought", *The Review of Politics*, vol. 20, no. 3., pp. 307-329

corpo ao manifesto. Mas nem os movimentos anarquistas, nem os os anarco-sindicalistas foram capazes de formar forças conjuntas pró-activas: são mais certeiramente encaráveis como reacções largamente espontâneas e desgarradas a indeterminações conjunturais soletradas pela reconfiguração do Mundo.

O fim da história é bem conhecido. Depois da Grande Guerra, a União Soviética bolchevique começou por primeiro co-optar o militantismo anarquista internacional como força política "global" através do *Comintern* (também conhecido como a III Internacional, que durou de 1919 a 1943) para depois fazer rápida marcha atrás, dissolvê-lo, e, primeiro com Lenine e depois sempre pela mão de Josef Estaline – no que não pode, para muitos, deixar de ter sido uma lição inesquecível de sobriedade – tirar o tapete debaixo dos pés aos anarquistas e ao seu papel na liderança político-militar, do lado Republicano da Guerra Civil espanhola. As tomadas firmes de posição dos "marxistas" contra o respeitado teórico anarquista Mikhael Bakunin, no Congresso da Haia de 1872, ligado à I Internacional[8], e o isolamento a que estas condenaram ao longo dos anos que se seguiram a pouco convincente – mas famosíssima – *International Workingmen's Association*, finalmente levaram a água ao seu moinho[9]. Ferido de morte, o anarquismo "organizado" foi-se extinguindo como ameaça activa, acantonando-se em bolsas cada vez mais isoladas, mais idealistas e, por conseguinte, cada vez menos eficazes. A ritmos e com estertores variados, o anarquismo foi desaparecendo na Itália, em Espanha, nos Balcãs e no mundo eslavo. Não se extinguiu, e continua muitas vezes ainda a levantar a cabeça: mas a aura ameaçadora em que os movimentos se viam envoltos desvaneceu-se, e os anarquistas são hoje em dia encarados como pouco mais do que um irritante com que nos habituámos a conviver.

---

[8] Para estas discussões [de que existem "actas" reputadamente manipuladas pelos soviéticos anos mais tarde] é reveladora a leitura de estudos cuidados como o de Alvin W. Gouldner (1982), "Marx's Last Battle. Bakunin and the First International", *Theory and Society*, vol. 11, no. 6, Special Issue in Memory of Alvin W. Gouldner, pp. 853-884.

[9] Para uma discussão recente e empírica e prospectivamente rica quanto às maneiras como desaparecem os movimentos terroristas, ver A.K. Cronin (2006), "How al-Qaida Ends: the decline and demise of terrorist groups", *International Security* 31, 1: 7-48.

No quadro genérico do presente estudo monográfico, cabe-nos inquirir quanto aos fundamentos últimos da enormidade da ameaça sentida face à actuação dos anarquistas, não tanto no que diz respeito aos estragos causados (que foram muitos e dolorosos, porventura até chocantes, se bem que politicamente assaz improcedentes), mas antes em termos do sentimento agudo de impotência logístico-organizacional induzido pela aparente incapacidade de lhes pôr cobro de maneira definitiva. O que é que neles mais assustava os poderes estabelecidos?

A resposta parece-me óbvia. Aquilo que tornava o anarquismo num desafio tão premente como reconhecido e temido pelo centros de poder instituído estava sem dúvida ligado às transformações radicais, sentidas ao nível dos transportes, da comunicação, da economia, da política, e das novas técnicas e tecnologias, muitas delas com um potencial militar evidente, a que a fruição da Revolução Industrial encetada uma dezena de decénios antes tinha dado azo. Para o compreender, basta listar algumas delas.

Sob a égide das doutrinas iluministas, e face às pressões populares desencadeadas pela Revolução Francesa[10], as Monarquias europeias – muitas delas monarquias absolutas – tinham sido mudadas em monarquias constitucionais e até em democracias liberais mercantis. Pessoas, ideias, bens, e capitais circulavam por entre fronteiras com uma fluidez e facilidade sem contrapartidas, mesmo se as compararmos com a época actual de globalização. Um exemplo paradigmático: em 1912 – apenas dois anos antes do início da Grande Guerra – só dois Estados, o Império Russo e o Sultanato Turco, exigiam a apresentação de passaportes para a travessia de linhas de fronteira. Com a evolução das coisas tudo isso se alterou, e foi apenas com os acordos mundiais de comércio pós-GATT de meados-finais dos anos 90 do século XX que os fluxos internacionais de capital conseguiram recuperar o grau de liberdade que tinham logrado até à

---

[10] Um dos líderes revolucionários franceses, Maximilien Robespierre fôra o primeiro a introduzir a princípio de "*la terreur*" como um instrumento de eleição para a instalação e a preservação da "liberdade". Para o discurso em que o fez, ver M. Robespierre, "Principes de morale politique", *Discours presenté à la* Convention *Nationale Française*, 5 de Fevereiro de 1794, disponível em http://membres.lycos.fr/discours/1794.htm

I Guerra Mundial[11]. A montante e a juzante de tais mudanças vinham transformações tecnológicas de monta, ricas em riscos e oportunidades.

Efectivamente, os riscos e oportunidades potenciados eram de peso. A transição do século XIX para o XX deu palco a uma época de mudanças profundas. Alterações em várias frentes que, como que num soluço em *câmara rápida*, tornaram o Mundo cada vez mais interdependente. A telegrafia, depois a TSF, os jornais diários de larga circulação, o surto dos caminhos-de-ferro, os primeiros paquetes transoceânicos, os automóveis e os dirigíveis e aviões afloraram e floresceram nesse período. Em 1912 foi instalado o primeiro serviço de rádio-telegrafia trans-Pacífica, ligando S. Francisco, na costa noroeste dos Estados Unidos, a Honolulu, no arquipélago distante do Hawaii, um pontilhado disposto no meio do Oceano Pacífico. Tanto o território norte-americano como a Europa estavam já há uma cinquentena de anos "conectados" – bem como conectados uma à outra por meio de novos (e poucos anos antes inimagináveis) cabos submarinos transatlânticos, o primeiro dos quais, que se avariou quasi de imediato, datava de 1858, seguido de dois outros, bastante mais estáveis, colocados nos fundos marinhos em 1865 e 1866. A contracção do espaço e do tempo começou a acelerar o passo. Nunca antes a velocidade das mudanças à escala planetária fora tão grande – nem antes nem porventura depois, designadamente hoje com a Revolução Digital que um tão enorme impacto está a ter no Mundo actual. As promessas de melhorias não se viram porém realizadas de maneira homogénea e, seguramente, não atingiram todos: o que os franceses chamavam *Belle Époque* não se tornou numa idade dourada para todos quantos a ela aspiravam.

Para o que aqui nos interessa, contudo, um dos pontos mais importantes foi a consciência generalizada da possibidade de os agrupamentos terroristas anarco-sindicais adquirirem o que eram, então, as novas "armas de destruição em massa" emergentes. As metralhadoras – embora de início demasiado pesadas para uma utilização fácil por terroristas – tinham sido inventadas durante a Guerra da

---

[11] Para uma discussão-comparação pormenorizada dos dados recentes quanto a isso e dos da volta do século XIX para o XX, ver, por todos, David Held, Anthony McGrew, David Goldblatt, e David Perraton, (1999), *Global Transformations. Politics, Economy and Culture*, Polity Press.

Secessão norte-americana e utilizadas, com efeito devastador, na Guerra dos Boers, na África Austral[12]. A dinamite, inventada também no mesmo intervalo pelo industrial sueco Alfred Nobel, e os seus sub-produtos (incluindo bombas altamente explosivas de pólvora, lignite, ou nitroglicerina, e granadas-de-mão fabricadas com os mesmos compostos), tal como a utilização de gases letais, incapacitantes ou paralisantes, constituíam armas para cuja obtenção tanto os grupos anarquistas como os Estados corriam – e faziam-no com um notável se bem que terrível sucesso. Para a bitola do período, tratava-se, com efeito, de instrumentos assustadores de morte e desestabilização.

Mas o temor sentido não radicava apenas no reconhecimento do potencial assustador de expansão e intensificação das acções terroristas anarco-sindicais. A este medo depressa se juntou um sentimento generalizado de frustração e impotência. Por muito que as tentassem ultrapassar, os Estados e os novos serviços de informações e Polícia em desenvolvimento esbarravam com dificuldades na detecção e na "desmontagem" dos grupos anarquistas. Os motivos para tanto prendiam-se com mutações adaptativas na *orgânica interna* destes grupos. O medo radicava, também, na constatação crescente de que os tão temidos anarco-sindicalistas dispunham de novas tecnologias organizacionais que lhes forneciam uma espécie de escudo defensivo que os tornavam quase inexpugnáveis.

Com efeito, novas formas de organização tinham sido desenvolvidas e, no *small world* dos combatentes anti-Estado e anti-capital, aproveitando os "atalhos epistémicos" existentes, esses formatos organizacionais inovadores foram rapidamente adoptados um pouco por toda a parte. Nesse âmbito restrito, pelo menos, o cosmopolitismo funcionava.

---

[12] Uma arma que alterou profundamente a guerra, mecanizando-a e acabando com as até então comuns cargas de cavalaria. As "metralhadoras" receberam o seu nome da *mitrailleuse*, uma arma manual desenvolvida em França nos anos 50 do século XIX e utilizada sem sucesso pelo Exército francês durante a Guerra Franco-Prussiana, que durou de 1870 a 1871. Visto os disparos serem accionados por uma manivela, tornou-se conhecida como um *moulin á café*, um nome semlhante ao de *coffee mill gun*, dado às muito mais eficazes *Gatling guns* desenhadas, em 1861, pelo inventor americano Richard J. Gatling e patenteadas a 9 de Maio de 1862. Um General da União, Benjamin Butler, comprou doze dessas armas e usou-as com grande impacto na dura frente de Petersburg.

Um esboço de levantamento genealógico do aparecimento e proliferação dessa "nova tecnologia" põe em relevo a lógica adversarial da sua emergência: desde o período pioneiro do revolucionário francês Louis Auguste Blanqui[13], em meados-finais do século XIX, que novas estruturas organizacionais (a organização dos militantes e activistas em *células encobertas*) tinham sido pensadas com o intuito de resistir à penetração e aos embates por organizações hostis. A estrutura organizacional escolhida foi-o, efectivamente, com o intuito de reduzir, na medida do possível, a infiltração, a penetração, e a destruição que seguramente ocorreria ao agrupamento como um todo, caso um ou mais dos seus membros fossem capturados, interrogados, e falassem.

Era raro que células encobertas tivessem mais de uma dúzia de membros, e nalguns casos tinham apenas dois ou três. Outra das características distintivas fundamentais que exibiam era a ausência de comunicação explícita, generalizada e contínua entre células, mesmo quando se tratava de células que convergiam para as *mesmas* finalidades. Deste modo, a maioria dos membros de uma dessas entidades apenas sabia a identidade das outras pessoas que com eles estavam integrados *nessa mesma* célula, e só o líder tinha conhecimento da

---

[13] Um aderente da *Charbonerie*, Blanqui tinha o *petit nom* de "*l'Enfermé*" por ter passado 35 anos na prisão, em resultado de penas sucessivas em resposta a participações em acções de grande violência. Foi *Communard* em 1848, e escreveu textos revolucionários influentes. Apesar de o qualificar como um "socialista utópico", Karl Marx comentou que Blanqui foi "o chefe que me faltou". Para o que aqui nos interessa, as estruturas organizacionais que tentou criar, uma frase célebre de Blanqui foi a de que "[l]e *travail c'est le peuple; l'intelligence ce sont les hommes qui le dirigent*". Essas convicções elitistas levaram-no a pugnar pela criação de "*une société secrète de révolutionnaires professionnels*", organizados "*sur un mode paramilitaire et suivant avec obéissance les décisions de leur chef*". Morreu de uma apoplexia. As suas exéquias foram acompanhadas por uma multidão estimada em cem mil pessoas. Para um enquadramento amplo e útil do tipo de acção política "blanquista", ver Patrick H. Hutton (1974), "The Role of the Blanquist Party in Left-Wing Politics in France, 1879-90", *The Journal of Modern History*, vol. 46, no. 2., pp. 277-295. O pano de fundo geral pode ser entrevisto no notável artigo de Bob Grogin (1998), "Forgotten Crisis. The Fin-de-Siecle Crisis of Democracy in France", *Canadian Journal of History*, 33, 2: 309-312. Para uma fascinante análise genérica das novas formas de luta largamente encetadas pelos blanquistas, que utiliza modelizações de Charles Tilly, é recomendável a leitura do magnífico estudo de Mark Traugott (1993), "Barricades as Repertoire. Continuities and Discontinuities in the History of French Contention", *Social Science History*, vol. 17, no. 2: 309-323.

identidade de outros líderes de outras células – ou pelo menos dos de algumas, e nalguns casos conhecidos fazendo parte, com estes, de uma "célula de líderes de células"[14] – e lograva assim comunicar com eles.

As coordenadas da mecânica de cautela e salvaguarda conseguida com este autêntico subterfúgio organizacional defensivo são fáceis de equacionar, e vale a pena que nos detenhamos um pouco neste ponto, posto que ele tem enormes implicações para uma compreensão cabal da macro-estrutura do agrupamento em causa. Como vimos, dada a ausência de comunicação continuada e directa entre células, não era raro que os membros de cada uma delas tivessem apenas pouca, ou mesmo nenhuma, ideia quanto a coisas tão comezinhas como saber *quem mais* estaria a agir pela mesmíssima causa, ou *como* o estava a fazer. Por outro lado, dado o número reduzido de membros de cada célula, membros capturados e cativos, inimigos infiltrados, ou agentes duplos tinham pouco a confessar, visto não saberem quase nada nem sobre o agrupamento a que pertenciam, nem porventura sequer sobre a estrutura da organização como um todo[15]. A ausência de uma comunicação generalizada entre os sub-grupos e a sua pequena escala – aquilo que é conhecido como a *compartimentação* dos agrupamentos organizados nestes termos – tinham como objectivo reduzir em flecha o risco de que a organização maior se visse comprometida por acções hostis de qualquer tipo montadas pelos seus inimigos[16].

---

[14] Constituindo, assim, um patamar mais abrangente, por norma com funções de "coordenação", de liderança geral das várias células que concertava e "sincronizava" (talvez *sintonizar* seja aqui um melhor termo para dar conta do papel que preenchiam). Note-se que, nestes casos, aquilo que na prática se via criado era um conjunto de relacionamentos hierárquicos como que embutidos no interior de uma "rede".

[15] Por outras palavras: o resultado da mecânica organizacional que descrevi (e que garante a divisão da "empresa" em vários pequenos grupos, cada um deles apenas focado nas missões particulares que lhe sejam alocadas ou, caso tenha essa liberdade, que escolher), é assim uma diminuição muitíssimo acentuada da deterioração em que outros membros do grupo ou o todo maior possa incorrer. Mesmo se uma ou mais células forem comprometidas, as outras, em princípio, podia continuar a operar de forma independente. E as perdas globais viam-se reduzidas.

[16] Estas modificações evolucionário-adaptativas foram comuns à maioria destes grupos, encobertos porque marginais, terroristas ou não.

Sem querer saltar períodos, e com o mero intuito de dar a devido realce à importância de comparações controladas, façamos um *fast forward* neste ponto. Para um observador contemporâneo, só com dificuldade pode passar despercebida a evidência de que as implicações e consequências políticas, sociais e económicas da vaga anarquista que afligiu o Mundo ocidental na volta do século XIX para o XX, tem tido, em muitos sentidos, como que *uma réplica* na passagem do século XX para o XXI. As diferenças entre um caso e o outro, como é óbvio, são tremendas; mas as semelhanças ainda são mais impressionantes. Os ataques "democratizaram-se" e tornaram-se mais mediáticos. Em consonância com essas alterações, mudaram os pontos de aplicação das actuações e os métodos nelas utilizados. As acções começaram a ser conhecidas pelas cidades em que tiveram lugar, os assassinos massificaram a sua actuação e passaram na maior parte dos casos a tomar como alvos indiscriminados vítimas cada vez mais numerosas e anónimas; em paralelo, em vez de liquidar personagens que representavam e personalizavam o poder[17], em boa sintonia com o novo Espírito do Tempo, passaram à destruição de ícones e a fazê-lo, tanto quanto possível, de maneiras eivadas de uma forte carga simbólica.

Mas as homologias são notórias, por detrás de formulações retóricas nem sempre muito parecidas umas com as outras. Limito-me a uma mão cheia de exemplos indicativos. Depois de duas dezenas de anos de assassinatos selectivos de líderes políticos na Europa e no rescaldo da morte de William McKinley, na sua primeira *Annual*

---

[17] É curioso notar que mesmo o uso de explosivos (a dinamite e os produtos derivados a que aludi) era, por norma (embora não sempre), "personalizado". Como Clutterbuck o descreveu, por exemplo, o assassinato do Czar Alexandre II: "[o]*n 5 February 1880 a massive explosion rocked the Tsar's Winter Palace, killing eleven people but failing to accomplish its objective. The device had been assembled and placed by Zhelyabov, a member of Narodnya Volya who had infiltrated the Tsar's household by seeking employment as a carpenter. He detonated the dynamite by lighting a 'Rumford fuse of requisite length' and hence was able to escape from the Palace prior to the explosion.[...] The primary attempt on the life of the Tsar on 1 March 1881 saw them once more resort to their favoured technique of a landmine placed in a tunnel they had excavated under a street. However, the death of the Tsar was finally achieved in yet another manner by using 'grenades' made out of kerosene cans filled with nitro-glycerine which exploded on impact when thrown*". Em Lindsay Clutterbuck (2004), *op. cit.*: 171.

Message ao Senado e à Câmara de Representantes norte-americanos, a 3 de Dezembro de 1901, o novo Presidente recém-empossado (era o Vice-Presidente de McKinley), Theodore Roosevelt, declarou de maneira retumbante que os anarquistas eram, por natureza, gente sujeita a *"evil passions"* e constituíam os mais perigosos *"deadly foes of liberty"* contemporâneos[18]. Nas palavras que utilizou para caracterizar Leon Czolgosz, o homem que vitimara o Presidente McKinley, Roosevelt comentou, com fervor, que o *"President McKinley was killed by an utterly depraved criminal belonging to that body of criminals who object to all governments, good and bad alike, who are against any form of popular liberty if it is guaranteed by even the most just and liberal laws, and who are as hostile to the upright exponent of a free people's sober will as to the tyrannical and irresponsible despot"*[19].

Em Maio de 1904, no que foi apelidado de *The Roosevelt Corollary to the Monroe Doctrine*, o famoso Presidente alargou amplamente a missão que desenhara, e que consistia em eliminar o anarquismo e os terroristas, para uma missão imperial a levar a cabo no Mundo inteiro, intervindo fosse em que Estado fosse de modo a garantir a sua protecção face ao "mal estrangeiro" e a preservar esse Estado e o Mundo do caos. A fraseologia utilizada por Theodore Roosevelt foi veemente e nela ouviam-se, de novo pela via de uma defesa intrasigente do perímetro norte-americano de segurança e defesa a que no princípio do século XIX James Monroe fizera alusão, os ecos do *Manifest Destiny* que o excepcionalismo norte-americano – que Roosevelt já antes ajudara a cristalizar no início da sua carreira política pública internacional, enquanto *Assistant Secretary of State of the Navy* – desde há muito vinha fazendo seus, e formando como que um mapa para o que se iria seguir uma centena de anos mais tarde: "[c]*hronic wrongdoing, or an impotence which results in a general loosening of the ties of civilized society, may in America, as elsewhere, ultimately require intervention by some civilized nation, and may lead the United States, however reluctantly, in flagrant cases of such wrongdoing or impotence, to the exercise of an*

---

[18] T. Roosevelt, *First Annual Message to Congress*, 3 de Dezembro de 1901, disponível em http://www.geocities.com/presidentialspeeches/1901.htm

[19] *Ibid.*.

international police power"[20]. Talvez mais interessante em termos comparativos, a derrota definitiva do anarquismo tornou-se para Teddy Roosevelt, em 1908, quatro anos depois, missão histórica central da sua Administração: "[w]*hen compared with the suppression of anarchy, every other question sinks into insignificance. The anarchist is the enemy of humanity, the enemy of all mankind; and his is a deeper degree of criminality than any other*[21]".

Oiçamos agora o Presidente George W. Bush, quase um século mais tarde, em 2001: "[h]*ow will we fight and win this war? We will direct every resource at our command – every means of diplomacy, every tool of intelligence, every instrument of law enforcement, every*

---

[20] T. Roosevelt, *The Roosevelt Corollary to the Monroe Doctrine*, Maio de 1904, disponível em http://www.theodore-roosevelt.com/trmdcorollary.html. Roosevelt foi explícito quanto aos fundamentos e ao alcance do "corolário": "[i]*n asserting the Monroe Doctrine, in taking such steps as we have taken in regard to Cuba, Venezuela, and Panama, and in endeavoring to circumscribe the theater of war in the Far East, and to secure the open door in China, we have acted in our own interest as well as in the interest of humanity at large. There are, however, cases in which, while our own interests are not greatly involved, strong appeal is made to our sympathies.... In extreme cases action may be justifiable and proper. What form the action shall take must depend upon the circumstances of the case; that is, upon the degree of the atrocity and upon our power to remedy it*". Para uma boa perpspectivação da postura de Roosevelt, ver o já citado artigo de Richard Bach Jensen (2001).

[21] Apresentação de Ch. Bonaparte, *Attorney General*, "*on behalf of Pres. Th. Roosevelt*", ao *60th U.S. Congress*, lido ao membros do Congresso a 9 de Abril de 1908, doc. 426, disponível em http://tmh.floonet.net/articles/bonaparte.html. Em resultado destas suas convicções, Roosevelt tinha, já em 1901, na sua *1st Message to Congress*, proposto o germe daquilo a que hoje chamaríamos uma espécie de doutrina *preventiva* de repressão das actividades anarquistas: "[t]*he anarchist, and especially the anarchist in the United States, is merely one type of criminal, more dangerous than any other because he represents the same depravity in a greater degree. The man who advocates anarchy directly or indirectly, in any shape or fashion, or the man who apologizes for anarchists and their deeds, makes himself morally accessory to murder before the fact*". Continuou, generalizando e fundamentando "[t]*here are no wrongs to remedy in his case. The cause of his criminality is to be found in his own evil passions and in the evil conduct of those who urge him on, not in any failure by others or by the state to do justice to him or his. He is a malefactor and nothing else. He is in no sense, in no shape or way, a 'product of social conditions', save as a highwayman is 'produced' by the fact that an unarmed man happens to have a purse. It is a travesty upon the great and holy names of liberty and freedom to permit them to be invoked in such a cause. No man or body of men preaching anarchistic doctrines should be allowed at large any more than if preaching the murder of some specified private individual. Anarchistic speeches, writings, and meetings are essentially seditious and treasonable*".

financial influence, and every necessary weapon of war – to the disruption and to the defeat of the global terror network". O contexto foi também, como sabemos, o de um novo "corolário" da Doutrina de Monroe: "[o]*ur response involves far more than instant retaliation and isolated strikes. Americans should not expect one battle, but a lengthy campaign, unlike any other we have ever seen. It may include dramatic strikes, visible on TV, and covert operations, secret even in success... From this day forward, any nation that continues to harbor or support terrorism will be regarded by the United States as a hostile regime"*[22]. Em guisa de fundamentação, logo a 11 de Setembro, num *Address* televisivo aos norte-americanos e ao Mundo, Bush afirmara famosamente, e com clareza, que *"we will make no distinction between the terrorists who committed this act and those who harbour them"*.

As ressonâncias são patentes, e muitas outras poderiam ser aduzidas. O que quero sublinhar é simplesmente a convicção partilhada de que estaríamos perante adversários altamente organizados e sincronizados entre si, e a ideia que circulava segundo a qual a ameaça que constituíam era potencialmente fatal para os Estados caso não fosse combatida, e combatida com a devida firmeza e ferocidade. Passou uma centena de anos[23]. Estamos, de novo, perante mudanças de peso no Mundo, mudanças que – de início, pelo menos – deixam para trás, mais uma vez, largos sectores da população. A evolução tecnológica ameaça, de novo, dar armas temíveis, instrumentos de destruição verdadeiramente *maciça* –incomparavelemente mais letais do que há um século – aos revolucionários mais vocais que lideram aqueles cujas expectativas se vêm frustradas de participar nas alterações-melhorias profundas de que usufruimos.

Mas voltemos atrás e recentremo-nos na progressão de estruturas organizacionais *de facto* existentes entre os agrupamentos "sedi-

---

[22] Em George W. Bush, *Address to Joint Session of Congress*, 20 de Setembro de 2001. Muitas outras citações de Bush sobre o "terrorismo islamo-fascista" podem ser postas em paralelo com as de Roosevelt sobre o anarquismo.

[23] Para uma generalização "conspiratorial" quanto a esta ligação, que presume uma continuidade que seria típica das imagens que temos sobre ameaças internacionais, ver o interessante artigo do Embaixador britânico Allan Ramsay (2003), "Foreign policy and conspiracy", *Contemporary Review*, vol 283, issue 1652: 135-143.

ciosos". O desaparecimento da ameaça anarco-sindicalista às mãos dos soviéticos e dos Partidos Comunistas que, numa fase inicial, como vimos, lhes serviram largamente de correias de transmissão, não soletrou uma "desinvenção" dos novos formatos e estruturas organizacionais em alta. Bem pelo contrário, intensificou o seu uso e a sua disseminação, generalizando-o a todo o espectro político. Os exemplos possíveis são numerosos. Como os já referidos H. Brinton Milward e J. Raab afirmaram, tal tem sido o caso ao longo dos anos: "[i]*n the past, national liberation movements created new organizational archetypes. The Bolsheviks in Russia, Anarchists throughout the West, the French Resistance to the Nazi occupation, the Mau Mau in Kenya, and the ANC in South Africa – all were clandestine organizations that had to evolve unique organizational structures to cope with the continuing effort of various governments to liquidate them*"[24]. Em todos estes casos e em muitos outros (de Máfias a redes de narco-traficantes, passando pelo supremacista Ku Klux Klan, pelos agrupamentos "guerrilheiros" latino-americanos e pelas organizações dos *contra*), foram utilizadas as novas tecnologias organizacionais *celulares* de que Blanqui fora um dos pioneiros.

O que fica claro com este tipo de constatações é que – ao invés do que muitas vezes se diz – a organização em células não respondia a preferências ou convicções ideológicas ou logísticas *internas*, mas antes a pressões *externas* ligadas às condições de sobrevivabilidade que enfrentavam os indivíduos nelas envolvidos, fossem eles anarquistas ou não. Constituiram reacções pragmáticas e não profissões de fé[25]. Talvez mais, o hiato bipolar induzido pela emergência da

---

[24] H. Brinton Milward e J. Raab (2002), *op. cit..*

[25] Um só caso, por todos: um bom exemplo do desfasamento entre ideologia e hierarquias militares é o da chamada "*insurréction vendéene*" contra-revolucionária francesa, um levantamento popular realista que durou de 1793 a 1796, como aliás antes dela tinha sido o caso com a *chouannerie*: tal como os *chouans* antes deles, os *vendéens*, embora monárquicos e "hierárquicos", não se organizaram em hierarquias para efeitos de combate. A diferença fez diferença. Muito sucintamente: numa primeira fase recorrendo ao sistema de guerrilha, hierarquizado apenas ao nível político e não em termos militares, o exército da *Vendée* conseguiu expulsar os Republicanos, com os seus líderes militares a não aceitarem qualquer tipo de supervisão por parte da hierarquia política e sem que em termos organizacionais a "guerrilha" exibisse grandes hierarquias internas. Tratava-se de um exército de agricultores e madeireiros que nunca tinham estado num campo de batalha. A adesão

União Soviética, a consequente Guerra Fria e as *proxy wars* tão características que a pautaram, levou ao seu crescimento acelerado; em paralelo, desenvolveram-se ao lado delas, igualmente, estratégias para a neutralização das imunizações e das óbvias vantagens relacionais que ofereciam. Para me ater a apenas dois exemplos: agrupamentos de forças especiais foram criados para combater as células *vietcong* criadas no Sul do Vietname sob a égide dos Generais Vo Nguyen Giap e Ho Chi Min – também eles organizados em células – e fizeram-no com alguma eficácia. Mas não lograram resistir-lhes a tempo de evitar uma derrota na retaguarda, por pressão de uma opinião pública norte-americana mobilizada por imagens e ocorrências que se sucediam em catadupa.

Do lado oposto das barricadas, por assim dizer, a situação não era melhor. Meia dúzia de anos antes, técnicas de "*analyse des réseaux*" foram com marcado sucesso utilizadas entre 1955 e 1957, na Argélia, por um Coronel francês, Yves Godard, com o intuito de acabar com a campanha de ataques à bomba a alvos franceses desencadeados pela FLN[26]. As informações eram arduamente obtidas por um método misto: por intermédio de informadores infiltrados na Frente nacionalista argelina e pela extracção de nomes e ligações conseguida pelo uso sistemático da tortura de membros das células capturados; nos dois casos, o objectivo foi o de laboriosamente ir identificando membros nodais da organização de resistência que, depois, eram assassinados de modo a *decapitar* as redes nacionalistas.

---

da população foi causada, presumivelmente, tanto pela fidelidade ao Catolicismo como pelos relativamente altos níveis de vida provindos de um sistema feudal bastante equilibrado e uma produção de riqueza bastante dispersa pela população. Numa segunda fase, após a tomada do bastião Saumur, o exército de resistência anti-republicana começou a re-organizar-se, com chefias mais hierarquizadas (a *Vendée* realista e Católica tinha recebido a aristocracia refugiada, com experiência militar, o que levou a maior hierarquização das células de combate) e, em resultado, não conseguiu sobreviver muito tempo. Os motivos eram previsíveis. Os conflitos entre os generais e o aumento das pretensões dos combatentes (tomar Paris, ou unificar as suas forças com as do exército inglês) criaram discussões acaloradas e os consensos, que anteriormente eram tácitos, tornaram-se impossíveis. Assim não se conseguiu decidir marchar sobre Paris... Para estudos de fôlego sobre este caso, claramente redigido do lado dos "*blancs*", ver Émile Gabory (1989), *Les Guerres de Vendée*, Robert Laffont, Paris.

[26] Para uma curta introdução, ver Bruce Hoffman (2002), "A Nasty Business", *The Atlantic Monthly*, um artigo sobre os métodos de Godard disponível *online* em www.theatlantic.com

As razões para o relativo sucesso da estratégia do Coronel Godard são facilmente inteligíveis. As células da FLN argelina estavam como que empilhadas numa hieraquia que operava enquanto uma autêntica cabine de controlo político do movimento nacional, posto que a Frente estava no essencial organizada como um movimento independentista "clássico". A presença de uma rede hierárquica "rígida" no interior de uma rede celular "evanescente" constituía uma clara vulnerabilidade. Em resposta à consciência que Godard tinha desse facto, compreensivelmente, as suas buscas de centraram-se cada vez mais na identificação de indivíduos tão altamente colocados na organização quanto possível – já que, desse modo, as decapitações resultavam numa quebra em série das instruções políticas provenientes do topo: não propriamente um "efeito de cascata", mas antes a imposição de limitações virtualmente terminais, num processo de comunicação que era essencial para a coesão e sobrevivência de uma organização do tipo da da FLN da Argélia.

Face a desenvolvimentos destes nas formas de combate anti--terrorismo e anti-insurgência, era virtualmente inevitável que novos formatos organizacionais de estruturação de entidades insurgentes e terroristas emergissem para lhes fazer frente. E com efeito os anos 60 do século XX assistiram ao aparecimento de um novo modelo organizacional, o das *phantom cells*, ou de *leaderless resistance*. Mais uma vez uma resenha genealógica é instrutiva. Numa retoma do que antes escrevi: uma entidade de *leaderless resistance* (ou *phantom cells*, literalmente "células fantasmas"), consiste numa estrutura organizacional desenhada de modo a melhor viabilizar que pequenos agrupamentos de células encobertas desafiem um adversário instalado, institucionalizado, e por isso mais poderoso. Trata-se, assim, de um formato organizacional particularmente adaptado para conflitos assimétricos e acções ou actividades levadas a cabo em situações caracterizadas por uma assimetria profunda. Entre as "células sem líderes" (traduzo *leaderless cells*) não há *quaisquer* cadeias de comando nem conexões bidireccionais – ou seja, estas constituem agrupamentos *sem* chefias.

Como tivemos oportunidade de verificar na introdução da presente monografia, *leaderless cells* podem actuar em vários domínios e das mais diversas formas: trata-se de uma estratégia que cobre um enorme gradiente potencial de actividades, que incluem acções violentas mas também resistência passiva ou desobediência civil. Podem dedicar-se a ataques à bomba (suicidas ou não), assassinatos, raptos, ou simples agitação violenta, como o fazem muitos dos grupos que desde 2003 têm vindo a actuar no Iraque. Ou, como em Los Angeles em 1992, em Seattle em 1999, em Belgrado em 2000, em Tblisi em 2003, ou em Paris em 2005, para me restringir tão-só a movimentos a que fiz já alusão, podem ter um carácter variável, com algumas cadeias *residuais* de comando e com um tipo de actuação nuns casos mais marcada pela contestação política e menos violenta, noutros adquirindo uma feição mais próxima do limite violento do espectro.

Genealogicamente, ou melhor, etimologicamente, o conceito de *leaderless resistance* foi, ao que parece, oficiosamente desenvolvido pelo Coronel Ulius Louis Amoss, reputadamente um oficial da *intelligence* militar norte-americana em início dos naos 60 do século XX, com a finalidade ostensiva de garantir uma espécie de Plano B de resistência intestina, caso a União Soviética (ou "os Comunistas") tomassem os Estados Unidos de assalto[27]. Seja apócrifa ou não a "hipótese Amoss", o certo é que as primeiras formulações teóricas conhecidas da *leaderless resistance* ganharam foros de cidade em 1983, e depois de novo em 1992, com um curto mas muitíssimo incisivo artigo publicado e tornado a publicar pelo activista anti-governamental Louis Beam, um defensor activo da "supremacia branca", um homem preparado – apesar da enorme disparidade em poder e recursos de todo o tipo – para fazer frente a um governo federal que via como apostado em esmagar os restos de liberdade que ainda restavam aos cidadãos da União[28]. A postura militante e contestatária de Louis Beam, é bom de ver, foi a de um *right wing anarchist*, um tipo de personagem política sem verdadeiros equiva-lentes na Europa.

Consciente da gigantesca disparidade existente, Beam argumen-tou que as organizações hieráquicas (que intitulou de "pirâmides") se tornam extraordinariamente perigosas para os seus membros em situ-ações de assimetria marcada, já que é muito fácil para entidades

---

[27] Um modelo nalguns sentidos semelhnate fora desenvolvido nos anos 40, na Grã-Bretanha, contra a hipótese, essa bem mais plausível, de uma invasão nazi.

[28] Louis Beam (1992, original de 1983), "Leaderless Resistance", *The Seditionist*, issue 12, *final edition*. O artigo está disponível em www.louisbeam.com/leaderless.htm

adversárias que disponham de recursos organizacionais bem articulados destruir-lhes a cadeia de comando e pôr a nú a intenção exacta do comandante – colocando assim em cheque o bom preenchimento da missão. Oiçamos longamente Louis Beam nas suas próprias palavras: "[t]*wo things become clear* [if we take experience into account]. *First, that the pyramid type of organization can be penetrated quite easily and it thus is not a sound method of organization in situations where the government has the resources and desire to penetrate the structure; which is the situation in this country. Secondly, that the normal qualifications for the cell structure based upon the Red model does not exist in the U.S. for patriots. This understood, the question arises 'What method is left for those resisting state tyranny?' The answer comes from Col. Amoss who proposed the* 'Phantom Cell' *mode of organization. Which he described as Leaderless Resistance. A system of organization that is based upon the cell organization, but does not have any central control or direction, that is in fact almost identical to the methods used by the Committees of Correspondence during the American Revolution. Utilizing the Leaderless Resistance concept, all individuals and groups operate independently of each other, and never report to a central headquarters or single leader for direction or instruction, as would those who belong to a typical pyramid organization*"[29].

O resultado não deixa de se fazer sentir, é o que seria de esperar e depende apenas do nível de motivação e consenso dos activistas "ideologicamente" envolvidos no movimento: [s]*ince the entire purpose of Leaderless Resistance is to defeat state tyranny* [...], *all members of phantom cells or individuals will tend to react to objective events in the same way through usual tactics of resistance. Organs of information distribution such as newspapers, leaflets, computers, etc., which are widely available to all, keep each person informed of events, allowing for a planned response that will take many variations. No one need issue an order to anyone. Those idealist truly committed to the cause of freedom will act when they feel the time is ripe, or will take their cue from others who precede them*"[30].

---

[29] Idem.
[30] *Ibid.*.

Uma solução – aquela que no seu artigo advogou – foi assim a de convencer "*like-minded individuals*" a organizarem células diminutas e inteiramente independentes umas das outras, operando (por norma pelo menos) todas elas no mesmo sentido, já que, por via das convicções que partilham, nelas "*everyone knows exactly what to do*"[31]. O traço estrutural característico desta forma organizacional é a total ausência de qualquer tipo de comunicação directa entre células, nisso se distinguindo das estruturas celulares "clássicas" de raíz oitocentista: *nenhum* dos membros de uma célula, seja qual for o seu papel e lugar estrutural nela, por princípio têm *sequer sombra de informação* sobre as outras, sobre quem possa estar a agir no mesmo sentido ou em direcções paralelas, ou até se há quem o esteja a fazer. Assim se garante uma melhor protecção tanto de cada uma das células como de quaisquer conjuntos delas, incluindo "a organização" como um todo, em relação às ameaças de infiltração e desmantelamento sistemático oriundas de um adversário mais poderoso e funcionalmente mais estruturado[32].

---

[31] De novo Beam, desta feita a respeito à articulação-"coordenação" entre "células": "[the] *so-called 'phantom cell' mode of organization, developed by Col. Amoss, or Leaderless Resistance, is based upon the cell organization but does not have any central control or direction. In the Leadereless Resistance concept, cells operate independently of each other, but they do not report to a central headquarters or top chief, as do the communist cells* [,,,P]*articipants in a program of Leaderless Resistance through phantom cell organization must know exactly what they are doing and how to do it. This is by no means as impractical as it appears, because it is certainly true that in any movement, all persons involved have the same general outlook, are acquainted with the same philosophy, and generally react to given situations in similar ways. As the entire purpose of Leaderless Resistance is to defeat the enemy by whatever means possible, all members of phantom cells will tend to react to objective events in the same way, usually through tactics of resistance and sabotage*".

[32] Regressemos às palavras de L. Beam quanto aos riscos das "pirâmides": "[the orthodox] *scheme of organization, the pyramid, is however, not only useless, but extremely dangerous for the participants when it is utilized in a resistance movement against state tyranny. Especially is this so in technologically advanced societies where electronic surveillance can often penetrate the structure revealing its chain of command. Experience has revealed over and over again that anti-state, political organizations utilizing this method of command and control are easy prey for government infiltration, entrapment, and destruction of the personnel involved. This has been seen repeatedly in the United States where pro-government infiltrators or agent provocateurs weasel their way into patriotic groups and destroy them from within.* [...] *In the pyramid type of organization, an infiltrator can destroy anything which is beneath his level of infiltration and often those above him as well. If the traitor has infiltrated at the top, then the entire organization from the top down is compromised and may be traduced at will*".

Precauções dessas são hoje em dia comuns, face à evolução da panóplia de meios repressivos utilizados pelos Estados modernos. Uma boa ilustração é a dada pela estrutura organizacional de alguns dos movimentos ecológicos contemporâneos mais extremistas. Dois exemplos servirão por todos. Os princípios organizacionais genéricos do movimento ecologista radical *Earth First!* são expostos de maneira claríssima logo na página de abertura do *site* oficial do agrupamento, um *site* que funciona em simultâneo como uma montra e um instrumento público de recrutamento e mobilização. O texto não podia ser mais explícito no retrato que oferece do grupo e da sua organização: "[h]*ere are some things to keep in mind about Earth First! and some suggestions for being an active and effective Earth First!er: First of all, Earth First! is not an organization, but a movement. There are no 'members' of Earth First!, only Earth First!ers. [...] Earth First! is a priority, not an organization. The only 'leaders' are those temporarily working the hardest and taking the most risks. New ideas, strategies and crucial initiative come from individuals, and all decisions are made within affinity groups based on preferred tactics*"[33]. Este mote constitui uma das mais nítidas imagens de marca e um dos factores mais intensos de atracção de militantes e apoios.

---

[33] Para este texto e outros, a ligação é http://www.earthfirst.org/about.htm. Fundado em 1979, a partir dos anos 80 do século passado (mais precisamente por volta de 1987) o *Earth First!* passou à "acção directa", e começou a conseguir atrair "membros" da Esquerda dita "festiva" e anarquistas versão *fin de siécle*. A propensão acentuou-se a durante os anos 90, com a adopção explícita de uma filosofia política anarquista radical, o que levou, por um lado, a divisões e dsicordâncias e, por outro, à formação regional de uma "dissidência" que acusou os antigos militantes de "acomodação" e à emergência, no Reino Unido, em 1992 – aquando do seu primeiro encontro nacional no Sussex – de um novo agrupamento ainda mais difuso, auto-denominado *Earth Liberation Front* (ELF) cuja tónica foi posta na acção directa violenta. O ELF começou por atacar as *Tilbury Docks* de Londres, onde eram descarregadas madeiras exóticas importadas dos trópicos. De seguida, com meio-milhar de activistas, ocupou as docas de Liverpool durante dois dias, no que chamou a *Merseyside Dock Action*. Organizou depois uma espeécie de *tournée* pela Grã-Bretanha e Estados Unidos, com algum sucesso, levando a cabo uma série de pequenas acções e deixando um rasto de agrupamentos difusos de militantes e simpatizantes, sobretudo nos EUA. De maneira muito característica e num estilo muito britânico, as acções violentas tendiam (e tendem ainda) a ser imputadas à actuação de "elvos" e *pixies*, nos *sites* de "coordenação"-instigação destes movimentos.

A eficácia desta organização é constantemente reiterada. Num artigo publicado em finais de 2006 no *Earth First! Journal,* afirma-se com orgulho[34] que "[t]*hose of us who have held on to the Earth First! banner through the years have long boasted of the effectiveness of our decentralized, action-based style. The loose network that makes up what we call the EF! Movement' is one of the longest standing radical activist endeavors of the past several decades"*. [...] E comenta-se, "[d]*espite numerous internal squabbles and several waves of state repression, EF! has held on. That is something we can all be inspired by"*. Como é notório, a alusão ao papel essencial da "inspiração" não é acidente.

O agrupamento mais radical saído em 1992 *do Earth First!*, a *Earth Liberation Front* (ELF)[35], tem uma estrutura organizacional semelhante, e é a seguinte a descrição que dele é feita na *homepage* do *site* da ELF: "(t)*here is no ELF structure; 'it is non-hierarchical and there is no centralized organization or leadership. There is no 'membership' in the Earth Liberation Front. Any individuals who committed arson or any other illegal acts under the ELF name are individuals who choose to do so under the banner of ELF and do so only driven by their personal conscience"*. Como funciona então o movimento, e em que se inspira esse *modus operandi*? No primeiro grande "comunicado" que circulou em 1997[36], a ELF explicou tudo isso por metáforas "naturalistas": "(w)*e take inspiration from the Luddites, Levellers, Diggers, the Autonome squatter movement, ALF, the Zapatistas, and the little people – those mischievous elves of lore. Authorities can't see us because they don't believe in elves. We are practically invisible. We have no command structure, no spokespersons, no office, just many small groups working separately, seeking vulnerable targets and practicing our craft. Many elves are moving to the Pacific Northwest and other sacred areas. Some elves will*

---

[34] Um curto mas muito intenso e explícito artigo disponível no *Earth First! Journal*, volume 26, issue 6, um artigo "historiográfico" significativamente intitulado "Evolving Earth First!"; ver http://www.earthfirstjournal.org/articles.php?a=916, descarregado em 9 de Janeiro de 2007.

[35] Ver http://www.mcn.org/e/iii/elf.htm.

[36] Idem, no mesmo site "oficial" da organização, sob o título Beltane, 1997, *Communique from the Earth Liberation Front.*

leave surprises as they go. Find your family! And let's dance as we make ruins of the corporate money system. Form 'stormy night' action groups, encourage friends you trust. A tight community of love is a powerful force. Recon – check out targets that fit your plan and go over what you will do". Apesar de vestidas com uma terminologia *sui generis*, as mensagens são explícitas: reproduzindo exemplos de outros em situações que consideram de algum modo equivalentes, estes dois movimentos adoptaram um formato no essencial *leaderless*[37]. Ou seja, estão dotados daquilo que apelidei de uma organização material acéfala. Por outro lado, priorizam a criação de consensos.

Estes dois pontos estão interligados. Vejamo-los um a um. Em primeiro lugar, como é evidente, os movimentos "sem líderes" podem – e porventura *devem* – ter chefias simbólicas, a que Beam chama *"symbolic figureheads"*. Estes podem ser ou figuras públicas e notórias, ou *"inspirational authors"*. Sem seguramente ter disso consciência, L. Beam retomou aqui a velha *Ausfragtaktik* prussiana a que já fiz alusão: essas personagens "simbólicas" são-no porque seleccionam para os seus "seguidores" tanto alvos quanto objectivos e finalidades genéricas, mas nunca descem nem à determinação, nem à gestão, nem à execução de quaisquer planos operacionais. "Lideram"

---

[37] Como vimos já, não são os únicos casos contemporâneos da emergência do chamado *single-issue terrorism*, que cada vez mais adopta este formato. Apenas mais um de muitos exemplos disponíveis da adopção deste tipo de fórmulas organizacionais: um excerto do famoso e muito pormenorizado *Army of God Manual* explica que a *Army of God*, um agrupamento norte-americano que se dedica ao ataque letal a médicos e homosexuais e à destruição à bomba de clínicas ligadas à interrupção voluntária de gravidezes, *"is a real Army, and God is the General and Commander-in-Chief. The soldiers, however, do not usually communicate with one another. Very few have ever met each other. And when they do, each is usually unaware of the other's soldier status. That is why the Feds will never stop this Army. Never"*; no *site* do *Memorial Institute for the Prevention of Terrorism (MIPT)*, no *Terrorism Knowledge Base*, disponível em http://www.tkb.org/Home.jsp. Para um estudo introdutório edste movimento cristão radical, ver Justin C. Altum (2003), "Anti-Abortion Extremism: The Army of God", *Chrestomathy: Annual Review of Undergraduate Research at the College of Charleston*, vol. 2: 1-12. Para um estudo comparativo geral quanto à organização da al-Qaeda e a da Extrema-Direita cristã norte-americana, ver D. W. Davis (2003), *Al-Qaeda and the Phinehas Priesthood Terrorist Groups with a Common Enemy and Similar Justifications for Terror Tactics*, tese de doutoramento não-publicada, disponível em https://txspace.tamu.edu/bitstream/1969.1/574/1/etd-tamu-2003C-EHRD-Davis-1.pdf -

e, em segundo lugar, "delineiam" objectivos. Embora Beam não entre em pormenores neste âmbito, poderia tê-lo feito: os *mass media* (designadamente os jornais e as televisões, e a *Internet*) podem gerar *feedback loops* positivos nestes processos de "coordenação descentralizada em paralelo", chame-se-lhes assim, dando ideias, disponibilizando motes, delineando metas eventuais, instilando simpatia e potenciando motivações nos membros das várias células existentes – numa frase: consolidando "comunidades epistémicas" ao mesmo tempo que solidificam a posição e o ascendente "simbólico" da "figura de proa" a que porventura estejam associadas.

Vale a pena aqui uma cláusula de salvaguarda, já que se trata de pôr em evidência um ponto a que irei regressar. Quero sucintamente recapitular aquilo que antes afirmei quando ponderei as alterações em curso nos processos contemporâneos de comando e controlo, aplicando-o à presente questão: se é verdade que a presença de "figuras de proa" pode ser interpretada como comprovativa de uma cadeia vertical de comando, então há que sublinhar com clareza que se trata de uma cadeia de comando *unidireccional*, já que o titular da liderança (do "comando") na realidade nada controla nem comanda em sentido estrito: limita-se a fazer pronunciamentos que os "seguidores" podem ou não acatar, mas nada mais, visto que não há nenhuns contactos permanentes ou directos estabelecidos entre os dois "níveis" (se assim de puderem apelidar) de uma "organização material" que é essencialmente acéfala.

Voltemos às condições de criação e gestação deste tipo de grupos. Como emergem concretamente e como se transformam a par e passo? Sobre isso mesmo nos debruçámos. Em muitos sentidos, quero tornar a argumentar, a "evolução adaptativa" da al-Qaeda que tentei descrever e explicar nalgum pormenor, oferece-nos um exemplo paradigmático da emergência progressiva de um *leaderless movement*, em resposta ao ambiente político-militar hostil em que cada vez mais se foi encontrando imersa. Não o é, decerto, integralmente. A organização pode ser (ou ter sido) em parte "piramidal"; mas desde há muito que, em grande parte e num sentido forte, deixou de o ser inteiramente: embora retenha um "núcleo duro" com características internas hieráquicas, posicionado numa atitude "hierárquica" em relação ao "todo", os simpatizantes e militantes que actuam de acordo com os seus pronunciamentos o fazem cada vez mais de forma espontânea, "paralela", e independente. Os passos que cartografei são nítidos: do MAK e as suas elaboradas hierarquias aos campos no Afeganistão, daí à acção empreendida a 11 de Setembro com os seus dois níveis, (o da "célula operacional" e de gestão logística), a entidade dedicada ao controlo geral da actuação e à pilotagem dos aviões utilizados por um lado, e por outro o plano mais rasteiro dos apoiantes laterais (com os respectivos e essenciais mas perigosos *shortcuts* temporários criados para efeitos de coordenação), até ao 11 de Março em Madrid, com o seu "núcleo duro" do *Locutorio* e os sub-grupos mais desligados e menos coesos "co-optados" para parcelas específicas da actuação. Muito caminho foi andado, e continua a ser percorrido[38]. O caso-limite foi no entanto a acção "da al-Qaeda" levada a cabo em Londres, a 7 de Julho de 2005. Os terroristas que planearam e executaram aos ataques bombistas no Metropolitano e nos autocarros de Londres estavam manifestamente organizados numa *leaderless cell*: embora tivessem agido em concertação com os objectivos tácticos do fundamentalismo islamista, apesar de o terem levado a cabo em formatos semelhantes aos utilizados pela al-Qaeda, e ainda que alguns dos jovens suicidas possam ter tido contactos avulsos no Paquistão, fizeram o que fizeram de acordo com o seu próprio plano estratégico e nos termos que pensaram apropriados aos seus próprios auspícios. Em que sentido podemos dizer que eram "membros da al-Qaeda"?

Com efeito, o formato organizacional utilizado era *sui generis* na sua auto-suficiência. Tanto quanto se sabe, os jovens suicidas de ascendência paquistanesa que actuaram em Londres não receberam nem treino nem quaisquer apoios, fossem eles monetários ou logísticos, de organismo ou organização sedeado nas ilhas britânicas ou no estrangeiro. Inspirados mais ou menos directamente por exemplos que decidiram seguir, operaram em roda livre. Em consequência, conseguiram um feito invejável do ponto de vista de outros

---

[38] Ver o artigo de Rohan Gunaratna (2004), "The Post-Madrid Face of Al Qaeda", *The Washington Quarterly,* 27:3 pp. 91–100. Como Gunaratna escreveu, na página 100, "[a]*s Al Qaeda is constantly adapting to the changing security environment and morphing its structure, the key to defeating Al Qaeda and reducing the terrorist threat is to develop a multi-agency, multijuristic, and multinational strategy to combat this ideology*". As mudanças continuam, o método de as combater nem por isso.

terroristas actuais ou potenciais; mas em contrapartida, não ofereceram aos investigadores e autoridades nenhum fio a partir do qual se
pudesse desfazer uma meada. Organizações celulares "tradicionais"
habitual e inevitavelmente deixam atrás de si "pegadas", marcas de
passagem que vão de rastos financeiros a pistas quanto ao treino
recebido, ou relacionadas com os materiais utilizados. *Leaderless
cells*, por norma, não deixam quaisquer traços ou rastos destes. Não
o fazem, dado que constituem mais parcelas de círculos epistémicos
difusos[39] (ou "ideologias", se se quiser) do que verdadeiras organizações, um ponto que nunca é demais sublinhar. Actuam por intermédio
do que habitualmente se chama "lobos solitários" (traduzo *lone wolves*),
i. é, militantes independentes. Foi o que se passou em Londres.

Por isso mesmo, quanto a este caso, pouco há factual e proces-
sualmente a desenvencilhar. Quando comparados com Madrid ou
Nova Iorque, os resultados materiais das pesquisas policiais foram

---

[39] No artigo intitulado Simson L. Garfinkel (2003), "Leaderless Resistance Comes of
Age", o autor propõe uma leitura interessante do papel da *Internet* nestas "organizações", e
oferece alguma contextualização histórica para a o tornar inteligível: "[n]*etwork* [a]*nalysis
was successfully used by French general Paul Aussaresses to break the Algerian resistance
and end the insurgency's bombing campaign between 1955 and 1957; mapping was
accomplished through the use of informants and torture. Link analysis, a form of network
analysis, was used successfully by both MI5 and the IRA against each other in the 1970s
and 1980s. Link analysis was used to determine the identities of important individuals in
the opposing organization; these individuals were then targeted for assassination, severing
the links and disrupting the opposing network. [But l]inks between terrorists can only be
found if they actually exist. Traditional terrorist organizations have many links: money,
training, command, supplies, and recruitment. Many of these links exist not for the
commission of terrorist acts, but for the persistence of the organization itself. Causes that
employ Leaderless Resistance do not have these links because they are not organizations:
they are ideologies. [...] What the Internet brings to Leaderless Resistance is the possibility
for cells (including cells of a single person) to share information and reinforce ideology
without even knowing each other's identity. Cells can simply publish anonymously on the
web. Other cells can find those publications through the use of well-known websites (such
as www.earthliberationfront.com) or, if those websites are shut down, through the use of
search-engines. A significant problem in mapping the Leaderless Resistance networks is
that each participant need only engage in a single action of terrorism in his or her lifetime.
Even if that individual comes to regret their action, the event's persistence on web pages
and in media reports still serves as a recruitment tool for new blood"*. Escuso-me aqui de
aprofundar o óbvio papel da *net*. Para um estudo mais geral, ver Mariyam Joyce-Hasham
(2000), "Emerging threats on the Internet", *briefing paper*, New Series No. 15, *Royal
Institute on International Affairs*.

ralos, embora tenham sido exaustivos. Aquilo que se conseguiu apurar – e as autoridades britânicas souberam por a nú quase tudo o que havia para descortinar e lograram-no em tempo recorde – foi o *background* geral dos jovens, nos seus respectivos lugares de origem e meios sociais e escolares, bem como (por intermédio de câmaras de vigilância dispostas um pouco por toda a parte, e da utilização inovadora de *face-recognition software* que os foi localizando em diferentes sítios da cidade) os seus trajectos nesse dia fatídico. Muito pouco mais do que isso. E a razão é simples: não houve associados, nem ligações reiteradas, nem elos comuns a detectar. Ao contrário de Nova Iorque ou Madrid, não houve "núcleos duros" nem líderes ocultos e temporários[40]. Os suicidas agiram sozinhos, e em larga medida, a seu bel-talante[41].

Podemos agora enunciar uma preocupação que subjaz a toda esta monografia de maneira muito mais e melhor fundamentada. Terão os terroristas da al-Qaeda logrado adoptar um formato organizacional imune aos ataques dos seus adversários? A sua evolução mais recente tornará a organização terrorista de bin Laden numa entidade imbatível?

A resposta a ambas as questões é um rotundo *não*. Continuam a ser vulneráveis. Mas as estratégias a adoptar para as combater irão ter de mudar. Basta voltar por uns momentos às traves-mestras da

---

[40] Para estas questões, é útil a leitura de Maria Rasmussen (2005), "Some Thoughts on the London Bombs", *Strategic Insights*, volume IV, issue 9, uma publicação *online* do *Naval College* de Monterey, na Califórnia. O curto estudo equaciona os problemas de detecção e controlo resultantes do facto de, ao que tudo indica, os suicidas de Londres terem funcionado "em roda livre" e, de algum modo, como que "sem rede".

[41] Apesar de decerto "exortados" por acções alheias. Alguns autores, Simon Garfinkel por exemplo, consideram este facto (o carácter "ideológico" e não "organizacional" destes "movimentos") em si mesmo uma ameaça potencial em situações-limite como a actual: "['e]*xhortation of the deed' could be a powerful tool for encouraging Islamic terrorism within the United States: all that is required is a steady stream of information to young Muslims telling them that they are under attack by U.S. interests, leaders who advocate violent reprisals, and the ready availability of means with which to conduct terrorist acts. The result would likely be a string of apparent 'hate crimes' or isolated acts of terrorism carried out by individuals or small groups against U.S. targets for no apparent reason. That is, the perpetrators are inspired to commit acts of violence by what they read or see, rather than being recruited into a terrorist organization, receiving training, and finally acting on orders*". Ver Simson L. Garfinkel (2003), "Leaderless resistance today", *First Monday*, volume 8, number 3.

modelização de L. Beam para perceber as limitações a que se vêm sujeitas as tácticas de actuação habituais quando é necessário fazer--lhes frente. Comecemos por olhar a questão da perspectiva dos agrupamentos terroristas.

As consequências "imunitárias" da adopção de um formato organizacional deste tipo num ambiente hostil são facílimas de enu-merar: as *leaderless cells* são quase integralmente imunes a infiltra-ções, informadores, ou traidores – perigos que normalmente lhes são criados pelos adversários. Mais ainda: já que não existem verdadei-ros "centros", quaisquer decapitações são muito difíceis de executar e, quando concretizadas, têm implicações modestas, e pouco impacto ou importância. De igual modo, dado que não há ligações que possam ser infiltradas, torna-se praticamente impossível – ou pelo menos muitíssimo difícil, ao contrário do que se passa com o combate a hierarquias – conseguir parar o desenvolvimento de um movimento de *leaderless resistance.*

Não se trata, todavia, de formato organizacional integralmente blindado e invulnerável. Longe disso. Tem, apesar de tudo, vulnera-bilidades que podem ser exploradas. Para o confirmar, passamos a uma perspectivação levada a cabo a partir de um ponto de vista externo. É além disso de notar, designadamente, que os *leaderless movements* padecem de uma espécie de fragilidade intrínseca cróni-ca[42]: são movimentos políticos organizacionalmente robustos, mas essa robustez é como que impermanente.

Vale a pena esmiuçar um pouco estes pontos, visto que são essenciais. A impermanência da robustez de que sofrem radica na dimensão comunicacional e pública da maioria dos seus mecanismos de recrutamento e mobilização para efeitos de sobrevivência no am-biente em que actuam, e não custa equacioná-lo. Apesar das vanta-gens defensivas que exibem, se as suas actividades não tiverem uma frequência ou um sucesso suficiente, as comunicações "públicas"

---

[42] Sem entrar em quaisquer pormenores, o próprio L. Beam, aliás, o reconheceu, embora tenha acrescentado que não vislumbrava alternatives viáveis a este formato defensi-vo ténue e difuso: "[w]*hile it is true that much could be said against this type of structure as a method of resistance, it must be kept in mind that Leaderless Resistance is a child of necessity. The alternatives to it have been shown to be unworkable or impractical*" (L. Beam, *op. cit.*).

que lhes servem de mecanismos de recrutamento e mobilização (e que muitas vezes operam até, sabemo-lo, como instâncias de "coordenação" entre as "células" que os compõem) tendem a diminuir. E isso pode significar o seu esbatimento e desaparecimento, caso desçam abaixo do limiar mínimo de sobrevivibilidade que possam ter. Por outro lado, no caso de se multiplicarem muito as acções que levarem a cabo, ou se conseguirem grandes sucessos, o resultado tende a ser a constituição ao seu redor de "grupos de apoio" e de outras entidades desse tipo, reais ou virtuais. Ou seja: o singrar tende a induzir a emergência de estruturas organizacionais susceptíveis de análise (designadamente de *network analyses* como aquelas que descrevi) por adversários externos; e passíveis de quebras e efeitos de destruição em cascata eventualmente terminais[43].

Agregando uma perspectivação interna a uma externa, pode-se ir mesmo mais longe no rastreio das fragilidades que estes movimentos acéfalos exibem. A impermanência que sublinhei tende muitas vezes a encaminhar para uma outra reconfiguração os movimentos nos quais induziu uma evolução adaptativa na direcção de uma transformação defensiva no sentido de *leaderless formats*, a empurrá-los na direcção oposta – numa espécie de curiosa regressão – e a torná-los mais estruturados e "*networky*", para usar a expressão de H. Brinton Milward e J. Raab. Tal aconteceu, por exemplo, com movimentos ecologistas miltantes na Europa comunitária, designadamente em França e na Alemanha. A sua "impermanência estrutural" pode levá-los, por outras palavras, a criar nodos mais conectados, gerando assim, de novo, uma rede *scale-free* "clássica" O que, de imediato, os torna susceptíveis aos tipos de ataque deliberado a que fiz alusão na última parte desta monografia; também tem outras consequências, estas a um nível mais macro, por assim dizer.

---

[43] A presença de "sectores" hierárquicos de redes está bem estudada. Uma boa definição de hierarquia, que permite uma conceptualização conjunta de redes e hierarquias, é a seguinte: "*hierarchy, i.e., the property of having vertices that cluster together in groups, which then join to form groups of groups, and so forth, up through all levels of organization in the network*", que pode ser encontrada em Aaron Clauset, Cristopher Moore e M.E.J.Newman (2006), "Structural Inference of Hierarchies in Networks", em *Proceedings of the 23rd International Conference on Machine Learning*, Pittsburgh, PA.

É fácil indicar quais são estas últimas e porque se verificam. Como escreveram Richard Matthew e George Shambaugh[44], a regressão de um *leaderless movement* para um formato "histórico" de rede redunda, de facto, numa espécie clara de "re-hierarquização" genérica e não deixa de criar problemas aos agrupamentos que nisso se envolvam. Matthew e Shambaugh enunciam o problema no que toca a organizações terroristas contemporâneas, descortinado em termos de "acção colectiva" enquanto modalidade de participação política. Para melhor compreender como, ganhamos em expor o raciocínio dos dois citados Autores norte-americanos "*the collective action problem of* [loose] *networks suggests that to move beyond the pursuit of opportunistic actions, terrorists must evolve into more cohesive and hierarchical organizations. As a first step, terrorists may create nodes or hubs through which they can disseminate information and other resources. These types of activities can facilitate terrorist activities of otherwise disparate cells, but the resulting coordination is likely to be based on either tactical or fragmented linkage and will be fleeting*". O que, é bom de ver, não deixa de gerar dificuldades – e dificuldades sérias – a estas organizações.

Para as compreender, Matthew e Shambaugh recorrem a quadros teóricos politicos clássicos. Com o intuito de pôr bem em realce os enquadramentos que tornam mais inteligíveis as vulnerabilidades suscitadas por esta "re-hierarquização", justifica-se continuar a citá-los, que vão elas encontrar fundamentos na "corporatividade" inexoravelmente gerada por todos os processos de centralização. A linha de argumentação manuseada é político-sociológica; mais ainda, está eivada de pressupostos de uma saudável teorização equacionada em termos de uma série de *rational choices*: "[the general type of collective action problem generated by measures taken for the avoidance of this looseness] *has received considerable attention in the field of political science. For example, in his classic work Leviathan, Thomas Hobbes argued that, in the absence of centralized power in a hierarchical organization, particular interests will tend to undermine collective action and degenerate into conflict. Centralization provides order and continuity, but it also introduces a*

---

[44] Richard Matthew and George Shambaugh (2005), "The Limits of Terrorism: A Network Perspective", *International Studies Review* 7: 624-625.

new set of interests". O duo aplica, de seguida, esta ideia ao caso da al-Qaeda: "[s]*hould al-Qaeda move along this path toward a hierarchically organized form of global terrorism, there is good reason to believe that its priorities will shift toward ensuring its survival, maintenance, and well-being as an organization*"[45]. Note-se que, mais do que focar as vulnerabilidades *materiais* e *externas* a que estruturas hierárquicas estão sujeitas (decapitações e desmoronamentos em cascata, por exemplo), os dois autores preferiram sublinhar que tais mudanças têm consequências da maior importância tanto para a dinâmica do aludido *security dilema* quanto para efeitos de dissuasão. E quais são, para tais efeitos, essas consequências? Um momento de atenção põe-nas em evidência, como vai ver-se.

Equacionemos a questão com clareza e nitidez. Comecemos por assumir uma postura optimista e por presumir que uma tal mudança no sentido de uma busca do bem-estar do grupo, da continuidade, e da sobrevivência *corporativas*, de facto ocorrem e têm um compreensível impacto "socializante" nas redes terroristas: nesse caso, note--se, são as organizações, *elas próprias,* quem tem de fazer face à dinâmica do "dilema de segurança" suscitado. A questão como que se desloca *para baixo*. Como? À medida que se desenvolve urgência em se proteger colectivamente e em adquirir legitimidade pública, a nova organização vê-se impelida a distanciar-se dos seus elementos mais radicais. Os exemplos deste deslocação para baixo abundam ao nosso redor. Podemos argumentar que foi precisamente isso o que aconteceu com o *Parti Quebécois* canadiano, com os *Verdes* alemães, ou com os militantes ecologistas do *Earth First!*, todos eles grupos que tiveram de se moderar rapidamente por forma a evitar uma reacção generalizada de repulsa da parte dos seus respectivos meios de inserção como resposta às suas actividades mais agressivas e violentas.

Não é infelizmente, porém, esta a única direcção em que as coisas podem tender a desembocar. O andar da carruagem pode, ao invés, *piorar*. De que modo? Se, num registo mais pessimista, a organização em causa for impelida para uma maior radicalização – o

---

[45] Com acuidade, os nossos dois Autores comentam que "[this may be called an] *'iron law of oligarchy' by which leaders begin to value the organization in ways that may lead them to reject behavior that could put that organization at risk*".

que aconteceu, por exemplo, ao Partido nazi alemão no início dos anos 30 do século XX – então o "dilema de segurança" opera de maneira muito mais regular e normal, como o faria, designadamente, com Estados ou com quaisquer outros actores altamente organizados. Como? Os movimentos políticos em causa hierarquizam-se, a ponto de se "estadualizar" [46].

Voltemos então, agora, às consequências estruturais, às fragilidades no plano da articulação-sintonização, geradas pelo *security dilema* a que aludi. A traço vincado e à cabeça, estes empecilhos resultam da diversidade irredutível das motivações e dinâmicas próprias de cada um dos sub-agrupamentos envolvidos, o que as torna pouco "coerentes" umas com as outras. O que, como é evidente, inviabiliza a sustentação de esforços verdadeiramente coordenados entre eles. A conclusão é inelutável – para efeitos de descodificação, por via comparativa, da situação do terrorismo actual – e para a ela chegar Richard Matthew e George Shambaugh, o nosso duo, oferecem a analogia muitíssimo interessante com algo que se passou na Europa na época medieval: "[in that sense, al-Qaeda terrorism as a] *threat is quite unlike that posed by the Soviet Union or China. The crusades of the Middle Ages provide a compelling and familiar historical example of this problem. The Catholic Church was able to bring diverse people together, but it was unable to manage them. In 1096, the First Crusade was initiated by Urban II. He succeeded 'in summing up and fusing in a single ideal a whole range of aspirations which were contemporarily powerful'* [...]. *By gathering opportunities for spiritual, martial, and economic ambitions together, people with markedly different fears, needs, and desires were briefly united to serve the church. But the church was not able to control the many expressions of extreme piety, wanton avarice, and excessive violence exhibited by the groups that it had stitched together. [...T]he mass of crusaders had virtually no success over two centuries in recovering the holy lands*". A lógica das dificuldades encontradas é, neste plano, meramente organizacional e portanto extrapolável: segundo os nossos autores, "[similarly, a]*l-Qaeda may attract terrorists to South Asia or to Iraq, but control over them will not be reliable and may never*

---

[46] Para pormenores quanto às traves mestras desta fascinante discussão, ver *op. cit.*: 614.

emerge at all". Ou seja, a falta de "coerência" motivacional e táctica entre elas faz com que se tornem árduas quaisquer estratégias colectivas coordenadas por aquilo que, sem grande exagero de linguagem, talvez devamos apelidar de nodo "central"[47].

Com algum recuo, parece portanto que estamos perante *uma vulnerabilidade maior* de organizações lassas e descentradas de lobos cada vez mais solitários naquilo em que a al-Qaeda se tornou. Para além de "pouco coerentes", tais organizações tendem a manter-se irreversivelmente assim, sejam quais possam ser os esforços que levemos a cabo para *concertar* as várias modalidades de acção política que elas segregam.

Mergulhando no concreto, perguntemo-nos qual a lição a extrair do paralelo organizacional estabelecido com processos como os das Cruzadas: quais as consequências genéricas deste estado de coisas, e o que é que elas significam para a nossa questão de fundo, a saber, os riscos *globais* – os perigos para os Estados e para a ordem internacional – efectivamente suscitados por entidades como a al-Qaeda? Para Matthew e Shambaugh a ligação (ou melhor, o feixe de ligações) existente é linear: "[n]*etworks have given terrorists unprecedented access to resources, delivery systems, targets, and media and have protected them from being easily decimated or even controlled through traditional security strategies. But [...] just as support for President Bush declined as the rally around the flag effect following the September 11 attacks dissipated among the US public, support for al-Qaeda is likely to dissipate as the specific costs and benefits of its actions and the government's response become apparent to individual terrorists and terrorist cells. Thus, even though al-Qaeda may*

---

[47] Decerto a melhor e mais coerente delineação de uma "ideologia" na al-Qaeda, visando uma definição dos passos a dar para uma "gestão" deste "período de selvajaria" que precede a reconstituição do Califato, foi a recentemente desnvolvida em Abu Bakr Naji (tradução de 2006), *The Management of Savagery. The Most Critical Stage Through Which the Umma Will Pass* (translated by William McCants), disponível em www.ctc.usma.edu/ Management_of_Savagery.pdf. Para a progressão desta "cosmologia", ver Christopher M. Blanchard (2004), "Al Qaeda: Statements and Evolving Ideology", CRS Report for Congress, Congressional – Research Service, the Library of Congress, em www.fas.org/ irp/crs/R521973.pdf. Parece-me, em todo o caso, abusivo falar de um *corpus ideológico* numa rede: o que se verifica não é mais do que um conjunto difuso de ideias-guia diversas, cuja unidade constitui um mero menor denominador comum bastante ralo.

be able to facilitate continued attacks against US forces in Iraq or help widespread groups carry out their particular objectives, its ability to generate a broadly coordinated effort, like a joint attack against specified Western targets around the globe, or achieve broader common goals, like getting the West out of Saudi Arabia, is virtually nil. Al-Qaeda may be able to facilitate small victories by individual terrorist cells, but it cannot win in the 'global war on terrorism'"[48].

Talvez possamos até ir mais longe, especulando mais estrutural e menos "internalisticamente", como o fez Brad McAllister ao afirmar de maneira premptória que *"[a]l Qaeda's mistake was not the transformation from a hub to an all-channel network. Rather, it was the conscious decision to engage in behavior that not only robbed it of its legitimacy, but deprived it of an effective means of waging the jihad. A study of other relevant organizations shows that Islamists have typically been reluctant to pursue ends anathema to the organization's continuance. Because Al Qaeda has placed itself in the position of non-negotiability with the West, it will lack the flexibility of policy other organizations have utilized in order to ensure longetivity"*[49]. Segundo McAllister os custos disso são altos e a organização juhadista de bin Laden vai ter de os suportar: *"[a]l Qaeda will pay for this on two levels. First and most obviously it has challenged its opponent to the point where it is compelled to use all available resources to combat the terrorist organization. Second, by committing mass atrocities it has isolated itself from the majority of public opinion who might otherwise have sympathized with the cause. The fact that Al Qaeda had to resort to leaderless operations is a sign of its weakness. The acephalous nature of full matrices has led theorists to believe that a 'medusa-like' effect will take over, where the destruction of one cell will only mean the birth of another. Insofar as Al Qaeda's human resources hold out, destroyed cells will be survived by others, but analysts are not stating the obvious. In an acephalous organization there is no head, and therefore no 'medu-sa-like' regeneration of decision-making capabilities. Instead Al*

---

[48] Idem.

[49] Brad McAllister (2004), "Al Qaeda and the Innovative Firm: Demythologizing the Network", *Studies in Conflict and Terrorism* 27, no. 4: 316.

Qaeda will increasingly become an anachronistic medley of terrorist cells whose atomistic nodes are more redundant by the lack of innovative leadership. Al Qaeda's fame was defined by its managerial innovation, but its operations were not tempered with the prudence necessary to maintain it"[50]. Se for assim, então a al-Qaeda tornou-se numa mera entidade simbólica, ela própria mais utilmente encarável como simples *propriedade* de uma espécie de novo "regime internacional" jihadista-salafista. Ao longo do processo, a al-Qaeda *perdeu* capacidades.

Qual é o alcance *estratégico* deste tipo de constatação? Seja ou não tal esse o caso, seguramente, quaisquer veleidades que a al-Qaeda possa ter de "reconstituir o Califato" não são mais do que isso mesmo, veleidades – uma grande dose de *wishful thinking* mesclado com uma retórica legitimadora de mobilização colectiva. O que essas veleidades restauracionistas *não* constituem, decerto – tal como os projectos difusos dos anarquistas não constituíam por muito que os Estados de finais do século XIX e princípios do XX o temessem e ainda que esgrimissem com fervor e boa fé possível contra esse medo – é um projecto político sério, exequível, ou uma reordenação da arquitectura internacional verdadeiramente ameaçadora da ordem que vigora no Mundo: independentemente da avaliação "historicista" que possamos fazer de uma eventual anacronismo do "projecto-Califato" – um anacronismo que pura e simplesmente o inviabilizaria – a verdade é que a estrutura organizacional da al-Qaeda de hoje não lhe permite ajudar a, sequer, *urdir* uma reconfiguração desse alcance. Anacrónico ou não, um Califato está fora do alcance da organização de bin Laden.

Quererá isto dizer que não temos de nos preocupar demasiado com o perigo representado por uma organização como a al-Qaeda? Significará isso, por sua vez, que espreitam perigos maiores? Sim e não, e é interessante asseverar porquê. Num artigo que já tive oportunidade de citar, Andrew Phillips[51] ofereceu o que me parece ser uma

---

[50] *Ibid.*.

[51] Andrew Phillips (2006), *op. cit.*, não paginada. De um ponto de vista *político*, o argumento genérico de Phillips é simples de enunciar, e ele próprio o faz no *abstract* do seu artigo: "[i]n *the contemporary context, I argue that the transformative consequences of Salafi-jihadist terrorism are likely to be similarly indirect. Far from precipitating the*

boa cláusula de salvaguarda relativamente a tal tipo de insuficiências estruturais do "projecto" genérico da al-Qaeda e dos seus "associados" ao aludir, designadamente, ao "mal-estar" sistémico que dá azo no quadro da teorização hobbesiana geral sobre a relação entre o "contrato social" e a constituição de um "Leviathan", com o intuito de garantir segurança aos "contraentes". O argumento usado por Phillips orbita em redor das implicações a médio e longo prazo do fenómeno salafista, ou jihadista, contemporâneo: "[t]*he limited revolutionary potential of Salafi-jihadism should not blind scholars to the reality that the insurgency is merely symptomatic of a profoundly entrenched set of structural tendencies in the state system that will persist long after jihadism has been eliminated. Post-colonial state failure, the enhanced empowerment of networked non-state actors consequent to globalisation, the growth of religious fundamentalism, and the persistence of inequalities between North and South that contribute to the growth of anti-systemic ideologies and movements – each of these structural tendencies contributed to the jihadist insurgency, and none are likely to abate in the near future. While jihadism is transient, the enduring structural tendencies that helped to produce it will together conspire to undermine the most basic of the state's legitimating functions, namely its Hobbesian capacity to provide protection to its citizenry in exchange for obedience. The breakdown in the state's coercive monopoly in parts of the developing world has facilitated the genesis of global threats that compromise the integrity of the state's monopoly on violence in the developed core of the state system. With 9/11 and subsequent mass casualty terrorist attacks, the hard protective shell of the sovereign state been definitively breached and the strategic distance between North and South has become radically compressed,*

---

collapse of the state system, jihadist terrorism is accelerating a displacement of the Hobbesian social contract from the national to a supra-national level, with strong states increasingly projecting force globally on the basis of internationalised responsibilities to suppress transnational security threats. Although these changes in state practice will not challenge the continued primacy of the sovereign state as the world's modal form of political community, they are likely to jeopardize the survival of norms of sovereign equality and non-intervention between North and South in the long-term, marking a decisive shift away from the negative sovereignty regime that has mediated North-South relations throughout the post-colonial period".

producing a political imperative for governments in strong states to take drastic ameliorative measures to restore public confidence in the state's capacity to provide for their protection"[52]. Ou seja, ataques como os desferidos pela al-Qaeda (ou em seu nome) lançam dúvidas quanto à aplicabilidade continuada de "princípios normativos" saídos da solução de Westphalia, encontrada em 1648, para as guerras religiosas então há mais de um século endémicas na Europa.

Os resultados? Para os entrever, vale de novo a pena resolver imagens com maior minúcia. Em termos que retrata como "constitucionais", Andrew Phillips explica em pormenor as suas hesitações quanto a alternativas *possíveis* de desenvolvimento futuro da crise em que o 11 de Setembro (é esta a maneira como normalmente designamos a tomada súbita de consciência do "perigo al-Qaeda") e é bom tornar a citá-lo dada a limpidez da argumentação por ele utilizada: "[b]*oth the Hobbesian protection bargain and the sovereignty regime were the unintended by-products of Europe's religious wars* [a alusão, aqui, é à Guerra dos Trinta Anos, o longo conflito confessional que desembocou na Paz de Westphalia que é geralmente considerada como tendo dado origem ao sistema internacional de Estados moderno], *intended to bring a modicum of domestic and international order to the Continent following over a century of cataclysmic ideological strife and transnational insurgency. For the better part of the state system's subsequent history these constitutional norms evolved in tandem, but with the advent of Third World state failure and the inter-related emergence of transnational security threats, these norms are now in danger of diverging. Increasingly, norms of non-intervention and sovereign equality – procedural norms that have long being seen as fundamental to the realization of substantive values of collective self-determination and human equality – will be qualified by strong states seeking to minimize the leakage of transnational security threats from failing post-colonial states to the developed world. Should strong states' extension of policing functions to the transnational level be accompanied by sincere and comprehensive attempts to re-establish viable state structures in the developing world, both the Hobbesian*

---

[52] Andrew Phillips (2006), *op. cit.*.

compact and traditional norms of non-intervention might again be reconciled. Conversely, if transnational policing is pursued in an exclusively prophylactic manner, with developed states' interests in containing transnational threats being exclusively privileged over the need to re-establish reliable state structures and state monopolies on organized violence in the developing world, a far more unequal, disordered, and bloody future await."[53]. São, de facto (parece-me indiscutível) fáceis de compreender as preocupações de A. Phillips num quadro mais teórico-político, mais técnico, e menos apegado a medos conjunturais, abstractos, e instintivos – sem que isso signifique necessariamente uma adesão plena à importância atribuída à divisão Norte-Sul e ao seu impacto "constitucional"[54].

Com efeito, e ao contrário daquilo de que foi caso na passagem do século XIX para o XX (no qual, em boa verdade, se pode afirmar que não havia nenhuma conspiração mundial organizada contra os Estados europeus e norte-americano, nem nenhum *complot* político global bem orquestrado), hoje já não é bem assim. Num certo sentido, a rede tecida por bin Laden ao redor da al-Qaeda logrou o que os anarquistas nunca conseguiram: *alçada*. Fê-lo, baseando-se de várias maneiras nas novas tecnologias comunicacionais, na facilidade na obtenção de armas ligeiras e pesadas num mercado armamentista cada vez mais global, na redução-contracção do espaço e do tempo que a integração à escala mundial permitem, articulando uns com os outros agrupamentos difusos de muçulmanos subalternizados na

---

[53] Idem, *op. cit.*, último parágrafo.

[54] Uma importância (no sentido de centralidade) que recuperam largamente as fascinantes opiniões e conceptualizações de Daniel Philpott (2001), *Revolutions in Sovereignty: How Ideas Shaped Modern International Relations*, Princeton University Press, sobre a dinâmica do "processo de constitucionalização da ordem internacional", de que Westphalia seria um marco maior. Para uma possível leitura alternativa, mais densa, do relacionamento histórico entre o "Ocidente" e o "mundo colonizado", ver Edward Keene (2002), *Beyond the Anarchical Society. Grotius, colonialism and order in world politics*, Cambridge University Press. Para duas discussões porventura mais ponderadas do que a de Phillips das consequências da *War on Terror*, ambas de autores israelitas, ver Amitai Etzioni (2002), "Implications of the American anti-terrorism coalition for global architectures", *European Journal of Political Theory* 1 (1): 9-31, London, e Barak Mendelsohn (2005), "Sovereignty under Attack: The International Society Meets the Al Qaeda Network", *Review of International Studies* 31, no. 1: 45-68.

diápora, elites islamistas radicais, Estados frágeis ou mesmo falhados, e novas e temíveis tecnologias de organização e destruição. Nada disto existia antes. Como notou Donald Puchala[55], "[t]*he high and complex degrees of organization attained by present-day international terrorists, their abilities to move rapidly and communicate instantaneously, and the horrendously destructive character of the weapons at their disposal are new to the world*".

Alguma coisa Osama conseguiu. Criaram-se, senão consensos fortes, pelo menos conluios veementes na confluência das inimizades e repúdios que segregam. Embora não haja, de facto, uma verdadeira ideologia por todos partilhada, há em qualquer caso uma comunidade epistémica "contra-hegemónica" virtual e emergente[56]. Num certo sentido, no entanto – e trata-se de um sentido forte – um problema central enfrentado pelos anarquistas permanece na "rede al-Qaeda": mantêm-se as clivagens e as divisões irredutíveis entre os agrupamentos jihadistas, as agendas particulares, e os interesses muitas vezes incompatíveis das múltiplas entidades que convergem nas divergências que estridentemente concordam ter e que conseguem activar para efeitos da sua exígua e episódica actuação política, coordenada face aos seus adversários. Adversários, note-se, também eles beneficiários de uma cada vez mais densa e intensa globalização comunicacional e "logística", que organizacionalmente a todos aproveita[57].

---

[55] Donald Puchala (2005), "Of Pirates and Terrorists: What Experience and History Teach", *Contemporary Security Policy* 26 (1): p.1. Tal como os terroristas, os piratas por vezes ligavam-se a Estados (como corsários) e foram evoluindo nas suas estruturas organizacionais. A conclusão principal de D. Puchala instila sobriedade: tal como aliás o anarquismo violento, a pirataria nunca foi abolida. Apenas foi contida. Talvez, no limite, ao mesmo estejamos condenados com o terrorismo: suportar uma realidade impossível de derrotar, mas com a qual nos habituámos a conviver.

[56] Para uma perspectivação diacrónica deste "consenso" vago e difuso, ver Quintan Wiktorowicz (2005), "A Genealogy of Radical Islam", *Studies in Conflict and Terrorism* 28: 75-97; para uma leitura mais dinâmica e relacional ver o muito interessante Mohammed Ayoob (2005), "Deciphering Islam's Multiple Voices: Intellectual Luxury or Strategic Necessity?", *Middle East Policy* 12, no. 3: 79-90.

[57] Quanto a este ponto, das muitas interpretações existentes ver Fiona B. Adamson (2005), "Globalisation, Transnational Political Mobilisation, and Networks of Violence", *Cambridge Review of International Affairs* 18, no. 1: 31-49. No que toca ao mecanismo de criação de uma comunidade epistémica difusa, é interessante a hipótese de David Leheny: "[a]*l Qaeda's leaders are strategic actors, who believe themselves to be embedded in long-term,*

Quais são as conclusões que podemos daqui extrair? Como todos os constrangimentos sistémicos, as insuficiências organizacionais da al-Qaeda – insuficiências sensíveis tanto em termos da eficiência e da eficácia da sua acção política, como nos resultantes da forma como a sua actuação opera "através" das fronteiras soberanas "clássicas", pondo-as em cheque – fecham portas ao limitar possibilidades, mas abrem outras ao recontextualizar problemas. As implicações que pressões desta ordem engendram não podem, de maneira nenhuma, ser ignoradas. Se linhas de argumentação do tipo das que aqui esmiucei com algum detalhe tiverem fundamento, então as reacções recentes que temos tido face à al-Qaeda não têm sido decerto as melhores.

Bem pelo contrário. É indesmentível e cada vez mais patente a falta de conhecimento do adversário por parte das democracias ocidentais, recentemente vítimas de ataques terroristas orquestrados sob a chapéu do *modus operandi* da rede da al-Qaeda, o desconhecimento das suas novas características, das suas propriedades reconstitutivas e da sua extraordinária capacidade de "cicatrização" e de regeneração, tudo isso tem conduzido a uma grande inadequação e ineficácia das respostas que contra ela vão sendo gizadas. E é iniludível o mal-estar resultante.

Para evitar repetir erros do passado, o que nos resta então? A resposta parece-me óbvia: o que nos resta é tentar quanto antes *afeiçoar* as nossas actuações à natureza *real* das ameaças que defrontamos.

---

iterative struggles over outcomes, and they have chosen their tactics accordingly. By the same token, terrorism itself is largely about the use of potent symbols to hearten supporters and to intimidate enemies, and the tactics do not make sense outside of the symbolic contexts in which they are chosen. For scholars of security studies to deal forthrightly with this new type of conflict – which Stephen Walt describes as the 'most rapid and dramatic change in the history of US foreign policy' – they will need to think creatively about how to integrate the meaning that small, violent groups attach to actions with devastating immediate impact and long-term consequences for international security. What are most distinctive about Al Qaeda's efforts are not just their effectiveness but rather their ability to link, sometimes fitfully and imprecisely, the global interests of the core organization with the more limited concerns of local activists. Doing so relies on the reframing of local groups' demands and concerns, and on the diffusion of repertoires of violence that dictate appropriate measures and targets", em David Leheny (2005), "Terrorism, Social Movements, and International Security: How Al Qaeda Affects Southeast Asia", *Japanese Journal of Political Science* 6: 88.

O tempo urge. O estudo aprofundado da etiologia e do modo--de-agir *na* e *da* rede da al-Qaeda, e uma de série de ripostas e respostas adequadas que saibam ponderar com precisão as vulnerabilidades das suas características organizacionais próprias – são aquilo que nos pode permitir saber escolher as "armas" indispensáveis para uma luta que promete durar. O que há que evitar são os automatismos e as rotinas que podem levar a tentativas de usar tácticas velhas para problemas novos – uma receita segura para o desastre.

Muito concretamente, quais são então as reconfigurações conceptuais específicas que (nos termos da análise que levei a cabo neste estudo) devemos operar no *design* geral do combate a empreender contra a al-Qaeda e entidades semelhantes, sejam elas suas "filiais" ou não? Sem pretendermos ser exaustivos, regressemos ao plano dos formatos da organização terrorista de bin Laden para melhor alinhavar essas indispensáveis reconfigurações.

Comecemos por tornar a dar realce à enorme capacidade de "metastização" dos actos perpetrados por entidades deste tipo e àquilo que lhe dá azo, as suas características organizacionais próprias, como lhes chamei. De um ponto de vista organizacional, insisto, a al-Qaeda constitui um verdadeiro dispositivo "automático" de *franchising,* cujas representações locais são propriedade de autóctones que se limitam a utilizar a *achalandage* contida no nome da marca e o seu *know-how,* mediante o "pagamento" simbólico de *royalties.* Implicações-limite para o exterior? Este modelo, importado da vida económico-empresarial[58], é especialmente vantajoso e cómodo para o patenteador da ideia original, que só rara e remotamente pode ser afectado pelas vicissitudes e pelos potenciais reveses sofridos pelos agentes locais da actuação terrorista. É fácil constatá-lo. Um ataque desmantelado preventivamente pela eficácia policial de uma Scotland Yard, por exemplo – como aconteceu há não muito tempo em Londres,

---

[58] Hans van der Weijden (2005), "Al-Qaida, The Business Model." *Interface,* February: 14, 15, recuperável em http://www.sviib.nl/interface/magazine/pdf/ 21_3_alquada.pdf, bem como Charlotte Fleishman (2005), "The Business of Terror: Conceptualizing Terrorist Organizations as Cellular Businesses", *Center for Defense Information,* acessível em www.cdi.org. Para uma comparação da organização da al-Qaeda com os cartéis colombianos de droga, ver Michael Kenney (2003), "From Pablo to Osama: Counter-Terrorism Lessons from the War on Drugs", *Survival* 45, no. 3: 187-206.

poucos meses depois dos atentados de 7 de Julho de 2005 – deixa de todo em todo intocado o modelo al-Qaeda de actividades terroristas. Dadas as características daquilo para que evoluiu "a organização de bin Laden", o efeito dissuasor da actuação preemptiva e da punição pronta dos eventuais culpados é tíbio ou mesmo inexistente, já que subsistirá sempre, incólume, a hipótese de replicação dos atentados, uma "réplica" (ou um *copycatting*) levada a cabo por outros agrupamentos similares, numa conjuntura futura mais propícia e menos vigiada. E, perversamente, dada a natureza dos processos próprios de recrutamento e mobilização a que aludi, a própria notícia do fracasso da operação de terror milita no sentido da replicação dela ao publicitá-la como uma espécie de ensaio geral, – uma *versão beta* da acção que importa saber melhorar.

Mais ainda: note-se a capacidade de induzir uma "auto-canibalização" que este género de entidades exibe. Ou seja: a sua versatilidade em saber virar contra os seus adversários as reacções que a actuação destas entidades neles desencadeiam. Para evitar esta notável propensão estrutural das organizações em rede deste tipo, há que tomar em séria linha de conta as suas características organizacionais próprias, a sua voracidade em relação ao papel energizador que nelas tem a nossa comunicação, papel energizador que há que conseguir tornear para que se não vire contra nós: para tanto, é preciso que saibamos garantir que o afeiçoamento que se conseguir tenha sempre e rigorosamente, lugar no quadro dos valores que nos distinguem da al-Qaeda.

Revisitemos a nossa comparação. Tal como foi o caso em muitas das reacções dos Estados democráticos europeus e do norte-americano perante os anarquistas e anarco-sindicalistas da volta do século XIX para o XX, a *gaucherie* dos meios de actuação usados para lidar com a al-Qaeda revelado desastrosa e tem-se revelado porque, por um lado, simultaneamente sobreestima e subestima os adversários e a real alçada da ameaça a que dão corpo; e, por outro, porque tem conduzido, vezes demais, ao emprego de métodos proscritos em Estados--de-direito democráticos, Estados que mais do que nunca devem apresentar-se alto e bom som como facilitadores, garantidores, e protectores de um saudável respeito pelos direitos fundamentais e irrevogáveis de todos, mesmo daqueles que sejam suspeitos dos mais terríveis crimes[59].

Para vislumbrar o como e o porquê deste segundo nível de reconfigurações que precisamos de garantir, basta com efeito pensar no *feedback loop* de que falei – um *feedback loop* que constitui uma das bases de recrutamento e mobilização de militantes islamistas – para que percebamos com nitidez que, infelizmente, a propagação de notícias sobre práticas como as dos voos fantasmas de aviões e o recurso à tortura em locais como Guantanamo ou seja onde fôr, se é verdade que podem ajudar aqui e ali ao combate para o tão necessário desmantelamento sistemático da al-Qaeda, também é certo que pouco mais fazem do que agravá-las, ao mesmo tempo que vira (como à saciedade se viu) enormes sectores da opinião pública nos Estados democráticos contra os seus próprios governos numa conjuntura em que, ao invés, seria urgente mobilizá-la para um combate longo e sem tréguas.

Nada disto contribui para efectivamente destruir a "nova" al--Qaeda, embora possa desactivar, desmantelando-a, a velha estrutura hierárquica dos seus primórdios. Pelo contrário, indirectamente gestos destes alimentam a generalização comunicacional intersubjectiva e "epistemicamente construtivista" de um sentimento de justificação – senão mesmo de conveniente desculpabilização – daqueles que actuam politicamente por meios violentos tão brutais quão inaceitáveis, dando-lhes uma aura de "legítima defesa". No que são ajudados pelo carácter híbrido e mal compreendido das "motivações" e dos *ratios* dos terroristas contemporâneos[60]. São atitudes que, em vez de ajudar

---

[59] Qual a lição política mais geral a extrair de tudo isto para a luta contra a al-Qaeda? Neste como em tantos outros casos não há lugar para reacções "impressionísticas", epidérmicas, ou eivadas de amadorismo: há que melhor compreender a organização para rápida e eficazmente a conseguir destruir. O risco não é – como é fácil de ver – o de, no caso de falharmos, sermos destruídos nós próprios; somos intrincados, ricos, e poderosos demais para que nisso possamos incorrer. O risco é antes o de perdermos, ao tentar resolver o terrível binómio Segurança-Liberdade, muitas das características distintivas de que tanto nos orgulhamos: a Liberdade, a Democracia, e a abertura das nossas sociedades, todas elas valências inestimáveis que tão arduamente lutámos para conseguir instalar no Mundo em que vivemos.

[60] Relembremos os *holy warriors* de que falei no início desta monografia. E oiçamos um investigador alemão, Ulrich Beck: "[a]t *the centre of the radical Islamic critique of the*

a realmente combater os terroristas, lhes dão armas temíveis, dada a estrutura organizacional que os caracteriza e em particular a sua maneira de recrutar militantes e de activar apoios.

A continuarmos nesta direcção, o prognóstico não pode ser bom. A imprecisão do tiro tem-no feito, em alguns casos, sair pela culatra. O que nos leva a um terceiro nível das reconfigurações que é preciso garantir se se quiser derrotar uma ameaça como a da al-Qaeda. A razão para tanto resulta das nossas características organizacionais, quando contrapostas às dos adversários que confrontamos. E, aí, os erros cometidos têm sido grosseiros e contraproducentes.

Não temos por regra, infelizmente, comparado as nossas características organizacionais com as deles, nem no que toca às nossas respectivas vulnerabilidades estruturais, nem no que diz respeito às nossas forças "orgânicas" relativas. Em vez de desenhar uma estratégia em função da ameaça, temos repetido reacções de rotina. Um dos resultados foi um manifesto entrar em perda. Como muito bem escreveu M. Wolff: "[w]*e've built a major black-is-white logic reversal into the very nature of the threat: although we've killed countless members of the enemy group, including much of its leadership, disrupted its infrastructure, captured reams of intelligence on its activities, it's suddenly stronger than ever before. Likewise, we ascribe substantial organizational talents to what we also describe as uniquely disorganized. This new group has become […] a threat not least of all because it is less a group than the former group, which itself was notable for its loose-knitness (although, in comparison with the new group, the former group was apparently a model of central governance). By the logic we are applying to*

West […] is the notion that modern Western society is characterized by a spiritual void. The fact that the United States, one of the most religious societies in the world, is considered the summit of the diabolical West is overlooked. At the same time, Western ideas are borrowed in this regard, in particular European anarchism. It is thus in no way a revolt of tradition against the Modern […] but rather a modern Anti-modern, which concerns just as much the idea as the choice of the means of terror. Exactly out of the conscious connection between Modern and Anti-Modern – one need only think of how, with the attacks on the World Trade Center, the mass media were transformed into the world stage of terror – the recipe for success and novelty feed upon the connection between the weapons of terror, radical Islam and the transnationality". Em Ulrich Beck (2005), "War Is Peace: On Post-National War", *Security Dialogue* vol. 36, no. 1: 10.

Al Qaeda and its offspring, we can never prevail. Whatever we do to thwart the enemy just makes it stronger. We are always, because of our size and power and resources, necessarily weaker"[61]. Mostrei quanto tal é verdade, nalguns dos exemplos que dei; há, por isso, que rever a nossa reacção.

Há pouco menos de um século, o desaparecimento da ameaça anarquista e o esbatimento da percepção dela não resultaram de meras confrontações militares, embora a sua repressão tivese tido um papel que importa saber não subestimar. Foram antes o resultado de uma co-optação, uma co-optação que redundou numa substituição, que por seu turno descambou na emergência concomitante e a ela associada de um risco muitíssimo maior e bastante mais real: a coagulação rápida de um tipo de agrupamentos revolucionários muito mais coesos e robustos, dotados de células integradas por "revolucionários profissionais" e com uma fortíssima cadeia de comando – nova modalidade de "controlo central 'democrático'" que entretanto emergira.

A co-optação ardilosa dos movimentos anarquistas pelos bolcheviques e depois pelos soviéticos – retirando-lhes terreno de recrutamento e actuação ao substituir-se-lhe depois de os capturar por dentro e de algum modo nos seus próprios termos em nome de uma luta contra inimigos comuns – para de seguida proceder à sua sistemática destruição e ao seu eventual desmantelamento, célula a célula, pela mão de Lenine[62] e depois de Estaline, primeiro dentro e depois fora da União Soviética – não resolveram os temores das gerações que se seguiram aos terríveis atentados da passagem do século XIX para o XX[63]. Puseram outros, bem mais sérios, no seu

---

[61] M. Wolff (2002), "Homeland Insecurity", *New York Magazine*, July 8.

[62] Para o caso da União Soviética, ver os dois curtos mas incisivos artigos de Paul Avrich (1967), "The Anarchists in the Russian Revolution", *Russian Review*, vol. 26, no. 4, pp. 341-350, e (1968), "Russian Anarchists and the Civil War", *Russian Review*, vol. 27, no. 3. pp. 296-306, sobre a hostilidade inicial dos anarquistas russos à Revolução de Outubro, a sua adesão táctico-pragmática posterior, o seu entusiasmo com as famosas Teses de Abril, e o seu desmantelamento sistemático, "célula a célula", um ano depois, em Abril de 1918.

[63] Sem querer entrar em grandes detalhes, cabem aqui algumas breves referências a artigos úteis, para além do já citado. No que toca ao início do conflito, é imprescindível a leitura de estudos como os de Paul Avrich (1966), "Anarchism and Anti-Intellectualism in

lugar, com os quais tivemos de viver durante quase um século, tanto na Rússia, nos Balcãs e no mundo eslavo em geral, como ainda no sul europeu – que tinham nutrido e albergado os anarquistas. Efectivamente, os ataques empreendidos pelos movimentos anarquistas no e durante o regime dos Czares viram-se substituídos, na União Soviética, por brutalidades e abusos muitíssimo piores do que os imputados tanto a estes últimos quanto àqueles contra quem os anarquistas antes combatiam e que os novos "socialistas científicos" diziam também combater. Uma forma organizacional neo-blanquista, inovadora e temível, surgira nos palcos da acção política directa nas sociedades civis emergentes – de onde tinham emergido anarquistas e anarco-sindicalistas. A história é bem conhecida. No resto do Mundo, o medo que estes suscitavam viu-se substituído por um temor muito mais fundamentado e profundo face a uma "Pátria dos Trabalhadores" armada até aos dentes, com as novas armas de destruição em massa que o desenvolvimento tecnológico entretanto permitira.

O preço foi alto. Hoje em dia, iria ser porventura ainda pior[64]. Cometer, *mutatis mutandis*, erro semelhante, seria um absurdo, que a todo o custo há que procurar evitar.

Russia", *Journal of the History of Ideas*, vol. 27, no. 3. pp. 381-390, e Paul Avrich (1970), "The Legacy of Bakunin", *Russian Review*, vol. 29, no. 2: 129-142, e o elegantíssimo Eric Voegelin (1946), "Bakunin's Confession", *The Journal of Politics*, vol. 8, no. 1, pp. 24-43, que relata a "submissão final" ao Czar de um Bakunin apostado em sobreviver. Para a recta final, três referências: Adrian Shubert (1991), uma recensão crítica de *Modern Europe – Anarchist Ideology and the Working-Class Movement in Spain, 1868-1898*, de George Richard Esenwein, *The American Historical Review;* Apr 1991; 96, 2: 534-536, bem como dos artigos de Gabriel Jackson (2006), "Anarchism, the Republic, and Civil War in Spain 1931-1939" e "The Spanish Civil War, the Soviet Union, and Communism", *The Journal of Military History* 70, 1: 261-262.

[64] Para uma visão notavelmente lúcida dos "riscos sistémicos" que corremos, é instrutiva a leitura do curtíssimo artigo de Stephen D. Krasner (2005), intitulado "The Day After", publicado na *Foreign Policy*, no. 146, pp. 68-70, sobre as consequências previsíveis, ao nível do sistema internacional de Estados e para a ordem internacional, no caso de ocorrer um ataque terrorista levado a cabo com armas de destruição em massa.

8.
BIBLIOGRAFIA

ADAMS, Thomas K. (2000), "The Real Military Revolution", *Parameters*, Carlisle U.S. Army War College Quarterly, Autumn, pp. 54-65.

ADAMSON, Fiona B. (2005), "Globalisation, Transnational Political Mobilisation, and Networks of Violence", *Cambridge Review of International Affairs* 18, no. 1: 31-49.

ALBERT, Réka, JEONG, H. e BARABÀSI, A. L. (2000), "Error and Attack Tolerance of Complex Networks", *Nature* 406, 387 e 482.

ALBERTS, David e HAYES, Richard (2005), *Power at the Edge. Command and Control, in the Information Age,* Command and Control Research Program (CCRP), Washington.

ALBERTS, D. S., GARSTKA, J. e STEIN, Frederick P. (2000), *Network Centric Warfare, Developing and Leveraging Information Superiority*, CCRP, 2nd edition, Washington.

ALEXANDER, Jeffrey C. (2004), "From the Depths of Despair. Performance, Counterperformance, and September 11", *Sociological Theory*, vol. 22, no. 1, 88-105

ALLEN, Chris (2004) "The Dunbar number as a limit to group sizes", *Social Software,* em www.lifewithalacrity.com/2004/03/the_dunbar_numb.html

ALTUM, Justin C. (2003), "Anti-Abortion Extremism: The Army of God", *Chrestomathy: Annual Review of Undergraduate Research at the College of Charleston*, vol. 2: 1-12.

ANDREWS, Timothy D. (2005) *Revolution and Evolution. Understanding Dynamism in Military Affairs*, National Defense University, National War College, Washington.

ARMOND, Paul de (1999-2000), "Netwar in the Emerald City, WTO protest strategy and tactics", em http://nwcitizen.com/publicgood/reports/wto

ARQUILLA, John e RONFELDT, David (1993), "Cyberwar is coming", em *Comparative Strategy*, 12: 141-165.

— (2003), "Swarming. The Next Face of Battle", *Aviation Week & Space Technology*, September 29, em http://www.rand.org

— (2004), *Swarming and the future of conflict*, RAND.

ATRANN, Scott e SAGEMAN, Marc (2006), em groups.csail.mit.edu/belief dynamics/MURI/ papers/AtranMuriOK(Jan30).ppt

AVRICH, Paul (1966), "Anarchism and Anti-Intellectualism in Russia", *Journal of the History of Ideas*, vol. 27, no. 3. pp. 381-390.

— (1967), "The Anarchists in the Russian Revolution", *Russian Review*, vol. 26, no. 4, pp. 341-350.

— (1968), "Russian Anarchists and the Civil War", *Russian Review*, vol. 27, no. 3. pp. 296-306.

— (1970), "The Legacy of Bakunin", *Russian Review*, vol. 29, no. 2: 129-142.

AYOOB, Mohammed (2005), "Deciphering Islam's Multiple Voices: Intellectual Luxury or Strategic Necessity?", *Middle East Policy* 12, no. 3: 79-90.

BARABÀSI, A.-L. (2002), *Linked. The New Science of Networks*, Perseus Publishing, Cambridge, Massachussets.

BARABÁSI, A.-L., MENEZES, M. Argollo de, BALENSIEFER, S. e BROCKMAN, J. (2004), "Hot spots and universality in network dynamics", *Europhysics Journal* B 38, 169-175.

BARBER, Benjamin (1996), *Jihad vs. McWorld. How globalism and tribalism are reshaping the world*, Ballantine Books, New York.

BEAM, Louis (1992, original de 1983), "Leaderless Resistance", *The Seditionist*, issue 12, *final edition.*, em www.louisbeam.com/leaderless.htm

BECK, Ulrich (2005), "War Is Peace: On Post-National War", *Security Dialogue* vol. 36, no. 1: 10.

BELKNAP, Michal R. (1982), "Uncooperative Federalism. The Failure of the Bureau of Investigation's Intergovernmental Attack on Radicalism", *Publius*, vol. 12, bo. 2:. 25-47.

BENJAMIN, Walter (1968), *Illuminations*, Schoken Books, New York.

BENKLER, Yochai (2002), "Coase's Penguin, or, Linux and The Nature of the Firm", in *Yale Law Journal*.

BERGEN, Peter (2002), Holy War, Inc: Inside the Secret World of Osama Bin Laden. Free Press, New York.

BEZROUKOV, Nikolai (1999), "A Second Look at the Cathedral and Bazaar", *First Monday*, n. 4 (12).

BIANCONI, Ginestra e MARSILIA, Matteo (2005), "Emergence of large cliques in random scale-free networks", The Abdus Salam International Center for Theoretical Physics, em www.citebase.org/abstract?id=oai%3AarXiv.org%3Acondmat%2F0510306

BLACK Donald (2004), "The Geometry of Terrorism", *Sociological Theory*, vol. 22, no. 1, 14-25.

BLANCHARD, Christopher M. (2004), "Al Qaeda: Statements and Evolving Ideology", CRS Report for Congress, Congressional –Research Service, the Library of Congress, em www.fas.org/irp/crs/R521973.pdf

— (2006), "The Islamic Traditions of Wahhabism and Salafiyya", CRS Report for Congress, Congressional –Research Service, the Library of Congress, em www.au.af.mil/au/awc/awcgate/crs/rs21695.pdf

BONAPARTE, Ch. (1904), *Attorney General*, *"on behalf of Pres. Th. Roosevelt"*, *60th U.S. Congress*, em http://tmh.floonet.net/articles/bonaparte.html

BORGATTI, Stephen P. e CROSS, Rob (2003), "A Relational View of Information Seeking and Learning in Social Networks", *Informs, Management Science*, vol. 49, n.º 4, pp. 432-445.

BORGATTI, Stephen P., CARLEY, Kathleen M. e KRACKHARD, David (2006), "On the robustness of centrality measures under conditions of imperfect data", *Social Networks* 28: 124-136.

BOSCHETTI, Fabio, PROKOPENKO, Mikhail, MACREADIE, Ian e GRISOGONO, Anne-Marie (2005), "Defining and detecting emergence in complex networks", Conference paper, em (eds.) R. Khosla, R. J. Howlett, and L. C. Jain, *Knowledge-Based Intelligent Information and Engineering Systems, 9th International Conference*, KES 2005, Melbourne, Australia, September 14-16, 2005, *Proceedings*, Part IV, volume 3684 of *Lecture Notes in Computer Science*, pp. 573-580.

BRADLEY, J.F.N. (1968), "The Russian Secret Service in the First World War", *Soviet Studies*, vol. 20, no. 2., pp. 242-248.

BRAMS, Steven J. *et al.* (2005), "Influence in Terrorist Networks: From Undirected to Directed Graphs", em www.nyu.edu/gsas/dept/politics/faculty/brams/networks.pdf

BREIGER, Ronald, CARLEY, Kathleen e PATTISON, Philippa, *Dynamic Social Network Modelling and Analysis: Workshop Summary and Papers*, Committee on Human Factors, The National Research Council, Washington, pp. 133-145.

BUCHANAN, Mark (2003), *Nexus: Small Worlds and the Groundbreaking Theory of Networks*, W. W. Norton & Company, Inc., New York.

BULL, Hedley (1977), *The Anarchical Society. A study of order in world politics*, MacMillan, London.

BUNEL, Pierre-Henri (2005), "The Database" Al Qaeda", em www.globalresearch.ca

BURKE, Jason (2003), *Al Qaeda: Casting a Shadow of Terror*. I.B. Tauris, London.

BUSH, George W. (2001), *Address to Joint Session of Congress and the American People*, 20 de Setembro, em www.whitehouse.gov/news/releases/2001/09/20010920-8.html

CALAHAN, Alexander B. (1995), "Countering Terrorism: The Israeli Response to the 1972 Munich Olympic Massacre and the Development of Independent covert Action Teams", em www.fas.org/irp/eprint/calahan.htm

CAMPEN, Alan D. (2001), "Swarming Attacks Challenge Western Way of War", *Signal Magazine*, em http://www.afcea.org/signal/

CANN, John (1997), *Counterinsurgency in Africa. The Portuguese way of War, 1961-1974*, Greenwood Press, London.

CARLEY, Kathleen M. (1999), "On the Evolution of Social and Organizational Networks", em casos.isri.cmu.edu/events/summer_institute/2001/reading_list/pdf/EvolutionofNetworks.pdf

— (2001), "Destabilizing Networks", em www.ksg.harvard.edu/complexity/papers/connections4.pdf

— (2005), "Estimating Vulnerabilities in Large Covert Networks", em www.casos.cs.cmu.edu/publications/papers/carley_2004_estimatingvulnerabilities.pdf

(eds.) CARLEY, K. M., (2003), "Dynamic network analysis, em www.si.umich.edu/stiet/researchseminar/Winter%202003/DNA.pdf

CARTWRIGHT, Edward (2004), "Contagion and the Emergence of Convention in Small Worlds", em www.kent.ac.uk/economics/papers/papers-pdf/2004/0414.pdf

CASSEN, Bernard (2003), "A Movement of Movements? On the attack", *New Left Review* 19, pp. 41-60.

CASTELFRANCHI, Cristiano (2006), *When Doing Is Saying. The Theory of Behavioral Implicit Communication*, em sifa.unige.it/vietri/abstract/castelfranchi.pdf

CASTELLS, Manuel (1996, segunda edição 2000), *The Rise of the Network Society*, Oxford, Blackwell.

(eds,) CASTELLS, M., (2004), *The Network Society: A Cross-Cultural Perspective*. Cheltenham, UK; Northampton, MA.

CAVENDISH, Richard (2001), "Assassination of President McKinley. September 6th, 1901", *History Today*, 51, 9: 52-53.

CENTOLA, Damon *et al.* (2006), "Cascade dynamics of complex propagation", *Physica A*, em www.imedea.uib.es

CHIALVO, Dante R. e MILLONAS, Mark M. (2005), "How Swarms Build Cognitive Maps", *Sante Fe Institute*, em www.santafe.edu/research/publications/wpabstract/199503033

CLAUSET, Aaroon e YOUNG, M. (2005), "Scale invariance in global terrorism", em www.citebase.org/abstract?id=oai%3AarXiv.org%3Aphysics%2F0502014

CLAUSET, Aaroon, MOORE, Cristopher e NEWMAN, M.E.J. (2006), "Structural Inference of Hierarchies in Networks", em *Proceedings of the 23rd International Conference on Machine Learning*, Pittsburgh, PA.

CLUTTERBUCK, Lindsay (2004), "The Progenitors of Terrorism: Russian Revolutionaries or Extreme Irish Republicans", *Terrorism and Political Violence*, vol.16, n.1.

COFFIN, Jill (2006), "Analysis of open source principles in diverse collaborative communities", *First Monday*, 11 (6), em www.firstmonday.org/issues/issue11_6/coffin/index.html

COOK, Robin (2005), "The struggle against terrorism cannot be won by military means", *The Guardian*, 8 de Julho, em www.guardian.co.uk/terrorism/story/0,12780,1523838,00.html

COOPER, Barry (2004), *New Political Religions or, An Analysis of Modern Terrorism*, pp. 161-162.

COOPER JR., John Milton (2004) "Murdering McKinley. The Making of Theodore Roosevelt's America", *The Journal of American History*, 91, 2: 657-659.

CRONIN, A.K. (2002), "The Historical and Political Conceptualization of the Concept of Terrorism", www.ssrc.org/programs/gsc/publications/kurthcronin.doc
— (2003), *Al Qaeda after the Iraqi Conflict*, CRS Report to Congress: 3-4
— (2006), "How al-Qaida Ends: the decline and demise of terrorist groups", *International Security* 31, 1: 7-48.

CUMMINGS, M. L. (2004), "Human Supervisory Control of Swarming Networks", Massachusetts Institute of Technology, *Signal Magazine*, em http://www.afcea.org/signal

CURTIS, Andrew (2004), "Small-worlds, Beyond social networking", *The Rose-Hulman Undergraduate Mathematics Journal*, volume 5, number 2.

CZERWINSKI, Thomas J. (1996), "Command and Control at the Crossroads", in *Parameters*, www.carlisle.army.mil/usawc/Parameters/96autumn/czerwins.htm

DAVIS, D. W. (2003), *Al-Qaeda and the Phinehas Priesthood Terrorist Groups with a Common Enemy and Similar Justifications for Terror Tactics*, tese de doutoramento disponível em https://txspace.tamu.edu/bitstream/1969.1/574/1/etd-tamu-2003C-EHRD-Davis-1.pdf

DEFLEM, Mathieu (2000), Bureaucratization and Social Control. Historical Foundations of International Police Cooperation, *Law & Society Review*, vol. 34, no. 3: 739-778.

DEPTULA, David A. (2001), *Effects-based Operations: Change in the Nature of Warfare*, Aerospace Education Foundation, Defense and Airpower Series, Arlington, Virginia.

DELEUZE, Gilles e GUATTARI, Félix (1997), *L'Anti-Oedipe: capitalisme et schizophrénie*, foucault.info/documents/foucault.prefaceAntiOedipe.fr.html

DOBSON, Ian *et al.* (2004), "Complex Systems Analysis of Series of Blackouts Cascading Failure, Criticality, and Self-Organization", em *Bulk Power and System Dynamics and Control* IV: 22-27, Italy.

DODDS, Peter Sheridan e WATTS, Duncan J. (2004) "Universal Behavior in a Generalized Model of Contagion", Physical Review Letter, vol. 92. n,21, em www.sociology.columbia.edu/pdf-files/watts03.pdf

DODDS, Peter Sheridan, WATTS, Duncan J., e SABEL, C. F. (2003), "Information Exchange and Robustness in Organizational Networks", em Center on Organizational Innovation, em www.coi.columbia.edu/pdf/dodds_sabel_watts.pdf

DOROGOVTSEV, S.N. e MENDES, J.F.F. (2003). *Evolution of Networks: from biological networks to the Internet and WWW*, Oxford University Press.

DUNBAR, R.I.M. (1993), "Coevolution of neocortical size, group size and language in humans" *Behavioral and Brain Sciences* 16 (4): 681-735.

— (1993), "Co-evolution of Neocortex Size, Group Size and Language in Humans", *Behavioral and Brain Sciences* 16 (4):681-735.

— (1993), "What's in a Classification", em www.animal-rights-library.com/texts-m/dunbar01.htm

— (2002), "Are There Cognitive Constraints on an E-World?", em 21st.century.phil-inst.hu/2002_konf/Dunbar/dunbar_tlk.htm

EBERSBACH, Anja, GLASER, Markus e HEIGL, Richard (2005), *Wiki Web Collaboration*, Springer.

EDWARDS, Sean J. A. (2005), *Swarming and the Future of Warfare*, Pardee Rand Graduate School, Rand Corporation, Santa Monica, California.

ELWOOD-CLAYTON, B., "Desire and Loathing in the Cyber Philippines", pp. 195-218.

EARTH LIBERATION FRONT, Beltane, 1997, *Communique from the Earth Liberation Front*, em http://www.mcn.org/e/iii/elf.htm

EARTH FIRST!, "Evolving Earth First!", *Earth First! Journal*, volume 26, issue 6, em http://www.earthfirstjournal.org/articles.php?a=916

ETZIONI, Amitai (2002), "Implications of the American anti-terrorism coalition for global architectures", *European Journal of Political Theory*, 1 (1): 9-31, London.

FARBY, Ib e MAGNUSSON, Marta-Lisa (1999), "The Battle(s) for Grozny", *Baltic Defence Review*, 2, pp. 75-88.

FAURBY, Ib e MAGNUSSON, Märta-Lisa (1999), "The Battle(s) of Grozny", *Baltic Defence Review*, pp. 75-88, Copenhagen.

FELTER, Joe *et al* (2006), *Harmony and Disharmony. Exploiting Al-Qa'ida's Organizational Vulnerabilities,* US Military Academy, *West Point*, Combating Terrorism Center. Department of Social Sciences, em http://fsi.stanford.edu/publications/harmony_and_disharmony_exploiting_alqaidas_ organizational_vulnerabilities/

FINE, Sidney (1955), "Anarchism and the Assassination of McKinley", *The American Historical Review*, vol. 60, no. 4: 777-799.

FLEISHMAN, Charlotte (2005), "The Business of Terror: Conceptualizing Terrorist Organizations as Cellular Businesses", *Center for Defense Information,* em www.cdi.org

FOUCAULT, Michel, Préface à la traduction américaine du livre de Gilles Deleuze et Felix Guattari, *L'Anti-Oedipe : capitalisme et schizophrénie*, 1977. *In* Michel Foucault, *Dits et Ecrits* II, 1976-1988, Paris, Gallimard, 2001 (1ère Edition 1994), p. 133-136.

FRANKLIN, Stan (1996), "Coordination without Communication", em www.cs.memphis.edu/~franklin/coord.html

FRANZ, George (2004), "Decentralized Comand and Control of High-Tech Forces", *Naval War College*, Newport, Rhode Island.

FREIRE NOGUEIRA, José Manuel e VIEIRA BORGES, João (2006), *O Pensamento Estratégico Nacional*: 143-199, Cosmos e Instituto da Defesa Nacional, Lisboa.

FRIEDMAN, Thomas L. (2005), *The World is Flat. A Brief History of the Twenty-First Century*, Farrar, Strauss and Gitoux, New York.

FRIEL, Brian (2002) "Hierarchies and Networks", em httt://.www.govexec.com

FROMM, Jochen (2003), "Types and Forms of Emergence", em arxiv.org/abs/nlin/0506028

— (2004), *The Emergence of Complexity*, Kassel University Press.

FROMMER, I. e PUNDOOR, G. (2003), "Small world: A review of recent books," *Networks*, volume 41, n. 3, pp. 174–180.

GABORY, Émile (1989), *Les Guerres de Vendée*, Robert Laffont, Paris.

GARFINKEL, Simson L. (2003), "Leaderless resistance today", *First Monday* 8 (3).

— (2003), "Leaderless Resistance Comes of Age", em www.simson.netclipsacademic2002.ISP211.LeaderlessResistance.pdf

GEIFMAN, Anna (1992), "Aspect of Early Twentieth-Century Russian Terrorism: The Socialist-Revolutionary Combat Organization," *Terrorism and Political Violence* 4, n. 2: 23-46.

GIRVAN, M. e NEWMAN, M.E.J. (2001) "Community structure in social and biological networks", *Sante Fe Institute*, working papers, www.santafe.edu/research/publications/workingpapers/01-12-077.pdf

GLADWELL, Malcolm (1999), "Six Degrees of Lois Weisberg", *The New Yorker*, 11 Janeiro, em www.gladwell.com/1999/1999_01_11_a_weisberg.htm

— (2000), *The Tipping Point: how little things can make a big difference*, Malcolm Gladwell.

GOULDNER, Alvin W. (1982), "Marx's Last Battle. Bakunin and the First International", *Theory and Society*, vol. 11, no. 6, Special Issue in Memory of Alvin W. Gouldner, pp. 853-884.

GRAEBER, David (2002), "The New Anarchists, A Movement of Movements?" 5, *New Left Review* 13, Jan-Feb, pp. 61-73.

GRANOVETTER, Mark (1973), "The strength of weak ties", in *American Journal of Sociology*, 78(6): 1360-1380.

GROB-FITZGIBBON, Benjamin (2004), "From the Dagger to the Bomb: Karl Heinzen and the Evolution of Political Terror", *Terrorism and Political Violence*, volume 16, number 1: 97-115.

GROGIN, Bob (1998), "Forgotten Crisis. The Fin-de-Siecle Crisis of Democracy in France", *Canadian Journal of History*, 33, 2: 309-312.

GUIMERÀ, L. *et al.* (2003), "Self-similar community structure in a network of human interactions", *Physical Review* E 68, 065103 (R).

GUNARATNA, Rohan (2002), *Inside Al Qaeda: Global Network of Terror*, Columbia University Press, New York.

— (2004), "The Post-Madrid Face of Al Qaeda", *The Washington Quarterly*, 27:3 pp. 91–100.

HAKIMZADEH, Kavon (2003), "The Issue of Decision Up-Creep in Network Centric Warfare", *Naval War College*, Newport, Rhode Island.

HAMMES, Thomas X. (2005), "Insurgency. Modern Warfare Evolves into 4th Generation", *Strategic Forum* 214: 1-8.

— (2006), "Countering Evolved Insurgent Networks", *Military Review*: 18-26.

HAN, Seungyeon e HILL, Janette (2006), "Collaboration, Communication, and Learning in a Virtual Community", *Subhasish Dasgupta, Encyclopedia of Virtual Communities and Technologies*: 29-36, Idea Group Reference.

HANAKI, Nobuyuki (2004), "Action Learning versus Strategy Learning", The Earth Institute, Columbia University.

HANAKI, Nobuyuki, PETERHANSL, A., DODDS, P. S. e WATTS, D. J. (2005), "Cooperation in Evolving Social Networks", em www.columbia.edu/~ap11/PaperHPDW.pdf

HANAKI, N., SETHI, Rajiv, EREV, Ido, e PETERHANS,L Alexander (2003), "Learning Strategies", em www.dpipe.tsukuba.ac.jp/~hanaki/hanaki/papers/Learning.pdf

HANSEN, Donald K. (2004), "Can Decentralized Command and Control Complement Network-Centric Warfare?", Naval War Coll Newport RI Joint Military Operations Dept

HARDT, Michael (2002), "Today's Bandung? A Movement of Movements?" 6, *New Left Review* 14, Mar-Apr, pp. 112-118.

HARDT, Michael e NEGRI, Antonio (2002), *Empire*. Harvard University Press.

(eds.) HARPER, R. *et al.* (2005), *The Inside Text Social, Cultural and Design Perspectives on SMS*, Springer.

HAYES, Bradd C. e SANDS, Jeffrey I. (1999), D*oing Windows, Non-traditional Military Responses to Complex Emergencies*, Center for Advanced Concepts and Technology (ACT), DoD C4ISR Cooperative Research Program, Virginia.

HELBING, Dirk e FARKAS, Illés e VICSEK, Tamás (2000), "Simulating dynamical features of escape panic", *Nature*, vol. 407.

HELD, David, MCGREW, Anthony, GOLDBLATT, David e PERRATON, David (1999), *Global Transformations. Politics, Economy and Culture*, Polity Press.

HENZEL, Christopher (2005), "The Origins of Al-Qaeda Ideology. Implications for US Strategy", in *Parameters*: 69-80.

HILL, R. e DUNBAR, R.I.M. (2002), "Social Network Size in Humans", *Human Nature*, Vol. 14, No. 1, pp. 53-72, em www.liv.ac.uk/evolpsyc/Hill_Dunbar_networks.pdf

HIRST, Paul Q. (2002), "Another century of conflict? War and the international system in the 21st century", *International Relations* 16 (3): 327-342, London.

HOFFMAN, Bruce (2002), "A Nasty Business", *The Atlantic Monthly*, em www.theatlantic.com

HOLME, Petter, KIM, B.J., YOON, C.N. e HAN, S.K. (2002), "Attack Vulnerability of Complex Networks", *Physical Review* E 65, 018101.

HORGAN, John and TAYLOR, Max (1997), "The Provisional Irish Republican Army: Command and Functional Structure," *Terrorism and Political Violence* 9, no. 3: 1-32.

HUTTON, Patrick H. (1974), "The Role of the Blanquist Party in Left-Wing Politics in France, 1879-90", *The Journal of Modern History*, vol. 46, no. 2., pp. 277-295.

(eds.) INBODY, Donald *et al.* (2003), *Swarming. Network Enabled C4ISR Conference Proceedings*, McLean, 13-14 Jan., Joint C4ISR Decision Support Center, Virginia.

ISMAIL, Noor Huda (2006),"The Role of Kinship in Indonesia's Jemaah Islamiya", *Terrorism Monitor*, vol. 4, no. 11.

JACKSON, Brian A. *et al.* (2005), *Aptitude for Destruction. Organizational Learning in Terrorist Groups and Its Implications for Combating Terrorism*, volume 1, Rand.

JACKSON, Gabriel (2006), "Anarchism, the Republic, and Civil War in Spain 1931-1939" e "The Spanish Civil War, the Soviet Union, and Communism", *The Journal of Military History*; 70, 1: 261-262.

JENSEN, Richard Bach (1981), "The International Anti-Anarchist Conference of 1898 and the Origins of Interpol", *Journal of Contemporary History*, vol. 16, no. 2: 323-347.

JENKINS, Brian Michael (2006), "The New Age of Terrorism", Rand.

— (2001), "The United States, International Policing and the War against Anarchist Terrorism, 1900–1914", *Terrorism and Political Violence*, vol. 13, no. 1: 15-36.

— (2004), "Daggers, Rifles and Dynamite: Anarchist Terrorism in Nineteenh Cnetury Europe", *Terrorism and Political Violence*, vol. 16, no. 1: 116-153.

JOHNSON, David R., Susan P. Crawford e John G Palfrey (2004), "The Accountable Net: Peer Production of Internet Governance". *Virginia Journal of Law and Technology*, vol. 9, no. 9: 2-33.

JOHNSON, Richard J. (1972), "Zagranichnaia Agentura. The Tsarist Political Police in Europe", *Journal of Contemporary History*, vol. 7, no. 1-2:. 221-242.

JONAS, George, *Vengeance*, Simon and Schuster, New York.

JONES, Candace, HESTERLY, W.S. e BORGATTI, S.P. (1997), "A General Theory of Network Governance: exchange conditions and social mechanisms", *Academy of Managment Review*, volume 22, number 4: 911-945.

JOYCE-HASHAM, Mariyam (2000), "Emerging threats on the Internet", briefing paper New Series No. 15, *Royal Institute on International Affairs*, [RIIA], em www.chathamhouse.org.ukpdfbriefing_papersemerging_threats_on_the_internet.pdf

JUERGENSMEYER, Mark (1993), *The New Cold War? Religious nationalism confronts the secular states*, The University of California Press, Berkeley and Los Angeles.

— (2000), *Terror in the Mind of God*, University of California Press, Berkeley and Los Angeles.

KAMRADT, Hank (2003), "Informational Sufficiency and the Operational Commander: a cautionary tale", Joint Military Operations Department, Naval War College, Newport, RI.

KEENE, Edward (2002), *Beyond the Anarchical Society. Grotius, colonialism and order in world politics*, Cambridge University Press.

KENNEY, Michael (2003), "From Pablo to Osama: Counter-Terrorism Lessons from the War on Drugs", *Survival* 45, no. 3: 187-206.

KEPEL, Gilles (2003), *Jihad. Expansion et Déclin de l'Islamisme*, Gallimard

KEYANI, P. e FARNHAM, S., "Swarm: text messaging designed to enhance social coordination", em (ed.) Richard Harper et al, The Inside Text Social, Cultural and Design Perspectives on SMS: pp 287-303, Springer Netherlands.

KILCULLEN, David (2006), "Counterinsurgency Redux", *Survival* 48 (4): 11-130.

KINGSEED, Wyatt (2001), "The assassination of William McKinley", *American History* 36, 4: 22-29.

KLEIN, Naomi (2001), "Reclaiming the Commons", *New Left Review* 9, pp 81-89.

KLEINFELD, J. (2002), "Could it be a Big World After All. The 'Six Degrees of Separation' Myth", *Society*, em www.uaf.edu/northern/big_world.html

KLERKS, Peter (2001), "The Network Paradigm Applied to Criminal Organizations", *Connections* 24 (3): 53-65.

KRASNER, Stephen D. (2005), "The Day After", *Foreign Policy*, no. 146: 68-70.

KREBS, Valdis (2002), "Mapping Networks of Terrorist Cells", in *Connections*, em http://www.sfu.ca/~insna/Connections-Web/Volume24-3/Valdis.Krebs.web.pdf

— (2002), "Uncloaking Terrorist Network", *First Monday,* vol. 7, no. 4.

— (2004), "It's the Conversations, Stupid! The Link between Social Interaction and Political Choice", em http://www.orgnet.com/PoliticalConversations.pdf

KREPS, Sarah (2007), "The 2006 Lebanon War: Lessons Learned", Paremeters (spring): 72-84.

KUHN, James (1998), "Network-Centric Warfare. The end of objective-oriented command and control?", Naval War College, Newport, RI.

KURAN, Timur (2005), "Why the Islamic Middle East did not generate an Indigenous Corporate Law", em http://www.princeton.edu/~piirs/calendars/Kuran%20paper.pdf

LAQUEUR, Walter (1975), "The Origins of Guerrilla Doctrine", *Journal of Contemporary History*, vol. 10, no. 3. pp. 341-382.

LAW, John (1992),"Notes on the Theory of the Actor-Network. Ordering, Strategy and Heterogeneity", working paper, *Centre for Science Studies*, Lancaster University.

LEAHY, Kevin (2005), *The Impact of Technology on the Command, Control, and Organizational Structure of Insurgent Groups.*, tese apresentada ao Army Command and General Staff Colege, Fort Leavenworth, disponível em stinet.dtic.mil/oai/oai?&verb=getRecord&metadataPrefix=html&identifier=ADA437024

LEBOEUF, Aline (2005), "Fluid Conflicts. Concepts and Scenarios", *Politique étrangère*, 3.

LEHENY, David (2005), "Terrorism, Social Movements, and International Security: How Al Qaeda Affects Southeast Asia", *Japanese Journal of Political Science* 6: 87-109.

LESSER, Ian *et al.* (1999), *Countering the New Terrorism*, Rand.

LUTES, Chuck (2002), "Al-Qaida in Action and Learning. A Systems Approach", Air War College, US Air Force.

MAHNKEN, Thomas G. e SIMONDS, James R. Fitz, *The limits of Transformation. Officer Attitudes toward the Revolution in Military Affairs*, Naval War College, Newport, Rhode Island.

MANWARING, Max G. (2005) *Street Gangs, The New Urban Insurgency*, Strategic Studies Institute, US Army War College, Pennsylvania.

MARION, Russ e UHL-BEIN, Mary (2002), "Complexity Theory and Al Qaeda: Examining Complex Leadership"_isce.edu/ISCE_Group_Site/webcontent/ISCE_Events/Naples_2002/Naples_2002_Presentations/Marion_Uhl-Bein.ppt - Supplemental Result

MARQUES GUEDES, Armando (1999), "As religiões e o choque civilizacional", em *Religiões, Segurança e Defesa*: 151-179, Instituto de Altos Estudos Militares, Atena, Lisboa.

— (2000), "As guerras culturais, a soberania e a globalização", *Boletim do Instituto de Altos Estudos Militares*, 51: 165-162, Lisboa.

— (2005), *Estudos sobre Relações Internacionais*, Instituto Diplomático, Ministério dos Negócios Estrangeiros, Lisboa.

— (2006), "O Pensamento Estratégico Nacional. Que futuro?", em José Manuel Freire Nogueira e João Vieira Borges, *O Pensamento Estratégico Nacional*: 143-199, Cosmos e Instituto da Defesa Nacional, Lisboa.

MARTIN, Brian (1989), "Gene Sharp's Theory of Power", *Journal of Peace Research,* vol. 26, no. 2, pp. 213-22, http://pages.zdnet.com/trimb/id55.html

MATLIS, Jan (2002), "Scale-Free Networks", *Computerworld*, em_www.computerworld.com/printthis/2002/0,4814,75539,00.html

MATTHEW, Richard e SHAMBAUGH, George (2005), "The Limits of Terrorism: A Network Perspective", *International Studies Review* 7, 617-627.

MAWBY, David, MCDOUGALL, Ian e BOEHMER, Greg (2005) *A Network-Centric Operations Case Study, US/UK Coalition Combat Operations during Operation Iraq Freedom*, Office of Force Transformation, Office of the Secretary of Defence, Washington.

MAYFIELD, Ross (2004), "Social Network Dynamics and Participatory Politics", *Extreme Democracy*, em http://www.extremedemocracy.com/

MCALLISTER, Brad (2004), "Al Qaeda and the Innovative Firm: Demythologizing the Network", *Studies in Conflict and Terrorism* 27, no. 4: 297-319.

MELMAN, Bili (1980), "The Terrorist in Fiction", *Journal of Contemporary History*, vol. 15, no. 3: 559-576.

MENDELSOHN, Barak (2005), "Sovereignty under Attack: The International Society Meets the Al Qaeda Network", *Review of International Studies* 31, no. 1: 45-68.

MERTES, Tom (2002) "Grass-Roots Globalism. Rply to Michael Hardt, A Movement of Movements?" 10, *New Left Review* 17, pp 101-110.

MILGRAM, Stanley (1967), "The Small Worlds Problem", em *Psychology Today* 2: 60-67.

MILLER, John H. e MOSER, Scott (2003), "Communication and Coordination", em doi.wiley.com

MILWARD, H. Brinton e RAAB, J. (2002), "Dark Networks. The Structure, Operation and Performance of International Drug, Terror, and Arms Trafficking Networks", paper não-publicado, apresentado na *Conference on the Empirical Study of Governance, Management, and Performance,* Barcelona, em www.iigc.org/workshop/pdf/Milward_and_Raab.pdf

MITTELSTADT, B. *et al.* (2005), "Electricity Infrastructures Vulnerabilities", em http://www.ee.washington.edu/energy/apt/nsfepri/s4/v_overview.pdf

MOFFAT, James (2003), *Complexity Theory and Network Centric Warfare*, Information Age Transformation Series, DoD Command and Control Research Program do *Center for Advanced Concepts and Technology* do *Department of Defense* (CCRP), Virginia.

MOODY, James e WHITE, Douglas (2003), "Structural Cohesion and Embeddedness: A Hierarchical Concept of Social Groups, *American Sociological Review*, vol. 68, no. 1, pp. 103-127.

MOORE, Christopher e NEWMAN, M.E.J. (2000), "Epidemics and Percolation in Small-World Networks", em http://link.aps.org/abstract/PRE/v61/p5678

MOTTER, Adilson e LAI Ying-Cheng (2002), "Cascade Based Attack on Complex Networks", *Physical Review* E 66, 0651021-4(R).

NAGARAJA, Shishir, ANDERSON, Ross (2005), "The topology of covert conflict", *Technical Report* 637, *Computer Laboratory*, University of Cambridge.

NAJI, Abu Bakr (tradução de 2006), *The Management of Savagery. The Most Critical Stage Through Which the Umma Will Pass* (translated by William McCants), disponível em www.ctc.usma.edu/Management_of_Savagery.pdf

NEWMAN, M.E.J. (2000), "The structure of scientific collaboration networks", em http://www.pnas.org/cgi/content/abstract/98/2/404

— (2006), "Modularity and community structure in networks" em www.orgnet.com

NOVAK, D. (1958), "The Place of Anarchism in the History of Political Thought", *The Review of Politics*, vol. 20, no. 3., pp. 307-329.

NOZICK, Robert (1994), "Invisible-Hand Explanations", *The American Economic Review* 84 (2): 314-318.

ONODY, R.N. e CASTRO, P.A. de (2004) "Complex Network Study of Brazilian Soccer Player", *Physical Review* E 70, 037103.

PARUNAK, H. (2003). "Making swarming happen", em *Proceedings of Conference on Swarming and Network Enabled Command, Control, Communications, Computers, Intelligence, Surveillance and Reconnaissance (C4ISR)*, McLean, Virginia.

PARUNAK, H. Van Dyke, *Making Swarming Happen*, Conference on Swarming and C41SR, Washington, http://www.altarum.org

PESCE, Mark (2005), "The Human Use of Human Networks", em www.isoc-au.org.au/DTF05/slides/MarkPesce.pdf

PETERS, Ralph (1994), "The New Warrior Class"*, Parameters*, Carlisle U.S. Army War College Quarterly, pp 16-26.

PHILPOTT, Daniel (2001), *Revolutions in Sovereignty: How Ideas Shaped Modern International Relations*, Princeton University Press.

PRICE, I. (1995), "Organisational Memetics. Organisational Learning as a Selection Process", *Management Learning*, 26: 299-318.

PUCHALA Donald (2005), "Of Pirates and Terrorists: What Experience and History Teach", *Contemporary Security Policy* 26 (1): 1-24.

(ed.) PUMAIN, Denise (2006), *Hierarchy in Natural and Social Sciences*, Springer.

RADU, Michael (2005), "Gangs in Search of an Ideology", *FrontPageMagazine.com*, em www.frontpagemag.com

RAMAKRISHNA, Kumar (2005), "It´s the story, stupid! Developing a Counter-Strategy for Neutralizing Radical Islamism in Southeast Asia" Defence Academy of the United Kingdom, em www.defac.ac.uk/.../csrc/document-listings/special/Special/csrc_mpf.2005-10-17.5799702381/05(48).pdf/view

RAMSAY, Allan (2003), "Foreign policy and conspiracy", *Contemporary Review*, vol 283, issue 1652: 135-143.

RAPOPORT, David (1988), *Inside Terrorist Organizations*, Columbia University Press.

— (2003), "Generations and Waves: The Keys to Understanding Rebel Terror Movements", texto integral de uma Conferência disponível em www.international.ucla.edu/article.asp?parentid=5118

RASMUSSEN Maria (2005), "Some Thoughts on the London Bombs", *Strategic Insights*, volume IV, issue 9, *online.*

RASMUSSEN, Mikkel Vedby (2002), "'A parallel globalization of terror': 9-11, security and globalization", *Cooperation and Conflict. Journal of the Nordic International Studies Association* 37 (3): 323-349, Copenhagen.

RAYMOND, Eric S. (1998), "The Cathedral and the Bazaar", in *First Monday*, 3 (3)., em www.firstmonday.org

RESSLER, Steve (2006), "Social Network Analysis as an Approach to Combat Terrorism Past, Present, and Future Research", *Homeland Security Affairs* II (2).

ROBB John, (2004), "The Bazaar's Open Source Platform", September 24, em http://www.g-cat.org/gcat3/

ROBESPIERRE, M., "Principes de morale politique", *Discours presenté à la* Convention *Nationale Française*, 5 de Fevereiro de 1794, http://membres.lycos.fr/discours/1794.htm

ROBINSON, Adam (2001), *Bin Laden. Behind the Mask of the Terrorist*, Arcade Publishing, New York.

RODRÍGUEZ, José A. (2005), "The March 11th terrorist network. In its weakness lies its strength", working paper, *Grupo de Estudios de Poder y Privilegio*, Departament de Sociologia i Anàlisi de les Organitzacions Universitat de Barcelona.

RONFELDT, David (1996), "Tribes, Institutions, Markets, Networks – A Framework About Societal Evolution", Rand, em www.rand.org/pubs/papers/P7967/index.html

— (2005), "A Long Look Ahead. NGOs, Networks, and Future Social Evolution", Rand.

— (2005), "Al-Qaeda and its affiliates: A global tribe waging segmental warfare?", *First Monday*, volume 10, number 3.

ROOSEVELT, Theodore (1904), *The Roosevelt Corollary to the Monroe Doctrine*, Maio de 1904, em http://www.theodore-roosevelt.com/trmdcorollary.html

— (1901), *First Annual Message to Congress*, 3 de Dezembro de 1901, em http://www.geocities.com/presidentialspeeches/1901.htm

SAGEMAN, Marc (2004), "Understanding Terror Networks", University of Pennsylvania Press.

SCHMITT, John F. (1997), "Command and (Out Of) Control: The Military Implications of Complexity Theory", em (eds.) Alberts, David S. and Thomas J. Czerwinski, *Complexity,Global Politics and National Security*: 219-246, National Defense University, Washington, DC, em http://www.dodccrp.org/comch09.html

SHUBERT, Adrian (1991), recensão crítica de *Modern Europe - Anarchist Ideology and the Working-Class Movement in Spain, 1868-1898*, de George Richard Esenwein, *The American Historical Review;* Apr 1991; 96, 2: 534-536.

SCRUTON, Roger (2002) *The West and the Rest: Globalization and the terrorist threat* , ISI Books.

SERAFIM, Ana (2005), "Terrorism, a cultural phenomenon", in *The Quarterly Review*, em www.ciaonet.org/olj/co/co_mar05/co_mar05d.pdf

SETON-WATSON, R.W. (1935), "King Alexander's Assassination. Its Background and Effects", *International Affairs*, vol. 14, no. 1, pp. 20-47.

SEYMOUR, Benedict (2003), "Nationalize this! What next for anti-globalization protests?", *Radical Philosophy* em www.radicalphilosophy.com/default.asp?channel_id=2187&editorial_id=9918

SKYRMS, Brian e PEMANTLE, Robin (2004), "A Dynamic Model of Social Network Formation", em www.pnas.org/cgi/reprint/97/16/9340.pdf

SLAUGHTER, Anne-Marie (2004), *A New World Order*, Princeton University Press.

SOLNICK, Steven L. (1991), "Revolution, Reform and the Soviet Telephone System, 1917-1927", *Soviet Studies*, vol. 43, no. 1: 157-175.

STATEN, Carl L. (1997), CEO/CIO, *Strategic Knowledge; Preventing the Bombing of the Bridge to the 21st Century*, Emergency Response & Research Institute, Chicago.

— (1999), "Assymetrical Warfare, The Evolution and Devolution of Terrorism: the Coming Challenge for Emergency and National Security Forces", in *Journal of Counterterrorism and Security International*, vol. 5 (4): 8-11, Emergency Response & Research Institute, Chicago.

— (2003), "Urban Warfare Considerations; Understanding and Combating Irregular and Guerilla Forces during a 'Conventional War' in Iraq", em www.emergency.com/2003/urban_warfare_considerations.htm

STILL, Bryan (2004), *"The Role of Leadership in Self-Synchronized Operations – the implications for the US military"*, Naval College.

STOHL, Cynthia e STOHL, Michael (2002), "The Nexus and the Organization. The Communicative Foundations of Terrorist Organizing", em http://www.comm.ucsb.edu/ Research/The%20Nexus%20and%20the%20Organization.pdf

STOKES, Gale (1976), "The Serbian Documents from 1914. A Preview", *The Journal of Modern History*, vol. 48, no. 3, On Demand Supplement, pp. 69-84.

SYKORA, Charles D. (2006), "A Transformation Limited by Legacy Command and Control", *Naval War College Review*, vol. 59, no. 1: 41-62.

TAMBIAH, Stanley J. (1996), *Leveling Crowds: ethnonationalist conflicts and collective violence in south Asia*, The University of California Press, Berkeley and Los Angeles.

TARROW, Sidney (1998), "Transnational contention" e "The future of social movements", *Power in Movement. Social movements and contentious politics*: 176-196 e 196-210, Cambridge University Press.

THEOHARIS, Athan G. (1990), "Dissent and the State. Unleashing the FBI, 1917-1985", *The History Teacher*, vol. 24, no. 1: 41-52.

THURSTON, Robert W. (1980), "Police and People in Moscow, 1906-1914", *Russian Review*, vol. 39, no. 3: 320-338.

TRAUGOTT, Mark (1993), "Barricades as Repertoire. Continuities and Discontinuities in the History of French Contention", *Social Science History*, vol. 17, no. 2: 309-323.

TRIVANOVITCH, Vaso (1930), recensões críticas de Sarajewo. Die Frage der Verantwortlichkeit der serbischen Regierung an dem Attentat von 1914 por Hans Bauer e The murder of Sarayevo: an inquiry into the history of Austro-Serbian relations and the Balkan policy of Russia in the period 1903-1914 por N. P. Poletika, The Journal of Modern History, vol. 2, no. 4., pp. 706-710.

US 9/11 Commission Report. Final Report of the National Commission on Terrorist Attacks Upon the United States, Washington, em http://www.gpoaccess.gov/911/ index.html

UY-TIOCO, Cecilia Alexandra (2003), "The Cell Phone and Edsa 2. The Role of Technology in Ousting a President", em http://beard.dialnsa.edu/~treis/pdf/ The%20Cell%20Phone%20and%20Edsa%202.pdf

VOEGELIN, Eric (1946), "Bakunin's Confession", *The Journal of Politics*, vol. 8, no. 1, pp. 24-43.

WADDELL W., (2005) "Al Qaeda's Strategic Evolution", em www.omninerd.com/2005/12/ 30/articles/45

WALLERSTEIN, Immanuel (2002) "New Revolts against the System. A Movement of Movements?", *New Left Review* 18, pp. 29-39.

WATSON, Brian G. (2005) *Reshaping the Expeditionary Army to win decisively: the case for greater stabilization capacity in the modular force*, Strategic Studies Institute, em www.strategicstudiesinstitute.army.mil/pdffiles/PUB621.pdf

WATTS, Duncan J. (1999), "Networks, Dynamics and the Small World Phenomenon", in *American Journal of Sociology*, vol. 105, no. 2: 493-527.

— (1999), *Small Worlds: The Dynamics of Networks between Order and Randomness*, Princeton University Press.

— (2003), *Six Degrees: The Science of a Connected Age*. W. W. Norton & Company.

WATTS, Duncan J. e STROGATZ, Steven H. (1998), "Collective dynamics of 'small-world' networks", *Nature* 393: 440-442.

WATTS, Duncan J. e ZACHARY, Steven W.W. (1977), "An information flow model for conflict and fission in small groups", *Journal of Anthropological Research* 33: 452-473.

WEDGWOOD, Ruth (2002), "Al Qaeda, military commissions, and American self-defense", *Political Science Quarterly* 117 (3): 357-372, Harvard University.

WELLMAN, Barry (1988), "Structural Analysis. From Method and Metaphor to Theory and Substance", em (eds.) B. Wellman e S.D. Berkowitz, *Social structures: A network approach*: 19-61 Cambridge University Press.

— (1999), "Living connected on and offline", *Contemporary Sociology*, Vol. 28, n. 6, November 1999, 648-654.

WELLMAN, Barry e BERKOWITZ, S.D., *Social Structures: A Network Approach*, Cambridge University Press.

WEIJDEN, Hans van der (2005), "Al-Qaida, The Business Model." *Interface*, em http://www.sviib.nl/interface/magazine/pdf/21_3_alquada.pdf

WEISSMAN, Neil (1985), "Regular Police in Tsarist Russia, 1900-1914", *Russian Review*, vol. 44, no. 1, pp. 45-68.

WHITE, Douglas e HARARY, Frank (2000), "The Cohesiveness of Blocks in Social Networks: Node Connectivity and Conditional Density", em http://www.santafe.edu/files/workshops/dynamics/sm-wh8a.pdf

WHITE, Tony (2005), *Expert Assessment of Stigmergy. A Report for the Department of National Defence*, em www.stormingmedia.us/38/3821/A382144.html

WILCOX, Greg e WILSON, Gary I. (2002), "Military Response to Fourth Generation Warfare in Afghanistan", *Emergency Response & Research Institute*, Chicago.

WILLIAMS, David (1981), "The Bureau of Investigation and Its Critics, 1919-1921. The Origins of Federal Political Surveillance", *The Journal of American History*, vol. 68, no. 3: 560-579.

WILLIAMSON, JR., Samuel R. (1980), recensões críticas de *Dokumente zum Sarajevoprozess: Ein Quellenbericht* by Friedrich Wurthle e *Die Spur fuhrt nach Belgrad: Die Hintergrunde des Dramas von Sarajevo 1914* by Friedrich Wurthle, *The Journal of Modern History*, vol. 52, no. 2pp. 358-362.

WIKTOROWICZ. Quintan (2005), "A Genealogy of Radical Islam", *Studies in Conflict and Terrorism* 28: 75-97.

WOLF, Tom De e HOLVOET Tom (2006), "Decentralised Coordination Mechanisms as Design Patterns for Self-Organising Emergent Applications", em www.cs.kuleuven.ac.be/cwis/research/distrinet/public/showperson.php?ID=47

WOLF, T. De, HOLVOET, T. *et al* (2005), "Emergence Versus Self-Organisation. Different Concepts but Promising when Combined", Springer Berlin/Heidelberg.

WOLFF, M. (2002), "Homeland Insecurity", *New York Magazine*, em www.theatlantic.com/issues/2002/09/mann.htm

YOUNG, H. Peyton (2005), "The Spread of Innovations through Social Learning", *SCED working paper*, John Hopkins University, em www.brookings.edu/es/dynamics/papers/csed_wp43.htm

ZACHARY, W.W. (1977), "An information flow model for conflict and fission in small groups", *Journal of Anthropological Research,* 33: 452-473.

ZANETTE, Damián H. (2002), "Dynamics of rumor propagation on small-world networks", Consejo Nacional de Investigaciones Científicas y Técnicas, Centro Atómico Bariloche e Instituto Balseiro.

ZANINI, Michele e EDWARDS Sean, (2000), "The Networking of Terror in the Information Age", em http://rand.org/pubs/monograph_reports/MR1382/MR1382.ch2.pdf

ZHAO, L.A., PARK, K.H. e LAI, Y.C. Lai (2004), "Attack Vulnerability of Scale-Free Networks due to Cascading Breakdowns", *Physical Review* E 70.035101 (R).

ZHAO, Liang, PARK, Kwangho e LAI, Ying-Cheng, (2004), "Attack Vulnerability of Scale-Free Networks due to Casacading Breakdown", *Physical Review* E 70, 035101 (R).

ZUCKERMAN, Fredric S. (1977), "Vladimir Burtsev and the Tsarist Political Police in Conflict, 1907-14", *Journal of Contemporary History*, vol. 12, no. 1, pp. 193-219.

— (1992), "Political Police and Revolution. The Impact of the 1905 Revolution on the Tsarist Secret Police", *Journal of Contemporary History*, vol. 27, no. 2: 279-300.

Internet

"NYC Mafia families hold", BBC News, Americas, 20 de Maio de 2002, in http://news.bbc.co.uk/1/hi/world/americas/1998026.stm

21st.century.phil-inst.hu/2002_konf/Dunbar/dunbar_tlk.htm

arxiv.org/abs/nlin/0506028

casos.isri.cmu.edu/events/summer_institute/2001/reading_list/pdf/EvolutionofNetworks.pdf

foucault.info/documents/foucault.prefaceAntiOedipe.fr.html

http://beard.dialnsa.edu/~treis/pdf/The%20Cell%20Phone%20and%20Edsa%202.pdf

http://globalguerrillas.typepad.com/

http://membres.lycos.fr/discours/1794.htm

http://news.bbc.co.uk/1/hi/world/americas/1998026.stm

http://nwcitizen.com/publicgood/reports/wto

http://pages.zdnet.com/trimb/id55.html

http://rand.org/pubs/monograph_reports/MR1382/MR1382.ch2.pdf

http://tmh.floonet.net/articles/bonaparte.html

http://www.afcea.org/signal

http://www.altarum.org

http://www.comm.ucsb.edu/Research/The%20Nexus%20and%20the%20Organization.pdf

http://www.extremedemocracy.com/

http://www.g-cat.org/gcat3/

http://www.geocities.com/presidentialspeeches/1901.htm

http://www.lifewithalacrity.com/2004/03/the_dunbar_numb.html

http://www.militarymuseum.org/HistoryKing.html

http://www.pnas.org/cgi/content/abstract/98/2/404

http://www.princeton.edu/~piirs/calendars/Kuran%20paper.pdf

http://www.rand.org

http://www.santafe.edu/files/workshops/dynamics/sm-wh8a.pdf

http://www.sfu.ca/~insna/Connections-Web/Volume24-3/Valdis.Krebs.web.pdf

http://www.sviib.nl/interface/magazine/pdf/21_3_alquada.pdf

http://www.theodore-roosevelt.com/trmdcorollary.html

http://www.tkb.org/Home.jsp
rebellyon.info/article609.html
sifa.unige.it/vietri/abstract/castelfranchi.pdf
ttt://.www.govexec.com
ww.ndu.edu/.../Complexity,%20Global%20Politics%20and%20Nat'l%20Sec%20-%
www.animal-rights-library.com/texts-m/dunbar01.htm
www.au.af.mil/au/awc/awcgate/crs/rs21695.pdf
www.casos.cs.cmu.edu/publications/papers/carley_2004_estimatingvulnerabilities.pdf
www.cdi.org
www.citebase.org/abstract?id=oai%3AarXiv.org%3Acond-mat%2F0510306
www.coi.columbia.edu/pdf/dodds_sabel_watts.pdf
www.columbia.edu/~ap11/PaperHPDW.pdf
www.cs.kuleuven.ac.be/cwis/research/distrinet/public/showperson.php?ID=47
www.cs.memphis.edu/~franklin/coord.html
www.dpipe.tsukuba.ac.jp/~hanaki/hanaki/papers/Learning.pdf
www.emergency.com/2003/urban_warfare_considerations.htm
www.fas.org/irp/crs/R521973.pdf
www.fas.org/irp/eprint/calahan.htm
www.firstmonday.org
www.frontpagemag.com
www.gladwell.com/1999/1999_01_11_a_weisberg.htm
www.globalresearch.ca-Al Qaeda
www.guardian.co.uk/terrorism/story/0,12780,1523838,00.html
www.imedea.uib.es
www.kent.ac.uk/economics/papers/papers-pdf/2004/0414.pdf
www.ksg.harvard.edu/complexity/papers/connections4.pdf
www.liv.ac.uk/evolpsyc/Hill_Dunbar_networks.pdf
www.louisbeam.com/leaderless.htm
www.nyu.edu/gsas/dept/politics/faculty/brams/networks.pdf
www.orgnet.com
www.pnas.org/cgi/reprint/97/16/9340.pdf
www.radicalphilosophy.com/default.asp?channel_id=2187&editorial_id=9918
www.rand.org/pubs/papers/P7967/index.html
www.si.umich.edu/stiet/researchseminar/Winter%202003/DNA.pdf
www.stormingmedia.us/38/3821/A382144.html
www.theatlantic.com
www.whitehouse.gov/news/releases/2001/09/20010920-8.html